Frédéric Quintal

Qui fait le plein ?

La croisade d'un consommateur pour
démystifier le prix de l'essence.

Édition :
Les Éditions Melonic
1426, rue Langevin Saint-Hubert, Qc, Canada J4T 1X6
Téléphone/télécopieur : (450) 678-4917
Site Web ; http://www.editionsmelonic.com

Dépôts légaux : Quatrième trimestre 2005
Bibliothèque et Archives Canada
Bibliothèque nationale du Québec

ISBN 2-923080-46-7

Illustration de la page couverture :
Réalisée par Pierre LYS pour Lys'Art CRE@TION
Courriel : contact@lysart-creation.net
Site Web ; http://www.lysart-creation.net

Imprimé au Canada

À ma mère Antoinette, que l'amour de la vie a amené à apprécier chaque journée offerte par le destin, malgré le dernier droit douloureux.

Remerciements

En janvier 2003, je me hasardai à visiter sans rendez-vous les bureaux du ministère de l'environnement à Montréal, en quête de documentation sur la nouvelle règle déterminant la teneur en soufre dans l'essence. Le destin m'y fit rencontrer fortuitement un ingénieur dont je tiens à souligner la générosité et la disponibilité. J'ignore si le protocole du ministère de l'environnement m'autorise à identifier cet ingénieur, mais s'il se reconnaît, je le remercie pour cette séance d'information en ce jour de janvier 2003.

Merci à l'émission Les francs tireurs diffusée en janvier 2004 et un grand merci à Claude Girard de la Coalition des consommateurs de carburants du Saguenay pour avoir courtoisement établi le contact. Merci également à Benoît Dutrizac, à Laurent Boursier et à l'équipe de production de l'émission. Et merci à Télé-Québec d'avoir autorisé une diffusion de trente minutes sur le sujet pétrolier.

Merci à René Goyette, Marcel Boisvert et Pierre Rathier pour la période passée avec le premier site Internet *l'essence c'est essentiel*. Merci à Simon Thibodeau pour la mise sur pied du second site Internet *l'essence à juste prix.com*.

Merci à Léo-Paul Lauzon pour l'entrevue qu'il m'a accordée en novembre 2000 et de m'avoir fourni ses lumières sur la face cachée de quelques géants industriels. La chaire d'étude socio-économique de l'UQAM que chapeaute monsieur Lauzon et l'équipe qui la compose, m'ont ouvert l'accès à trois études et à des données sur l'industrie pétrolière que l'on retrouve dans deux chapitres de cet ouvrage.

Merci à mon voisin Guy pour l'accessibilité à plusieurs de ses journaux. Merci à ma mère d'avoir de son vivant colligé quantité de découpures de presse sur l'actualité pétrolière. Merci au syndicat des croupiers du Casino d'avoir si courtoisement mis à quelques reprises leur salle de réunion à ma disposition pour des conférences de presse. Merci à tous mes collègues de travail dont les tonnes de questions sur l'actualité pétrolière ont servi de camp d'entraînement pour mettre au point les arguments et réflexions qui ont fait le sujet de nombreuses entrevues. Merci à Johnny, Jean-Marie, Julie, Martin, Steve, Pierre, Stéphane, Daniel, Régine, Mario, Claude, Lyne, Paul, Martine, André, René et à tous ces contacts précieux qui se reconnaîtront.

Merci à tous les médias et à leurs journalistes qui m'ont permis quelques 500 entrevues depuis janvier 2001. Un merci particulier à Helen Mokas, Mélanie Bourgeois et François Harnois pour m'avoir inculqué un certain apprentissage du milieu. Merci également à ce journaliste télé de m'avoir dit, le 4 janvier 2001, que je ne connaissais pas mon dossier, que je défendais mal les consommateurs et que je couchais avec les pétrolières.

Un remerciement particulier à de précieux collaborateurs qui auront permis à cet ouvrage de cheminer jusqu'à sa publication finale. Il s'agit de Laurent Bégin pour son dévouement et son expertise dans l'univers de la rédaction. Également de Claude Lasanté de la maison d'édition Mélonic, dont la philosophie d'affaires est de considérer les attentes de l'auteur et aussi de croire au contenu.

Préambule

Porte-parole 101 ou l'art de ne pas dire ce qu'il ne faut pas dire :

Pour ceux et celles qui aspirent à un emploi dans les communications et les relations publiques, les règles suivantes constitueront un aide-mémoire utile dans la description de tâche de votre éventuel travail quotidien. Il se pourrait également que ce soit un bon outil pour décoder le discours pro-pétrolier que vous pourriez retrouver à l'intérieur de ce livre.

Si vous avez à expliquer des périodes de profits excessifs, cherchez dans l'historique de l'entreprise s'il y a eu des périodes moins rentables et faites-en mention. Remontez jusqu'à 15 ans dans les rapports annuels s'il le faut. N'utilisez pas le mot profit, mais parlez plutôt « d'une certaine rentabilité ».

Si des investissements ont été faits ou sont à venir dans les infra-structures, rappelez les montants. Ici vous avez le droit de vous tromper et de multiplier jusqu'au double.

Évitez à tout prix de faire mention d'un prix élevé, d'un prix record ou d'une hausse de prix. Dites plutôt que le cours est en progression, que le prix est ferme, que c'est un prix excessif, mais sur une période de 1-2-3 mois la moyenne devrait être à la baisse et utilisez le terme majoration au lieu de hausse.

Lorsqu'on vous demande si les prix vont continuer de croître, répondez qu'avec les lois naturelles du marché, chaque cycle à la hausse est suivi d'un cycle à la baisse.

Si on vous dit que le produit que vous représentez est cher, faites un comparatif avec un produit plus dispendieux. Par exemple l'eau en bouteille, le lait et le sirop d'érable qui coûtent plus cher au litre que l'essence. Mal-heureusement en date du 2 septembre 2005 (1,47 $ le litre pour l'ordinaire), on ne peut plus comparer le lait et l'eau en bouteille à l'essence. Remplaçons donc ces deux derniers exemples par le porto.

Si vous devez investir dans l'amélioration de vos infrastructures de production pour vous conformer à des règles environnementales, et ce parce que l'utilisation de votre produit a causé des dommages irréparables à la santé et/ou à l'environnement, dites que votre sens de bon citoyen corporatif vous a amené à vous conformer à ces règles qui vous sont imposées, tout en évitant soigneusement de reconnaître une quelconque responsabilité des dommages passés.

Et si ces règles environnementales ont un impact positif sur votre rentabilité, c'est vraiment le fruit du hasard.

Lorsque le prix de votre produit doit enregistrer une hausse (rappelez-vous « majoration »), cherchez à rejeter l'odieux de cette hausse (majoration) sur un élément externe à votre produit, par exemple une matière première qui coûte plus cher, un transport plus onéreux, une technologie de production plus dispendieuse, une avarie météo, une forte demande du produit, ou encore mettez en cause les taxes qui pourraient s'y rattacher. Il faut convaincre votre interlocuteur que la hausse ne sert qu'à couvrir des coûts et n'a aucun lien avec une quelconque notion de profit additionnel.

Et maintenant bonne lecture.

Guide pratique aux lecteurs

Les prix :

Ce livre contient de multiples références aux différentes composantes du prix de l'essence. J'ajoute à votre attention le tableau de présentation suivant pour vous guider dans votre lecture.

Le prix du pétrole brut :

- Le cours du pétrole brut.
- Le prix du baril de pétrole brut.

 A

La raffinerie :

- Le prix de gros.
- Le prix avant taxe.
- Le prix sorti de la raffinerie.
- Le cours de l'essence sur la bourse Nymex.
- Le prix à la rampe de chargement. (ce chiffre comprend le prix du pétrole plus la marge de raffinage ou la spéculation au raffinage, **A** est inclus dans **B**).

 B

Taxe fixe :

- Taxe fédérale d'accise de 10 cents pour l'essence ordinaire et le super et de 4 cents sur l'essence diesel.
- Taxe routière provinciale qui varie de 10,55 à 15,20 cents en fonction des régions (annexe 1, page 230).
- Taxe de transport en commun AMT 1,5 cents (Montréal métropolitain).

 C

Transport :

• Frais de transport de la rampe de chargement ou de
la raffinerie jusqu'à la station-service.

Taxe de vente :

• TPS fédérale de 7 %.
• TVQ provinciale de 7,5 %.

Station-service :

• Prix coûtant minimum **F** = (**B**+ **C** + **D** + **E**).
(La marge du détaillant est la différence entre le
prix affiché et le total, soit (**G**) − (**F**).

Prix de vente à la pompe :

• Prix affiché.
• Prix de détail.

Table des matières

Introduction

Juin 1996 sur la route Baie-Comeau/Fermont, entre Manic 5 et le site de la défunte ville de Gagnon. Environ cent kilomètres au nord du barrage Daniel Johnson. Rien d'autres que des épinettes que l'industrie forestière n'a pas encore touchées et ce poste d'essence de la compagnie Irving. Germain et moi l'apercevons droit devant et nous nous demandons quel sera le prix au litre. Ici, pas de concurrence. Une seule station-service et une clientèle vraiment pas en mesure de magasiner. Tous doivent se ravitailler ici. Que l'on se rende dans un sens à Baie Comeau ou dans l'autre à Fermont/Wabush/Labrador City. Pendant ce temps, l'arrivée du programme Valeur Plus d'Ultramar a plongé la région de Montréal dans une guerre des prix. Depuis le début du mois de juin, nous avons droit à des prix aussi bas que 49 cents le litre pour l'ordinaire.

Notre bon ami Martin, qui nous attend à Fermont, nous avait laissé entendre que ça pourrait être un choc. Il serait tout de même plus sécuritaire de s'approvisionner ici dans cet endroit isolé en cas d'un quelconque pépin qui pourrait survenir lors des 250 kilomètres restants d'ici à Fermont. Bien oui ! On a droit à un tarif de 85 cents le litre pour l'ordinaire. C'est là que j'émets le commentaire suivant à Germain : « Ici je comprends, vu l'éloignement. Mais le jour où nous aurons droit à ce prix-là à Montréal, on pourra dire qu'il y a quelqu'un quelque part qui nous crosse ».

Avant-propos

Le présent ouvrage est un reflet passablement fidèle du cheminement suivi et des incidents qui ont ponctué mon parcours dans l'univers des pétrolières depuis cinq ans. Les différents chapitres ne sont pas présentés dans un ordre chronologique et pourraient être intervertis, à l'exception des premier et dernier chapitres. Par exemple, il eut été inadéquat de traiter d'abord du gel des prix du pétrole en 1974, puisque c'est la tenue du comité d'enquête à Ottawa, en mai 2003, qui en a dégagé les éléments d'analyse et fait ressortir toute l'importance. L'important était donc d'aborder les événements en fonction de leur mérite propre, l'ordre dans lequel ils se sont produits étant secondaire. C'est le cas de quatre demandes d'enquête logées auprès du Bureau de la concurrence entre les années 2001 et 2004, et inextricablement mêlées à d'autres événements survenus durant cet intervalle. J'ai donc procédé par sujets, regroupés chacun en un certain nombre de chapitres.

Je formule le voeu que la curiosité qui m'a poussé à explorer cet univers industriel et politique fera naître chez vous aussi la tentation d'aller voir l'envers du décor et ainsi d'en comprendre les mécanismes.

Le présent ouvrage réfère essentiellement à des événements historiques. Les citations, les chiffres et les explications qu'il contient sont tous tirés de documents officiels.

Enfin, dans le but d'alléger le récit, j'ai voulu partager avec vous certains épisodes en coulisse qui ont entouré le travail de recherche.

Une chose est certaine : ces quelques deux cent pages dévoileront au lecteur des réalités peu connues et que certains milieux s'emploient à garder cachées.

Le cheminement de David contre Goliath

Nouveau propriétaire d'un sport utilitaire :

Ce matin de février 2000, je n'étais pas vraiment sensibilisé par les récentes fluctuations du prix de l'essence. Depuis octobre 1999, les prix avaient franchi pour la première fois le seuil des 70 cents le litre. En ce même mois d'octobre 1999, par solidarité et en réaction immédiate à cette situation, des camionneurs avaient érigé des blocus routiers en Abitibi, au Saguenay et au lac St-Jean.

En novembre 1999, René Goyette et l'entreprise de service Internet pour laquelle il travaillait, avaient mis sur pied un site Internet pour magasiner le meilleur prix possible pour l'essence. C'était le début du site « L'essence c'est essentiel » sous son adresse abacom.com/essence. Sur la page d'accueil, une carte géographique permettait à l'internaute de cliquer sur la ou les régions qu'il fréquente. Le coup d'oeil permettait de consulter les prix dans chaque région. Cette mise à jour des prix se faisait grâce au volontariat des internautes. Le porte-parole du site, René Goyette, avait même proposé des journées panne-sèche dans certaines stations-service de pétrolière. La mise sur pied de ce site, les journées panne-sèche et les fluctuations du prix de l'essence avaient suscité une couverture médiatique sans précédent. La fréquentation quotidienne du site tournait autour de 10 000 à 20 000 certaines journées de novembre 1999. LCN (le canal de nouvelles continues de TVA) affichait même les meilleurs prix de l'essence selon abacom sur sa bande écrite au bas de l'écran.

Un certain matin de février, je me retrouvais chez mon concessionnaire automobile pour un changement d'huile. En attendant la sortie de ma voiture, je tuais le temps en flirtant avec les véhicules neufs dans la salle de montre. Depuis quelques semaines, le concessionnaire annonçait en grande pompe une offre alléchante sur deux Suzuki Vitara 1999, modèle deux portières avec toit décapotable. Depuis six ans que j'usais une Swift, je me disais que lorsqu'elle aurait rendue l'âme, que je me gâterais avec un sport utilitaire.

Grand amateur de plein air, ce type de véhicule correspondait à mon profil de skieur alpin, de campeur, de randonneur.

Je projetais en faire l'acquisition à l'automne 2000. Mais je ne résistai pas à la curiosité de m'enquérir sur le champ du montant de la mensualité que je devrais verser, question de prévoir au budget. J'entrai donc dans le bureau du directeur des ventes. Face au montant qu'il m'offrait pour ma voiture usée mais encore fiable, additionné d'un rabais du manufacturier, d'un rabais du concessionnaire, le tout suivi d'une vérification chez un assureur, je me retrouvais quelques minutes plus tard propriétaire de mon 4 X 4 ! J'étais entré pour faire effectuer un changement d'huile de 29,99 $; je ressortais avec un véhicule neuf de 20,000 $. Quel consommateur discipliné j'étais ! Il me fallut reconnaître que je faisais bien partie de la course aux biens matériels. Et surtout, ne voyant pas clair à ce moment-là, j'étais tombé dans ce que l'on appelle en marketing le renforcement positif : « *J'ai bien le droit de me gâter... je travaille fort... je le mérite...* ou encore *j'ai enduré une petite voiture pendant 6 ans* ».

En fait, ceux qui se sont vraiment régalés ce matin-là furent le manufacturier automobile, l'institution financière, l'assureur et les pétrolières. Mis à part le manufacturier automobile, personne n'a attiré mon attention sur la contribution que je venais d'apporter à leur chiffre d'affaires.

La performance pour le kilométrage au litre n'étant pas la même pour le 4 X 4, j'étais alors devenu plus sensible aux fluctuations du prix de l'essence. Je ne saisissais pas plus la situation que les arguments habituels livrés par les communicateurs des pétrolières. Ça a même été l'époque où j'ai cru que les prix élevés étaient sous la responsabilité de la Régie de l'énergie. Oui, j'ai déjà cru ça.

Nouveau porte-parole recherché pour L'essence c'est essentiel :

Le 6 septembre 2000 était un mercredi. Ce fut la première fois que le prix du litre d'essence ordinaire franchit à Montréal le niveau des 80 cents le litre avec impact. En mars et juin 2000, le litre avait oscillé autour des 80 cents, mais cette situation avait été fragile, une journée ou deux tout au plus. Ce 6 septembre 2000, en début d'après-midi, les automobilistes entendirent à la radio qu'une surprise les attendait à leur prochaine visite dans une station-service. Le prix de l'essence atteignit alors le niveau record de 84,9 cents pour la région de Montréal. Cette situation déclencha une course parmi les automobilistes à la recherche d'une station-service qui n'avait pas encore haussé son prix et remplir le réservoir à pleine capacité. Près de mon domicile, une station n'avait pas encore modifié ses prix, mais nous étions plusieurs à savoir que cela n'allait pas durer. Nous nous retrouvâmes une dizaine de véhicules à faire la queue dans l'espoir de faire ce plein au prix de 76 cents.

Ce qui avait été un record il y a 6 mois était maintenant devenu une aubaine.

Au moment où je faisais le plein, un employé du poste d'essence se dirigea vers le panneau d'affichage et y apposa ses gros chiffres. La nouvelle à la radio venait de nous rejoindre : 84,9 cents le litre ! Le prix de Fermont avait gagné Montréal. Ma fidélité de consommateur en fut brisée. La rage de me sentir floué par une soumission aux compagnies pétrolières l'emporta sur la fierté de rouler en 4 X 4. Le temps de faire le plein et ça avait suffit à me décider d'arrêter l'hémorragie de mon portefeuille. Ma décision était prise : fini le 4 x 4. Mais ça ne s'arrêta pas là. Car c'est alors que naquit la curiosité de comprendre ce qui ce passait. Qui était responsable de cela ? Qui disait vrai ?

Dans les jours suivants, le site Internet **L'essence c'est essentiel** faisait savoir qu'il recherchait un nouveau porte-parole pour gérer le contenu du site. Je posai ma candidature, en précisant que je m'étais débarrassé de mon glouton 4 x 4. Je fus convoqué à une entrevue à la suite de laquelle René Goyette et Marcel Boisvert, respectivement le fondateur et le gestionnaire du site, me confièrent le poste. Ça s'est passé le 6 octobre 2000.

La Régie de l'énergie et le prix minimum :

Nous adoptâmes un plan de match prévoyant notamment de faire des entrevues avec toute personne et organisation en mesure d'expliquer les dessous des prix de l'essence. Comme on entendait régulièrement les médias faire écho à des expressions telles que : « *Selon la Régie de l'énergie, le prix minimum de la Régie de l'énergie, la Régie mentionne que le nouveau prix minimum sera de...* », nous décidâmes en tout premier lieu de rencontrer un représentant de la Régie qui nous expliquerait sa raison d'être et son mandat. Normalement, nous aurions dû rencontrer d'abord des porte-parole de l'industrie pétrolière. Mais nous avions des doutes sur l'objectivité des explications qu'ils nous fourniraient et la qualité de l'éclairage qui en résulterait.

La Régie est un tribunal d'arbitrage particulièrement soucieux d'objectivité dans le traitement de ses dossiers. On m'accorda une entrevue, mais à la condition de ne rien enregistrer. Ce serait à moi d'expliquer dans mes mots le mandat de la Régie. Voici donc un aperçu de son mandat et du contenu de la loi du prix minimum sur les prix des produits pétroliers.

Les compagnies pétrolières ne faisaient pas un cadeau aux consommateurs en vendant l'essence ordinaire en dessous du prix coûtant de 56 cents le litre. Elles investissaient. Comment ? Il y avait trop de stations dans la vente d'essence au Québec. Il fallait en réduire le nombre pour augmenter le volume de litres vendu par station. En abaissant la rentabilité elles arrivèrent à réduire le nombre de stations.

Reste le cas des stations indépendantes dont la présence permet à des importateurs de produits pétroliers de prendre racine sur un territoire comme le Québec. Ces importateurs vont s'approvisionner par bateau sur les marchés étrangers forçant ainsi les raffineurs présents sur le territoire à suivre le prix de gros auquel ces importateurs s'approvisionnent, plus les frais de transport. Si les clients de l'importateur disparaissent, l'importateur ne peut rester en affaires et va se retirer du marché. C'est ce qu'on appelle éliminer un compétiteur. Lorsque le compétiteur disparaît, le prix de gros ou prix à la raffinerie ou prix coûtant (B) a tendance à augmenter jusqu'au niveau de l'alternative la plus proche.

Les communicateurs des pétrolières vous diront que c'est faux. Mais aucun d'entre eux ne voudra signer une entente de prix Port de New York + frais de transport avec qui que ce soit, après la disparition des importateurs. Le meilleur exemple nous est fourni par le marché de la côte ouest des États-Unis. La réglementation sur l'essence reformulée dans la foulée des périodes de smog a fait disparaître les importateurs qui n'arrivaient à trouver de l'essence comparable que très loin. Cette réglementation est en vigueur depuis 1996, ainsi que la différence de prix.

Prix de l'essence aux Etats-Unis.
(Prix au gallon = 3,78541 litres selon Platts et en dollar US).[2]

	14 fév. 05	1 juil. 05	15 août 05
New England :	1,92 $	2,38 $	2,54 $
Central Atlantic :	1,92 $	2,34 $	2,55 $
Lower Atlantic :	1,86 $	2,26 $	2,55 $
Midwest :	1,86 $	2,31 $	2,53 $
Gulf Coast :	1,81 $	2,23 $	2,48 $
Rocky Mountain :	1,85 $	2,27 $	2,44 $
West Coast :	2,04 $	2,47 $	2,66 $
California :	2,09 $	2,52 $	2,71 $

[2] Energy Information Administration. Department of energy, www.eia.doe.gov

Qui sont ces importateurs ? Norcan dans l'est de Montréal et Camterm également dans l'est de Montréal et à Québec.

Selon des données répertoriées en 2001, vingt-sept États ont adopté des lois pour maintenir la concurrence dans la vente au détail de l'essence. Il s'agit soit de lois du prix minimum, soit de lois type Divorcement Act qui interdisent à un raffineur d'être à la fois propriétaire de postes d'essence et d'une raffinerie dans l'État ou qui limitent le nombre de postes d'essence qu'il puisse posséder.

Trop de réglementation ?

La revue Protégez-vous de décembre 2003 rapportait le commentaire suivant d'un porte-parole d'Ultramar :

« Cette industrie est déjà très bien encadrée au Québec et au Canada. Si on veut davantage légiférer, il va falloir accepter de payer l'essence plus cher. Certains rétorquent que l'électricité, un secteur très règlementé, est très abordable, mais on oublie qu'il s'agit d'un monopole. Dans le monde de l'essence, la concurrence est très forte. Regardez le Costco de St-Jérôme, qui vend son essence moins cher pour attirer des clients. Un seul acteur a réussi à faire baisser le prix de l'essence de toute une région. Et si Costco n'avait pas à respecter des prix planchers, il la vendrait probablement encore moins cher. Comme quoi il faut laisser aller les forces du marché pour voir le prix de l'essence baisser ».

Dans la bouche du porte-parole d'Ultramar les termes « encadrée » et « légiférer » signifient réglementer le marché. De plus, il émet une supposition lorsqu'il dit que si Costco n'avait pas à respecter un prix plancher, cette compagnie vendrait l'essence *probablement* moins cher. D'ailleurs, le vendredi 10 janvier 2003, à la veille d'une réunion de l'OPEP à Vienne[3], les membres de cet organisme s'étaient mis d'accord pour hausser leur production de 1,5 millions de b/j à compter du 1er février suivant. À ce moment, ce même porte-parole d'Ultramar déclarait sur les ondes d'une radio de Montréal que cette annonce de l'OPEP pourrait *probablement* faire baisser le prix du baril de pétrole et que l'on pourrait retrouver le prix du litre d'essence sous le seuil des 79 cents pour l'ordinaire en ce début de février 2003. Le 6 février 2003, le litre d'essence ordinaire franchissait le prix record de 88,9 cents. On s'en reparlera des projections du genre *probablement* !

---

[3] Journal de Montréal, 13 janvier 2003, *« En réponse à la crise au Venezuela, l'OPEP augmentera sa production de pétrole de 6,5 % ».*

Costco n'est pas un acteur dans la production ni dans le raffinage. Cette situation met donc un frein à l'intention qu'elle pourrait avoir de vendre de l'essence sous le prix minimum (F). Car cela signifie perdre de l'argent, un certain nombre de cents pour chaque litre vendu. Que les pro-pétroliers insinuent que Costco pourrait vendre l'essence en dessous du prix plancher s'il n'y avait pas la règle du dit prix minimum constitue une affirmation plus que gratuite. Ayant oeuvré dans l'alimentation il y a une dizaine d'années, Costco avait alors comme politique de prélever une marge d'environ 8 % sur certains produits qu'elle offrait. Son atout, c'était d'avoir des prix assez compétitifs. Or ce sont ses installations simplifiées de commercialisation, son volume d'affaires et ses formats dits familiaux qui lui permettent d'y parvenir. Quel intérêt y aurait-il à vendre de l'essence sans aucun profit, si ce n'est dans le cadre d'une stratégie visant à provoquer la fermeture des stations environnantes, accaparer leur volume et ensuite rétablir une marge de profit dans son prix de vente ?

Recruter pour un comité consultatif de l'ICPP. (Institut Canadien des Produits Pétroliers)

En novembre 2000, je reçus un courriel de la part d'un certain monsieur R, membre d'un Groupe de consultation X. Son document annonçait la mise sur pied d'un comité consultatif dont le but était de rencontrer des responsables de groupes et d'organismes dans le but de mieux saisir les attentes et les inquiétudes des différents membres de ces groupes et organismes. En tant que porte-parole du site Internet L'essence c'est essentiel, il m'invitait à fournir un document de présentation de mes démarches, un genre de curriculum vitae. Par curiosité, je répondis à cette demande. Voici le retour qui me parvint le 20 décembre 2000.

Monsieur Quintal,

Au nom de l'Institut canadien des produits pétroliers (ICPP), j'ai le plaisir de vous inviter à devenir un membre du comité consultatif de l'Institut. Vous trouverez ci-joint le projet de mandat du comité qui décrit ses objectifs et son fonctionnement. Ce document sera à l'ordre du jour de la première réunion du comité.

Vos dépenses d'hébergement et transport pour chaque réunion seront remboursées et vous recevrez un jeton de présence pour chaque réunion à laquelle vous assistez. Cette somme peut vous être payée directement ou à votre organisation.

La première réunion du comité doit être tenue en février, soit la semaine du 12 au 16 ou celle du 19 au 23. Un projet d'ordre du jour est ci-joint. Vous noterez qu'il y a 2 versions de l'ordre du jour de réunion. Nous préférerions tenir la réunion sur 2 jours (un après-midi et le matin suivant), puisque que cela permettra aux membres du comité de se rencontrer dans une atmosphère informelle au repas du soir.

Cependant, nous sommes conscients que certains d'entre vous sont très occupés. Donc, nous demandons votre opinion au sujet du format que vous préférez.

Pourriez-vous s'il vous plaît me faire savoir, par courrier électronique :

1- Si vous acceptez l'invitation à devenir un membre du comité.

2- Vos disponibilités pour assister à une réunion à Toronto dans les dates citées.

3- Votre préférence pour une réunion sur 1 ou 2 jours.

Si vous avez des questions, vous pouvez me contacter. J'agirai comme l'animateur du comité et serai responsable de, entre autres choses, la liaison entre le comité et l'ICPP. J'apprécierais si vous pouviez m'envoyer votre réponse avant le 10 janvier.

J'acceptai de participer à la première réunion de Toronto. Voici le profil des autres membres du panel dont je tairai les noms pour respecter l'accord de confidentialité.

Toronto le 22 février 2001 :

Nom	Provenance	Secteur d'activité
D F	Toronto, Ont.	Milieu politique
G G	Montréal, Qc	Environnement
J B	Napean, Ont.	Milieu politique
J M	Glace Bay, N. S.	Milieu politique
L H	Ottawa, Ont.	Milieu académique
L A	Penticton, B. C.	Défense des consommateurs
P R	Montréal, Qc	Santé
T	Drayton Valley, Alb.	Environnement

La réunion se déroulait à l'hôtel King Edward, 37 rue King Est. Je m'y étais amené un peu avant le début des activités afin de me familiariser avec les lieux. Le hall était somptueux, tout comme la chambre d'ailleurs. Ils reçoivent en grand ces gens de l'industrie pétrolière.

La rencontre débuta par un lunch dans une petite salle privée, réservée aux membres du groupe et de l'industrie. Comme je maîtrise l'anglais à environ 75 %, je dirigeai par réflexe mes échanges avec les francophones du groupe. Mais ce climat convivial et accueillant me mettait sur la défensive. Qu'est-ce qui motivait les gens de l'industrie à investir dans ce type de réunion ? Chacun de nous était logé dans une chambre avoisinant les 200 dollars, nos frais de déplacement étaient payés, nous recevions un jeton de présence, sans parler de l'organisation des présentations visuelles. Il faut nager dans les profits pour s'offrir un tel luxe. Leur objectif était manifestement de retirer quelque chose de nous ou d'amortir l'effet de nos discours respectifs.

Le recruteur du groupe, Monsieur R, ouvrit la réunion, agissant comme présentateur et modérateur. Interdiction formelle d'enregistrer ; seulement des notes manuscrites. L'industrie avait dépêché les représentants suivants :

Un monsieur Esso, vice-président senior produits et division chimique et directeur de Imperial Oil Limited.

Un monsieur Pétro-Canada, vice-président exécutif de Pétro-Canada, également directeur de l'ICPP et membre du Board of Energy Council of Canada.

Un monsieur ICPP, vice-président de l'ICPP.

Un autre monsieur Esso, manager, external relations, public affairs, corporate planning and communications department for Imperial Oil.

C'était du titre ça ! De quoi j'aurai l'air lorsque je devrai mentionner simplement : Frédéric Quintal, porte-parole de L'essence c'est essentiel ?

Une fois les présentations d'usage terminées, nous entamâmes le menu de cette réunion : présentation de l'ordre du jour, présentation de l'industrie et explication du rôle de l'ICPP. Le tout sur fond d'acétates et de diapositives. J'entendais pour la première fois les termes *downstream* et *upstream*, qui signifient activités pétrolières d'exploration et d'exploitation pour le downstream ; raffinage et marketing pour le upstream.

On nous fit en quelque sorte l'historique de l'évolution de l'ICPP, des organismes qui l'ont précédé, de l'apparition des organismes provinciaux de régulation comme la Régie de l'énergie, des commissions de l'énergie, des obstacles qui se sont dressés sur la route de l'industrie au cours des années, comme les enquêtes, les études et les règlements sur les effets polluants. Tout ceci pour déboucher sur les émissions de soufre contenues dans l'essence raffinée. On nous présenta l'échéancier convenu entre les intervenants fixant les niveaux à 30 parties par millions dans l'essence ordinaire pour janvier 2005 et à 15 ppm dans l'essence diesel pour le milieu de l'année 2006. Auparavant, durant les années 1990, l'industrie avait procédé volontairement à des réductions du taux de benzène. Elle avait également réduit le taux pour d'autres substances toxiques au cours de ces mêmes années.

Après quoi, on nous servit les résultats de l'étude publiée ce même jour par le Conference Board.

Puis apparut une acétate affirmant que l'industrie des produits pétroliers était là pour servir les consommateurs. Je levai la main pour intervenir en ces termes : *Dans vos rapports annuels, et même dans les rapports annuels de chaque grande entreprise privée toute confondue, on lit ces même belles et séductrices phrases : Afin de répondre aux besoins des consommateurs, dans le but d'offrir le meilleur produits qui soit, notre souci est de toujours mieux vous servir, etc. Nous savons tous ici qu'une grande entreprise est là pour faire des profits et assurer sa viabilité à long terme. Selon mon point de vue, je pense que les consommateurs sont plus informés et aimeraient être considérés à un meilleur niveau. Je crois qu'ils ne sont plus dupes à se faire charmer par les phrases séductrices des rapports annuels du genre : Pour servir les consommateurs. Vous êtes là pour offrir le meilleur rendement possible à vos actionnaires. Ne vous défilez pas. C'est correct, et toujours selon mon opinion, on aura l'impression que vous nous dites les vraies choses. On n'est pas en 1960-70, où il était mal vu d'afficher des profits. Nous sommes dans les années 2000, et je pense que c'est un comportement bon joueur tout simplement.*

Je me suis surpris à faire cette intervention. Je sentais comme le besoin de faire mes preuves face à cet establishment haut en titre. Ils étaient là pour prendre le pouls de notre opinion ? Eh bien, ils l'avaient !

Cette première journée prit fin à 16h00 heures. Nous fûmes conviés à un 5 à 7 au bar de l'étage en attendant le repas du soir. Nous nous retrouvions en situation de discussion non officielle. Les membres de l'industrie se faisaient accessibles et tenaient un discours vendeur. Je me retrouvai quelques instants en compagnie de l'un d'eux à qui je déclarai sans ambages que l'industrie se désengageait de ses responsabilités. Elle affiche sur les pompes à essences des graphiques illustrant que la proportion des taxes et le coût du pétrole brut constituent une composante majeure dans le prix final. L'industrie investit

Cette agence aurait pour mandat de :

- Prévenir les ruptures de stocks (matières premières et produits finis).

- S'assurer que l'industrie peut répondre à la demande en fonction des cycles saisonniers.

- S'assurer que les capacités des raffineurs suivent la croissance de la demande des besoins de notre société pour, entre autre, éviter la crise de l'énergie (électricité et gaz naturel) qui sévit en Californie (hiver 2001).

Lorsque la demande atteindra la capacité maximum de raffinage, quelle compagnie pétrolière accroîtra la première sa capacité de production ? Le coût d'une raffinerie frôle le milliard, sans considérer le temps de construction, l'élaboration, la logistique d'approvisionnement et où situer cette raffinerie.

Il est possible que dans l'élaboration complète que nous revendiquons de la description de tâche de cette agence de surveillance, certains éléments ne conviennent pas, partiellement ou totalement à l'industrie pétrolière. Il y aura des points de friction potentiels pour arriver à une juste combinaison entre les intérêts des consommateurs et le bon fonctionnement de l'industrie pétrolière.

Il s'agit par contre ici d'un certain (sinon d'un premier) accomplissement de la part de l'ICPP dans le but d'accepter la présence d'un intervenant externe avec droit de regard dans ses activités. En attendant la réalisation de cette agence, nous apprécions tout de même l'intention de support et de collaboration de la part de l'ICPP.

Un député provincial de Terre-Neuve fit référence à cet essai sur la création d'une agence de surveillance lors d'un échange au Parlement de cette province. Peut-être mon propos avait-il du sens si on en citait le texte en exemple dans le cadre du processus parlementaire d'une autre province !

La deuxième réunion du comité consultatif de l'ICPP se tint au Château Vaudreuil, le lundi 11 juin 2001. Elle dura une seule journée. Les présentations et les discussions portèrent principalement sur la réglementation sur le soufre pour janvier 2005. C'était assez technique comme sujet. Je me contentai d'écouter et demeurai un participant plutôt passif cette journée-là.

En après-midi, un cadre supérieur vint se joindre au groupe. Un des sujets abordés traita de la perception inadéquate des consommateurs face à l'industrie. C'est à ce moment que je fis ma seule intervention de la journée, laquelle souleva des tensions.

Ce qui crée cette perception négative de la part des consommateurs envers l'industrie, c'est l'effet de surprise des hausses des prix de l'essence. Je suis certain qu'il est possible d'offrir un délai de prévisibilité avant chaque hausse pour que chaque automobiliste ait au moins le temps de faire un plein. Il serait sûrement possible d'offrir un délai de 6 heures pour éviter aux consommateurs de se faire prendre les culottes à terre.

Un représentant de l'industrie répliqua avec insistance que c'était impossible d'agir de cette façon. Émettre un communiqué informant qu'une hausse du prix de l'essence pouvait survenir durant la journée serait une pratique anti-concurrentielle. Comme les données du marché changent à chaque minute, il est difficile d'imaginer une projection sur un délai de 6 heures.

Pourtant, je l'avais moi-même fait à quelques reprises avec une station de radio. Il suffit de suivre le prix de gros du gallon d'essence ordinaire sur la bourse Nymex, en visitant le lien suivant :

http://www.bloomberg.com/markets/commodities/energyprices.html

Ensuite, on vérifie la différence entre le prix coûtant et le prix affiché par les détaillants. Si cette marge de détail est à zéro ou même dans le négatif, il y a de fortes chance qu'il y ait un ajustement de prix à la hausse durant la journée. À l'observation, j'ai constaté que lorsqu'une hausse de prix a lieu, la décision semble se prendre entre midi et 14h00 heures. Si les autres compagnies décident de suivre, le processus de changement des prix s'effectue sur un délai d'environ douze à dix-huit heures.

Cette situation s'est produite, entre autre, le vendredi 12 mars 2004. Le prix de gros se situait alors à environ 77 cents le litre et le prix affiché au détail de 77,9 cents. Comme la marge du détaillant était pratiquement nulle et que le Nymex était en hausse, je pris l'initiative d'intervenir sur Info 690 pour informer les auditeurs que le prix risquait de grimper autour de 87 cents durant la journée. Il était à ce moment 6h00 du matin. Vers 14h30 on m'informa qu'une station Esso et Pétro-Canada avaient effectivement haussé leur prix à 86,9 cents le litre. Durant le reste de la journée la hausse se généralisa dans toutes les stations-service. Bien qu'observateur externe de l'industrie, j'avais pu cette journée-là communiquer aux auditeurs d'Info 690 une prévision de ce qui allait se passer dans les heures suivantes.

La troisième réunion du comité consultatif était prévue pour la dernière semaine d'octobre 2001, à Toronto. Entre-temps, le 4 octobre 2001, j'avais fait ma présentation devant la commission parlementaire à Québec. Dans les jours suivants, je reçus un courriel m'informant du report à une date ultérieure de la réunion de Toronto. Il apparaissait évident que quelque chose clochait. Effectivement, au cours de la première semaine de novembre, Monsieur R me donna rendez-vous dans un lieu public à Montréal. Il m'annonça que les propos que j'avais tenus devant la commission parlementaire avaient brisé le lien de confiance et que les gens de l'ICPP ne voyaient d'autres solutions que de mettre fin à ma présence sur ce comité. Il était désormais clair qu'on en avait terminé avec le bon voisinage.

L'étude du Conference Board de février 2001 :

Lorsque les prix atteignirent des niveaux record au cours de l'année 2000, le Premier ministre Jean Chrétien promit d'abord que, s'il était réélu, chaque famille ayant eu droit au crédit de TPS l'année précédente, recevrait une aide financière de 125 $ pour compenser l'augmentation des coûts de chauffage. Plusieurs reçurent effectivement ce chèque sans que leurs dépenses de chauffage n'aient le moindrement augmenté ! Ce fut mon cas.

Il évita également de se prononcer sur les causes des fluctuations des prix du pétrole et des produits raffinés tout au long de l'automne 1999. Monsieur Chrétien choisit plutôt, en mars 2000, de commander à un organisme neutre et de grande notoriété une étude au coût de 600 000 $[4] sur le fonctionnement de l'industrie pétrolière, pour savoir plus particulièrement si les Canadiens sont bien desservis par l'actuel système de marché. Cet organisme neutre était le Conference Board dont on sait qu'il regroupe des représentants de la grande industrie !

Voici quelques-uns des membres du bureau des directeurs[5] :

Stephen G. Snyder	Transalta Corporation
Edwin J. Kilroy	Symcor inc.
Réal Raymond	Banque Nationale du Canada
John S. Hunkin	Canadian Imperial Bank of Commerce (Banque CIBC)
Thierry Vandal	PDG de Hydro-Québec
Timothy J. Hearn	Imperial Oil (Esso)

---

[4] Journal La Presse, 7 novembre 2000, *« Il n'y a pas de collusion entre les pétrolières, selon le Conference Board. »*
[5] www.conferenceboard.ca, cliquez about us/cliquez board of directors.

On y retrouve des compagnies comme Proctor & Gamble, Gaz Métro, Xerox, Pratt & Whitney. Mais la présence la plus remarquable demeure celle du président de la pétrolière Imperial Oil avec sa bannière Esso, monsieur Timothy J. Hearn. Bravo pour l'objectivité !

Monsieur Léo-Paul Lauzon a déjà dit, dans un langage coloré, que commander une étude au Conference Board pour savoir si les consommateurs sont bien desservis par l'industrie pétrolière, c'était comme confier le poste de commissaire aux libérations conditionnelles à un criminel notoire.

Le groupe de réflexion prévoyait publier son rapport final en février 2001. Mais entre temps, un document provisoire esquissant les orientations de l'étude fut dévoilé à Calgary la première semaine de novembre 2000. René Blouin, alors PDG de l'AQUIP, déplora que le Conference Board ait rendu public un brouillon de son rapport avant même d'avoir terminé ses consultations auprès des différents groupes de l'industrie. *Il sera difficile maintenant de modifier le contenu du rapport*, commenta-t-il.[6]

Les grandes lignes de l'étude :

La volatilité des prix de l'essence est le résultat direct de la nature concurrentielle des activités dans le commerce (page IX):

Faux ! La volatilité est le résultat d'un système de marché boursier où opèrent des spéculateurs financiers qui souvent créent de la frénésie autour d'informations du marché ne mettant pourtant pas en cause les approvisionnements. Ces spéculateurs financiers ne font pas partie du monde pétrolier : ils ne sont ni des importateurs ou des acheteurs de surplus, ni des raffineurs en rupture de stocks de produits raffinés, ni des propriétaires de parc de stations-service.

Les grandes surfaces (Loblaws, Costco) peuvent exercer une influence à la baisse sur les marges (page XI) !

La seule baisse possible dans ce cas-ci est au niveau de la marge du détaillant (Loblaws, Costco) (G-F). En effet, les grandes surfaces vendent souvent leur essence au prix coûtant (F) ou avec une faible marge. Ils acceptent de ne pas faire de profit ou du moins très peu. Leur prix coûtant est celui de leur fournisseur qui est soit un importateur, soit une raffinerie locale. Donc leur prix est le prix de référence du Nymex (+ transport+ taxes).

---

[6] Journal La Presse, 7 novembre 2000, « *Il n'y a pas de collusion entre les pétrolières, selon le Conference Board.* »

Conclusion : le seul rabais possible est la privation de profit sur la marge de détail. Les grandes surfaces peuvent influer sur le prix en diminuant leur propre marge de profit, mais elles n'ont pas d'influence sur les marges de profit à l'étape du raffinage et sur le pétrole brut. Cette réalité, le Conference Board ne l'explique pas.

Les prix de gros américains sont le facteur qui détermine les prix de gros canadiens. L'aspect positif de cette concurrence continentale, du point de vue du consommateur, est que les prix sont influencés par les raffineries américaines qui sont plus importantes et beaucoup plus efficaces ainsi que par les conditions favorables qui prévalent aux États-Unis (page 12 de l'étude du Conference Board*) !*

Faux ! Les conditions ne sont plus favorables aux États-Unis. Les raffineurs ne savent plus suivre adéquatement le niveau de la demande. Les logistiques de productions entre les raffineurs sont très mal coordonnées. Lorsque survient une baisse d'inventaire d'un produit comme le mazout, tout le monde se met alors à produire le fameux mazout et ça crée une baisse dans les inventaires des autres produits comme l'essence ordinaire ou le diesel.

Les permutations[7], qui ont facilité la rationalisation des raffineries, ont permis de préserver la compétitivité des grandes sociétés dans les régions où elles ne disposaient pas de raffineries et ont peut-être bénéficié aux consommateurs en réduisant les frais de transport (page 24 de l'étude du Conference Board*).*

Faux ! Les échanges d'approvisionnement ont favorisé la mise sur pied du système de prix de référence commun négocié sur une bourse. La rationalisation des raffineries visait essentiellement à réduire les coûts d'opération. De 1981 à 2002, le nombre de raffineries en Amérique du Nord est passé de 324 à 149[8]. Certaines installations fonctionnaient en deçà du seuil minimal de rentabilité estimé par l'industrie, soit 85 % de la capacité de raffinage. La manœuvre a permis aux installations demeurées en opération de produire au-dessus du seuil de rentabilité.

---

[7] Essentiellement, les sociétés pétrolières et les raffineurs régionaux s'arrangeaient pour s'alimenter pour un certain nombre de produits à la raffinerie de leur rival et à leur livrer en contrepartie une quantité équivalente de produits à même leur propre raffinerie. On utilise également la terminologie d'échange d'approvisionnement pour désigner cette pratique.

[8] www.eia.doe.gov / refinery, capacity utilization

Par contre, le rapport O'Farrell publié en 1985[9], recommandait de porter une attention particulière à ces ententes d'échange d'approvisionnement, alléguant qu'elles favorisaient une certaine convivialité dans l'industrie et jetaient les bases d'un système susceptible de créer une grande dépendance entre les raffineurs.

---

[9] Commission d'enquête sur les pratiques restrictives dans l'industrie pétrolière.

Les travaux du professeur Léo-Paul Lauzon

Léo-Paul Lauzon est professeur et titulaire de la chaire d'étude socio-économique de l'UQAM et, à l'occasion, analyste de l'actualité économique. Monsieur Lauzon est également l'auteur d'une étude sur la compagnie pétrolière Imperial mieux connue sous la bannière Esso[1]. Je demandai à le rencontrer dans le but de mieux saisir certains éléments de l'univers pétrolier. L'entretien permis de dégager la notion nouvelle du contrôle de l'offre. Nous étions à l'automne 2000 et la fermeture de l'usine Gaspésia d'Abitibi Price (devenue Abitibi Consol par suite de la fusion avec Stone Consol) avait fait la manchette. Monsieur Lauzon me fit comprendre que cette usine fut fermée pour ajuster la production (ou l'offre) à la demande. Les propriétaires l'ont fermée pour maintenir les prix et ont jugé préférable d'en absorber les coûts de fermeture pour maintenir la rentabilité des autres usines maintenues en activités. Bref un cas de contrôle de l'offre : *Abitibi Price est prête à donner l'usine à ceux et celles qui avaient des projets de relance pour cette région. En autant que l'on y fabriquerait n'importe quoi. Des brosses en poil de chameau, des crottes de fromage... sauf du papier.* L'industrie pétrolière fait de même et contrôle elle aussi l'offre.

L'étude sur la fuite des dividendes à l'étranger.

En janvier 2003, la chaire d'étude socio-économique de l'UQAM publiait le rapport suivant : « La compagnie pétrolière Impériale Ltée (Esso) et Shell Canada Ltée, analyse socio-économique des deux plus grandes pétrolières canadiennes intégrées à contrôle étranger pour la période 1990-2001, par Léo-Paul Lauzon et Marc Hasbani ».

---

[1] La compagnie pétrolière Imperial Ltée Esso : analyse socio-économique pour la période de 10 ans allant de 1990 à 1999. Léo-Paul Lauzon, 2000. http://www.unites.uqam.ca/cese/

L'étude est disponible sur le site Internet de la chaire[2]. En voici un extrait intéressant à la page 13 :

Chapitre 8 : montants versés aux actionnaires étrangers :

Rappelons que l'Impériale Esso est détenue à 84,1 % (2003) par des investisseurs étrangers dont 69,6 % par l'américaine Exxon Mobil Corporation. Quand à Shell Canada, elle appartient à 78 % à des intérêts étrangers, soit en l'occurrence Shell Investments limited qui, à son tour, est détenue à 60 % par la société néerlandaise Royal Deutsh Petroleum Company et à 40 % par la firme anglaise The Shell Transport and Trading Company.

Voici la proportion des profits réalisés ici même au Canada par l'Impériale Esso qui sont sortis du pays et qui sont versés à l'étranger au cours des 12 années (1990-2001).

	En millions de dollars	*En % du profit net*
Profit net réalisé au Canada	*7 198 $*	*100 %*
Montant versé aux actionnaires canadiens et étrangers (100 %)	*9 833 $*	*137 %*
Montant versé aux actionnaires étrangers (84 %)	*7 994 $*	*111 %*
Montant versé à Exxon Mobil	*6 844 $*	*95 %*

Pour le seul cas de Esso, ce sont 8 milliards de dollars gagnés et réalisés au Canada qui son sortis du pays pour la période 1990-2001. Cela affaiblit l'économie, appauvrit les canadiens et affecte négativement la valeur du dollar canadien. C'est donc dire que les consommateurs d'essence canadiens versent une bonne partie de leur argent à des étrangers. Nous parlons ici du contrôle étranger d'une ressource naturelle (pétrole et gaz) et collective vraiment importante au niveau stratégique et économique d'un pays.

---

[2] La compagnie pétrolière Impériale Ltée(Esso) et Shell Canada ltée, analyse socio-économique des 2 plus grandes pétrolières canadiennes intégrées à contrôle étranger pour la période 1990-2001. Par Léo-Paul Lauzon et Marc Hasbani. http://www.unites.uqam.ca/cese/

*Voici maintenant les montants versés à l'étranger par Shell Canada
pour la période 1990-2001 :*

	En millions de dollars	En % du profit net
Profit net réalisé au Canada	5 181 $	100 %
Montant versé aux actionnaires canadiens et étrangers (100 %)	3 435 $	66 %
Montant versé aux actionnaires étrangers à la compagnie Shell Investments des Pays-Bas (60 %) et de l'Angleterre (40 %)	2 681 $	52 %

*Shell Canada a versé à l'extérieur du pays près de 2,7 milliards de
dollars pour la période 1990-2001.*

Également une réflexion intéressante à la page 3 de cette même étude.

*Le Canada est un pays exportateur net de pétrole, ce qui signifie qu'il
est autosuffisant. Par contre, il est un des rares pays au monde à avoir privatisé entièrement cette importante ressource et dont l'industrie est contrôlée
majoritairement par des étrangers. La Russie, la Norvège, l'Arabie Saoudite,
le Mexique, le Venezuela, l'Irak etc., qui sont aussi de gros producteurs et
exportateurs de pétrole, ont jugé bon, avec raison, de nationaliser leur industrie pétrolière qui est possédée par des sociétés d'État. Il s'agit pour ces
pays d'un immense levier économique et d'un instrument d'enrichissement
collectif formidable, qui profite au pays et à la population entière, au lieu de
servir principalement les intérêts d'actionnaires privés souvent étrangers.
Dans ces conditions, il est tout à fait ridicule de payer notre essence si chère
au Canada. Il n'y a aucune véritable justification économique à ces prix
élevés de l'essence, ici et ailleurs, qui ne découlent que de spéculations et de
manipulations répétées des prix, pratiquées par une poignée de multinationales qui règnent en maîtres incontestés.*

La rationalisation du nombre de stations-service :

Au début de 1990, l'Impériale[3] comptait au Canada 5100 stations
service par rapport à 2498 à la fin de 1999, accusant ainsi une baisse de 2602

---

[3] La compagnie pétrolière Imperial Ltée Esso : analyse socio-économique pour la
période de 10 ans allant de 1990 à 1999. Léo-Paul Lauzon, 2000.
http://www.unites.uqam.ca/cese/

points de vente en l'espace de dix ans seulement, soit 51 %. Le nombre de stations et d'employés a diminué à chacune des années (1990-1999). Le Québec n'échappe pas à cette stratégie de rationalisation, dont écope bien souvent les régions et les quartiers pauvres puisqu'en 1995, Esso détenait 750 stations au Québec, 622 à la fin de 1997 et seulement 600 à la fin de 1999 pour une diminution de 150 stations en quatre ans ou de 21 %.

Pour la période 1990-1997, Shell Canada a vu son nombre de stations-service passer de 3 450 à 2 053 pour une diminution de 1 397 stations. Pétro-Canada a vu son nombre de stations passer de 3 205 à 1 780 pour une diminution de 1425 stations.

Ce programme de réduction du nombre des stations-service a pour but d'augmenter le volume de litres vendus par chacune des stations-service restantes.[4]

Le système de paiement vite-payé ou speed pass :

Vers l'année 2001, deux compagnies ont mis sur le marché des systèmes de paiement rapide. Vous faites le plein et vous n'avez plus à risquer de faire la queue pour payer à l'intérieur. C'est ainsi qu'a été présentée la promotion à l'appui de ce type de paiement.

Dans le même temps, votre véhicule reste moins longtemps devant la pompe à essence, ce qui permet au véhicule suivant d'attendre moins longtemps pour faire le plein. À qui cela profite-t-il le plus ? À vous qui évitez peut-être une file d'attente à l'intérieur pour payer à la caisse ou à la station-service qui peut recevoir plus de véhicules ?

La fiabilité de ce système de paiement est un autre aspect qui a été testé par un groupe de chercheur de l'Université américaine Johns Hopkins.[5] Voici un extrait intégral de l'article paru dans le journal La Presse et rédigé par Paul Larose :

Texas Instruments était tellement sûr de l'inviolabilité de sa technique, qu'il a offert de fournir aux chercheurs américains cinq clés à décoder. Les chercheurs y sont parvenus en moins de deux heures. Ils ont démontré qu'avec un minimum de savoir-faire et un équipement très simple, un membre de leur équipe avait réussi à relever le code d'identification de plusieurs

---

[4] Analyse financière des 4 grandes pétrolières intégrées opérant au Québec, provenance et utilisation de leur bénéfice. Léo-Paul Lauzon et Michel Bernard, 1998. http://www.unites.uqam.ca/cese/

[5] Journal la Presse, 13 juin 2005, *« Speedpass ou autopayé est moins sécuritaire qu'on le dit »*.

clés en parcourant les allées d'un métro. Il avait ensuite réussi à reconstituer une clé qui lui avait permis d'acheter de l'essence sans aucune difficulté. Dans la revue Consumer's Reports de juin 2005, le porte-parole américain de Exxon, a affirmé qu'il n'y a jamais eu d'achats frauduleux avec le Speed-pass et que advenant le cas, la compagnie ne tiendra pas le détenteur responsable des fraudes. L'argument avancé par Esso ou Shell est que l'étiquette d'indentification, contrairement aux cartes de crédit, ne contient aucune information personnelle.

Quand l'actualité pétrolière entre
au Parlement de Québec

La commission parlementaire d'octobre 2001 :

Le 28 août 2001, la Commission de l'économie et du travail débuta des auditions publiques dans le cadre d'une consultation générale sur le prix de l'essence. Cette commission parlementaire était intitulée « Les fluctuations des prix de l'essence et ses effets sur l'économie du Québec ».

Déjà en janvier 2001, d'après ce que j'avais observé du fonctionnement de l'industrie pétrolière, je savais que pour amortir cette période de grande volatilité des prix de l'essence, il fallait une intervention de l'État pour instaurer un certain contrôle. Il suffisait de prendre exemple de la présence d'un organisme comme le CRTC (Conseil de la radio diffusion et des télécommunications du Canada) omniprésent dans ce bel univers que sont les médias et la téléphonie. Bell doit justifier chaque hausse de tarif devant cet organisme, ce qui ne l'empêche pas de déclarer d'excellents bénéfices. Le CRTC a ordonné à Québécor de se départir de la station de télévision TQS lorsqu'elle a fait l'acquisition de Vidéotron qui englobait le groupe TVA.

Cette notion de la présence de l'État dans certains secteurs commerciaux et industriels est même citée en exemple par un ancien Premier ministre, Pierre Elliott Trudeau. Dans sa biographie « Mémoires politiques », il écrit ce qui suit :[1]

Pierre Elliott Trudeau : *... je m'avisai du besoin d'établir un équilibre entre le rôle de l'État et celui du secteur privé. Il faut un État suffisamment fort pour faire contrepoids à la recherche du profit et pour assurer que la richesse, une fois produite, soit équitablement distribuée ; dans le sport, tout le monde sait qu'il ne saurait y avoir de franc jeu sans la présence d'un*

---

[1] Mémoires politiques, Pierre Elliott Trudeau, page 165-167.

arbitre. L'État doit donc jouer un rôle actif en s'assurant qu'il existe un équilibre entre les parties constituantes de l'économie, c'est-à-dire entre producteurs et consommateurs.

À mon avis, la pratique récemment instaurée dans plusieurs pays qui consiste à exalter les vertus du marché libre, tout en affaiblissant le rôle de contrepoids assumé par l'État, n'a pas obtenu, je crois, un succès remarquable. En voyant le thatcherisme, le reaganisme et plus tard le mulroneyisme portés aux nues, même dans les pays de l'est européen, j'ai eu le sentiment qu'on faisait-là une très, très grave erreur. Si la liberté des marchés constitue certainement, du point de vue économique, le meilleur moyen d'assurer une utilisation efficace des ressources, on ne saurait se fier à cette liberté, laissée à elle-même, pour faire une distribution équitable des richesses ainsi produites. En d'autres termes, on peut faire confiance aux forces du marché pour assurer le bon fonctionnement de l'économie. Mais cette confiance ne contribuera pas toujours au bien de la société, à moins qu'on ne l'accompagne des moyens nécessaires au contrôle effectif des excès engendrés par le marché libre.

On peut facilement imaginer que le Premier ministre Paul Martin aurait quelques réticences à endosser le même discours. Or depuis 2000-2001, l'industrie pétrolière est effectivement entrée dans une période d'excès, faute de contrepoids de la part de l'État.

Les exemples d'un tel contrepoids ne manquent pas. Ainsi la Régie de l'énergie devant laquelle Hydro-Québec doit justifier chaque hausse de tarif ; les régies agricoles qui émettent les quotas de production, le Surface Board Transportation des États-Unis devant lequel le CN avait présenté son intention de faire l'acquisition de la compagnie Santa Fee Burlington Railway en 2000, tentative d'acquisition d'ailleurs rejetée par l'organisme.

Ces exemples indiquent clairement que les juridictions provinciales possèdent le pouvoir d'exercer un certain contrôle dans l'industrie pétrolière. Par réflexe, je n'avais pas songé à contacter la personne en position d'agir en ce sens, soit le Ministre des Ressources naturelles d'alors, mais plutôt son critique de l'opposition, M. Claude Béchard, député du comté de Kamouraska. Il est toujours plus facile pour un député de l'opposition de présenter des solutions. N'étant pas au pouvoir, il ne vit pas la contrainte d'éviter de déplaire à l'industrie mais plutôt de plaire à la population. Après vérification au bureau du parti Libéral du Québec, on me référa le nom du député Claude Béchard.

Le mardi 23 janvier 2001, eut donc lieu cette rencontre avec le critique libéral en matière d'énergie, monsieur Béchard, qui se démontra très accessible pour entendre la cause.

À ce moment, ma connaissance de l'industrie était encore limitée. Je parlais d'établir une forme de réglementation sur la marge de raffinage et d'un élargissement du mandat de la Régie de l'énergie dans le secteur pétrolier. Pour sa part, monsieur Béchard portait son attention sur la composante de la taxe provinciale sur le prix de l'essence, soit la taxe routière et la TVQ. À son avis, les effets des hausses du prix de l'essence sur l'économie du Québec étaient probablement assez douloureuses. La population du Québec est géographiquement dispersée et le transport a une grande incidence sur le quotidien de bien des personnes. Monsieur Béchard concluait qu'il serait important de la part du ministre des Ressources naturelles, Monsieur Jacques Brassard, de faire le point sur cette situation et de voir à l'élaboration de solutions. Nous nous sommes laissés sur cette discussion.

Quelque part en juin 2001, monsieur Béchard me fit parvenir un courriel confirmant la décision du ministre Brassard de créer la commission parlementaire sur les prix de l'essence, auquel il avait joint les instructions pour s'inscrire comme intervenant. Il suffisait de se rendre sur le site Internet de l'Assemblée Nationale à la rubrique Commission de l'économie et du travail. Pour moi, il s'agissait d'une première expérience parlementaire.

Je vous livre ici certains détails du fonctionnement d'une commission parlementaire, dans le but de démontrer que, malgré certains protocoles, tout citoyen peut dans ce cadre, présenter son point de vue sur n'importe quel sujet qui le concerne. Il est certain que le fait de participer à une commission parlementaire reste encore loin d'une activité de lobbying, mais avec des bons arguments et une présence médiatique, on peut faire avancer les choses.

Le processus d'inscription à la commission parlementaire :

Avis de consultation générale.

Le prix de l'essence et ses effets sur l'économie du Québec.

La commission de l'économie et du travail tiendra des auditions publiques à compter du 28 août 2001 dans le cadre de la consultation générale sur le prix de l'essence et de ses effets sur l'économie du Québec. Toute personne ou organisme qui désire exprimer son opinion sur ce sujet doit soumettre un mémoire au Secrétariat des commissions au plus tard le 17 août 2001.

La Commission choisira, parmi les personnes et les organismes qui auront fait parvenir un mémoire, ceux qu'elle entendra. Les mémoires doivent être transmis en 25 exemplaires de format lettre. Ils doivent être accompagnés d'autant d'exemplaire d'un résumé de leur contenu. Les personnes ou les organismes qui désirent que leur mémoire soit transmis à la tribune de la presse doivent en faire parvenir 20 exemplaires supplémentaires.

Les mémoires, la correspondance et les demandes de renseignements doivent être adressés à : la secrétaire de la Commission de l'économie et du travail.

Parlement du Québec.

Plusieurs interrogations me venaient à l'esprit. Qu'entendait-on par mémoire ? Y aurait-il remboursement des dépenses occasionnées pour la préparation de ces multiples exemplaires qu'il faudrait déposer et l'éventuel déplacement à Québec ? Nous étions en juin et la date limite d'inscription était au milieu août. Comment trouver la motivation pour pondre un rapport d'un certain nombre de page en plein été, et ce, sans être certain de pouvoir obtenir une invitation ?

Quelques vérifications auprès de certains contacts me fournirent des précisions suffisantes de ce qu'est la définition d'un mémoire. Je me mis aussitôt au travail et les 45 exemplaires suggérés furent expédiés à Québec à la date prévue. En date du 24 août 2001, je reçus un accusé de réception mentionnant que l'on communiquerait avec moi dès que la commission aurait fixé l'horaire de ses travaux.

N'ayant dès lors plus rien à perdre, j'adressai un courriel au député Béchard pour voir si, dans le processus de sélection des invités, mon mémoire serait suivi d'une convocation officielle. J'avais sacrifié des journées ensoleillées d'été pour la recherche et l'écriture. Je n'avais pas envie de les avoir gaspillées. Ce faisant, je n'avais pas le sentiment d'enfreindre quelque protocole que ce soit. Advenant problème, je pourrais toujours me réfugier derrière mon étiquette de recrue du processus parlementaire. Monsieur Béchard me conseilla de vérifier auprès de la secrétaire de la commission, Madame Nancy Ford. Elle me répondit que la Commission de l'économie avait reçu 20 mémoires et que tous les intervenants seraient convoqués. Ça faisait du bien à lire.

Il ne restait plus qu'à attendre l'avis et les dates de convocation. Le 26 septembre 2001, je reçus la communication suivante :

La Commission de l'économie et du travail désire entendre vos représentations, le jeudi 4 octobre 2001, à compter de 9h30, à la salle du conseil législatif de l'Hôtel du Parlement.

La durée totale de cette audition sera de 45 minutes ainsi réparties : 15 minutes pour la présentation de votre mémoire et 30 minutes pour les échanges avec les membres de la commission.

Le début des présentations :

La convocation de **L'essence c'est essentiel** (c'était le titre de mon mémoire) était prévue pour le 4 octobre 2001. Mais j'avais résolu d'assister aux premières audiences la journée précédente pour me familiariser avec les lieux, éviter d'être intimidé par le décorum et observer le processus de présentation et d'échange. Ça se passait au Salon Rouge dans un décorum assez impressionnant. Conformément au protocole, la commission est présidée par un député du parti au pouvoir et ses membres sont prélevés parmi tous les partis présents à l'Assemblée Nationale. Voici quelques uns des députés présents :

Parti Québécois :

Guy Lelièvre, Gaspé
Rémy Désilets, Maskinongé
Robert Kieffer, Groulx
Mathias Rioux[2]

Parti Libéral :

André Tranchemontagne, Mont-Royal
Claude Béchard, Kamouraska
Christos Sirros, Kirkland
Nathalie Normandeau, Bonaventure

Quelques-uns des groupes et organismes invités :[3]

L'AQUIP, Le CAA-Québec, des syndicats, la députée du Bloc Québécois pour le comté de Jonquière, Madame Jocelyne Girard Bujold, la Coalition des consommateurs de carburant du Saguenay, les camionneurs artisans en vrac (ANCAI), l'ICPP, la Fédération Canadienne de l'Entreprise Indépendante (FCEI), l'Association de transport du Québec, des groupes de protection de l'environnement et L'essence c'est essentiel.

---

[2] Était absent les 2 premiers jours.
[3] http://www.assnat.qc.ca/fra/Publications/debats/journal/cet/011003.htm

La présentation de l'AQUIP :

Le premier groupe à témoigner fut l'AQUIP. Sa présentation réaffirmait à la base la raison d'être de la présence des Indépendants au Québec. Mais les situations de très faibles marges de rentabilité créent pour les détaillants des difficultés de demeurer en affaires et rendent leur avenir précaire. La transcription de leur présentation vous permettra de bien saisir la raison d'être d'une loi du prix minimum, la notion d'efficacité par essencerie, la présence d'un importateur de produits raffinés qui permet simultanément une concurrence au détail et un certain débat sur les taxes.

Voici le texte intégral de l'exposé de l'AQUIP à la commission, le 3 octobre 2001, à Québec :

M. Blouin (René) : *Alors, M. le Président, Mmes et MM. les membres de la commission. Permettez-moi d'abord de vous présenter les personnes, comme M. le Président me l'a suggéré, les personnes qui nous accompagnent. D'abord, à ma gauche, M. Pierre Dufresne, qui est président du conseil d'administration de l'AQUIP et président de la compagnie F. Dufresne EKO ; et, à ma droite, M. Pierre Crevier, qui est membre du Comité des affaires économiques de l'AQUIP et président des Pétroles Crevier.*

Alors, nous tenons évidemment à remercier les membres de la commission qui nous ont invités à venir présenter notre position sur ces importantes questions. Nous le faisons au nom des membres de l'AQUIP, qui regroupe les entreprises pétrolières à intérêts québécois. Leur champ d'activité est lié à l'importation, la distribution, la vente au détail de carburant, d'huile de chauffage et de lubrifiant. Les ventes au détail des entreprises pétrolières québécoises totalisent annuellement plus de 1 milliard de dollars.

M. Dufresne (Pierre) : *Le nombre de postes d'essence par habitant au Québec est inférieur à celui des États-Unis. Certains prétendent que le nombre de litres vendus annuellement dans les postes d'essence est trop bas et que, en conséquence, il y a trop de postes d'essence au Québec. Ils utilisent pareil argument pour justifier les guerres de prix qui frappent diverses régions du Québec. Il importe d'étudier le phénomène du nombre de postes d'essence au Québec avec attention.*

Avec raison, on utilise souvent le marché des États-Unis comme point de comparaison pour mesurer l'efficacité du réseau de postes d'essence au Canada. Or, pour desservir 100 000 habitants, le Québec dispose de 60 postes d'essence contre 63 aux États-Unis. Pour un nombre d'habitants comparable, il y a donc moins de postes d'essence au Québec que chez nos voisins du Sud. Cela établit que, pour desservir leur marché, les États-Unis disposent de plus de postes d'essence par millier d'habitants que le Québec, en dépit d'une densité de population cinq fois supérieure à la nôtre. Dans ce contexte, on ne peut manifestement pas soutenir qu'il y a trop de postes d'essence au Québec, la mesure de la population par poste d'essence constituant la plus juste donnée pour établir des comparaisons de cette nature entre les États-Unis et le Québec.

Le litrage par poste d'essence. Plutôt que de comparer quantitativement le nombre des postes d'essence en regard de la population visée, on a trop tendance à ne comparer que les volumes d'essence vendus par poste d'essence et en conclure qu'il y a trop de postes d'essence au Québec. Cette méthode est trompeuse. Plusieurs phénomènes peuvent en effet expliquer les variations du litrage moyen par poste d'essence pour différents territoires. Encore ici, la comparaison avec le marché américain permet de bien évaluer la situation.

On estime que la moyenne de litres annuellement vendus par poste d'essence aux États-Unis s'établit à 2,5 millions de litres. Le débit annuel moyen pour les postes d'essence au Québec est d'environ 1,9 million de litres. Le litrage supérieur des postes d'essence aux États-Unis s'explique notamment par le fait que les Américains ont une consommation estimée moyenne par citoyen de 62 % plus élevée que celle des Québécois. Le fait que 80 % de la population des États-Unis habitent une région métropolitaine contre 66 % pour le Québec et que l'activité économique soit plus intense chez nos voisins du Sud explique principalement cette réalité. Ces facteurs conjugués permettent notamment de comprendre pourquoi la consommation annuelle d'essence par citoyen est supérieure aux États-Unis. Malgré cette réalité, il y a plus de postes d'essence par habitant au sud de notre frontière afin d'offrir un service décent aux populations de tout le territoire.

Les postes d'essence à très gros débit sont-ils profitables pour les consommateurs ? Les raffineurs veulent imposer un modèle de poste d'essence à très grand débit comptant plusieurs îlots de ravitaillement. Ils prétendent que ce type de poste d'essence permet de réaliser d'importantes économies d'échelle qui seraient transmises aux consommateurs. Or, la construction de sites avec plusieurs îlots de ravitaillement nécessite un investissement important et comporte des coûts d'exploitation très lourds à supporter. Une analyse factuelle permet de constater que le poste d'essence de 1,5 million de litres vendus annuellement rivalise avantageusement avec ceux de 3,5 et 10,5 millions de litres.

La vente d'essence est une opération de vente en vrac relativement simple qui ne devient pas vraiment plus efficace dans de grandes installations. Pour vendre de plus forts volumes d'essence, le détaillant doit en effet modifier ses installations, investir davantage et augmenter ses coûts d'opération. C'est plutôt la volonté de concentrer les ventes d'essence dans un nombre restreint de points de vente, contrôlés par les raffineurs, qui devient avantageuse pour les grandes pétrolières.

En conséquence, les consommateurs ne doivent nullement s'attendre à tirer avantage de ces orientations que souhaitent imposer les pétrolières majeures. Il est périlleux de vouloir imposer au marché québécois un modèle qui ne correspond nullement aux besoins de ses consommateurs. À titre d'exemple, pour atteindre un volume moyen de 3,5 millions de litres par poste d'essence, près de la moitié des postes d'essence devraient fermer, soit 2 057 postes sur 4 421 postes. Cela signifie que le Québec se trouverait avec 32 postes d'essence par 100 000 habitants alors qu'aux États-Unis on en retrouve 63 par 100 000 habitants. Rappelons qu'actuellement le Québec dispose de 60 postes d'essence par 100 000 habitants, ce qui est bien raisonnable compte tenu de la densité de population qui est beaucoup plus faible que celle des États-Unis.

La rationalisation. Plutôt que d'être à la merci d'un nombre réduit de postes d'essence à très grand débit, n'est-il pas préférable, pour le consommateur, d'avoir un accès à un plus grand nombre de postes d'essence aux installations plus modestes lorsque l'on sait que ces coûts d'exploitation par litre vendu sont comparables ? Au surplus, un plus grand nombre de postes d'essence n'assure-t-il pas une forte concurrence en plus de garantir un approvisionnement situé à proximité des consommateurs ?

Derrière l'écran de la rationalisation se cache l'objectif de concentration de marchés entre les mains de quelques raffineurs. C'est la façon la plus sûre d'exiger des consommateurs des prix toujours plus élevés. La rationalisation du parc de postes d'essence du Québec doit se faire au rythme que lui impose le jeu normal de la concurrence. Toute rationalisation accentuée artificiellement à coups de guerres de prix déloyales doit être combattue. Après tout, le parc de postes d'essence du Québec ne se compare-t-il pas avantageusement à celui des États-Unis ?

M. Crevier (Pierre) : *L'Ontario. Les compagnies majeures ont mené en Ontario des guerres de prix qui ont conduit à l'élimination d'un grand nombre de postes d'essence. On constate d'ailleurs que le nombre de postes d'essence par habitant (40 postes pour 100 000 habitants) y est bien inférieur à ce que l'on retrouve aux États-Unis. Cette rationalisation a-t-elle* *entraîné une diminution des prix pour les consommateurs ontariens ? En fait, les Torontois paient leur litre d'essence, hors taxes, plus cher que les Montréalais. Pour les années 1998, 1999 et 2000, le coût moyen a été supérieur à 0,01 $ par litre. En comparaison avec le marché de Montréal, il en coûte ainsi annuellement, hors taxes, 53 millions de dollars de plus aux Torontois pour faire le plein.*

Les services aux populations régionales. Il ne faut pas oublier qu'au Québec les compagnies majeures ont tendance à abandonner les populations des zones éloignées compte tenu des coûts d'exploitation supérieurs à ceux des indépendants qu'ils doivent assumer. Alors que les indépendants peuvent opérer avec profitabilité ces postes d'essence au plus faible litrage, les majeures laissent tomber ce type d'opération. Les indépendants rendent ainsi un service quasi essentiel aux populations à faible densité, qui, sans eux, se verraient privées de services d'approvisionnement de carburant, les obligeant à franchir des dizaines de kilomètres pour s'approvisionner en produits pétroliers.

Malgré leurs volumes plus modestes qui font diminuer le litrage moyen par poste d'essence, ces points de service ont leur raison d'être et ne placent pas le Québec en porte-à-faux lorsqu'on compare le nombre de postes d'essence par 100 000 habitants observables ici et aux États-Unis. L'élimination d'un grand nombre de postes d'essence nécessaires à la rentabilité de postes à très gros débit créerait de très grandes distances entre les postes. Cela obligerait les résidents à parcourir des dizaines de kilomètres additionnels pour se procurer de l'essence ou du carburant diesel. Cette plus grande distance à parcourir engendrera un gaspillage de temps et d'énergie pour les consommateurs et augmentera les émissions polluantes dégagées par les automobiles que les gouvernements cherchent plutôt à limiter. Cela signifie qu'on assisterait à la disparition de postes d'essence dans plusieurs petites municipalités locales, accentuant ainsi le phénomène d'isolement de ces populations privées de services auxquels elles ont normalement droit. Si on souhaite vraiment prendre partie pour les régions, on ne peut ignorer les dangers inhérents à la privation de services quasi essentiels.

M. Crevier (Pierre) : *O.K. Disparition des importateurs indépendants : un alourdissement annuel de 345 millions de dollars pour les consommateurs du Québec. Une judicieuse analyse du milieu pétrolier permet de constater que, au Québec, il n'y a pas vraiment de concurrence entre les raffineurs. Bien qu'il y ait un surplus net de produits finis au Québec, puisque les raffineries du territoire québécois exportent une partie de leur production hors de nos frontières, ce surplus d'inventaire ne fait pas baisser* *les prix de produits pétroliers vendus par les raffineurs du Québec, puisque ceux-ci sont plutôt fixés en regard des prix accessibles à leur principal concurrent, qui est l'importateur indépendant possédant un terminal marin. L'absence de rareté et l'absence de bas inventaires garantis par une production québécoise excédentaire à la demande n'influencent donc pas à la baisse les prix offerts par les raffineries du Québec.*

Compte tenu, comme nous l'avons vu, que c'est la notion du coût de remplacement qui détermine les prix aux rampes de chargement des raffineries situées au Québec, la nouvelle source d'approvisionnement qui remplacerait les importateurs d'ici serait déplacée vers les terminaux d'Albany dans l'État de New York. Or, le transport des produits pétroliers entre Albany et Montréal doit se faire par camion. Ce coût de transport additionnel de 0,025 $ le litre s'additionnerait au prix actuel des produits pétroliers dans la fixation des prix de gros des rampes de chargement des raffineries opérant au Québec. Ce coût additionnel obligerait les consommateurs québécois à payer annuellement 340 millions de dollars de plus pour se procurer les 13,8 milliards de litres de produits pétroliers dont ils ont besoin annuellement. Cela illustre à quel point la présence des indépendants est précieuse pour les consommateurs du Québec.

M. Blouin (René) : *Alors, je vais conclure, M. le Président, si vous permettez, très rapidement en vous disant que l'essence a augmenté d'environ 0,30 $ depuis trois ans. Et de ce 0,30 $, 0,04 $ sont allés en taxes, c'est à cause de la majoration de la TPS et de la TVQ qui vient en fonction du prix vendu, mais 0,26 $ sont attribuables aux profits qu'ont encaissés les multinationales dans le marché du pétrole brut et dans le marché du raffinage. Et nous allons peut-être... nous aurons peut-être l'occasion d'en parler un peu plus tout à l'heure, mais poser la question, c'est y répondre. Où est le problème ? Lorsqu'on trouve que l'essence a augmenté beaucoup depuis trois ans, et qu'on réalise que les taxes sont responsables de 0,04 $, que le raffinage et le marché du brut sont responsables de 0,26 $, et que le marché du détail où nous sommes n'est responsable d'aucune augmentation, je pense que poser la question, c'est y répondre.*

Finalement, je vous dirai que, oui, il existe au Québec une loi pour s'assurer que les ventes à perte ne sortent pas artificiellement des entreprises efficaces du marché pétrolier. Vous savez, ces lois-là, elles existent aussi aux États-Unis. Il y en a qui sont beaucoup plus sévères que celles du Québec et il y a beaucoup de lois de cette nature aux États-Unis qui sont identiques à la loi du Québec, à cette exception près peut-être que la valeur des coûts

d'exploitation du détaillant qui sont intégrés au prix le sont systémati-
quement plutôt que de l'être sur demande.

Je vous dirai que ce que nous réclamerons et ce que nous continuerons
à réclamer, c'est que l'inclusion de la valeur des coûts d'exploitation, lorsque
c'est nécessaire, lorsqu'il y a une crise dans une région, puisse se faire en
vertu de moyens qui sont plus simples et plus accessibles.

Par son exposé, l'AQUIP a présenté une description assez complète de
la situation des indépendants.

Le CAA-Québec déposa à son tour devant la commission. Son exposé
fut décevant, car il a basé sa prise de position sur la part des taxes dans le
prix de l'essence au lieu de faire ressortir les effets d'un système de prix de
référence commun aux raffineries (B). À sa décharge, toutefois, il faut dire
que tant au CAA que chez d'autres organismes représentant les intérêts des
consommateurs, nous avions tous l'impression que le resserrement de la
capacité de raffinage serait temporaire, que les prix allaient revenir à un
niveau plus stable à un moment donné. Bref, que nous traversions une
période temporaire de fluctuations des prix.

Mais comme le dit si bien le président de Valero Energy dans ses
rapports annuels 2001 et 2002 : *... nous sommes entrés dans une nouvelle ère*
où les marges de raffinages seront plus élevées et où les périodes de faibles
marges seront plus courtes et moins fréquentes.

La présentation de L'essence c'est essentiel :

Le Président (M. Sirros) : *Alors, aujourd'hui, on va siéger de 9h30*
jusqu'à 17h15, à peu près, en commençant ce matin avec le groupe qui
s'appelle L'essence c'est essentiel représenté par M. Frédéric Quintal qui est
ici aujourd'hui pour nous parler de ses vues sur la question. Alors, je pense
que vous êtes au courant, sinon du déroulement... Vous avez un 15 minutes
de présentation (dans la mesure du possible, ce serait bien de résumer
l'essentiel de votre message) et ce 15 minutes de présentation sera suivi par
deux périodes de 15 minutes d'échange avec les parlementaires de chaque
côté de la Chambre. Alors, pour permettre le plus d'échanges possible, il faut
essayer de s'en tenir aux 15 minutes. Alors, je vous donne tout de suite la
parole, sans trop retarder nos travaux. M. Quintal.

Site Internet *L'essence c'est essentiel*

M. Quintal (Frédéric) : *D'abord, je voudrais dire merci à nos dirigeants politiques et aux initiateurs de cette commission de faire en sorte que des citoyens comme moi ont la chance de présenter un mémoire ici et peut-être d'apporter des propositions pour nous aider, nous, les consommateurs, à mieux faire face à ce que l'industrie pétrolière nous amène dans les prochains mois et les prochaines années.*

Je suis porte-parole de L'essence c'est essentiel. C'est un site Internet qui existe depuis bientôt deux ans.

Je suis un consommateur qui, comme tout le monde, se demande pourquoi le prix de l'essence monte. Alors, pourquoi parler d'essence ce matin ? Bien, comme il y a beaucoup de produits de consommation qui peuvent vivre dans un environnement soumis aux lois du marché sans aucune contrainte, que ce soit la concurrence, l'offre et la demande, les cycles économiques dicteront la durée de vie et les décisions à prendre pour permettre à ces produits de suivre son chemin. D'autres produits, de par leurs particularités, soit l'aspect essentiel, la certification de la qualité, la disponibilité, le niveau des investissements, la recherche, la protection des emplois, se doivent de se retrouver dans un environnement réglementé. Prenons l'exemple du lait où il y a deux réglementations pour les quotas pour chaque ferme, également pour la fixation des prix. Et, quand je pense toujours au lait, bien je pense à l'essence, à part le prix minimum, il n'y a pas vraiment d'autre réglementation.

Oui, mais pourquoi le niveau politique ? Bien, c'est parce que je me dis qu'un État se donne habituellement des outils pour avoir un certain contrôle sur la santé de son économie. Je donne l'exemple au niveau, peut-être de la juridiction fédérale, le taux directeur de la Banque centrale, le taux d'imposition, la taxe à la consommation, des règles pour certains secteurs de commercialisation. Et la question que je pose, c'est : Est-ce que la commercialisation de l'essence peut être livrée totalement aux lois du marché tout en satisfaisant à la fois les attentes financières de l'industrie et celles des consommateurs ?

Ma réponse est non pour deux raisons. C'est que les déplacements des personnes et des marchandises sont aujourd'hui des otages de l'énergie pétrolière. Deuxièmement, avec ces nombreuses fusions au cours des dernières années, au niveau mondial principalement... J'ai fait une liste un petit peu plus loin, on pense à BP-Amoco, Chevron-Texaco, Exxon-Mobil, Total-Fina-Elf. D'ailleurs, la création de Total-Fina-Elf par les entités françaises a été uniquement une riposte suite à la création des autres gros géants à travers le monde. Suite au contrôle de l'offre qui commence à s'exercer de façon non négligeable, bien on se retrouve aujourd'hui avec une bombe à

retardement inflationniste sur laquelle on n'a pas le contrôle. C'est totale-
ment laissé entre les mains de l'entreprise privée à ce niveau-là.

Je fais un petit peu un historique de l'industrie pétrolière. Bien, à un
moment donné, je l'ai écrit ici, dans le développement de notre société
moderne et sans qu'il y ait eu aucune entente tacite, les personnes et les
industries ont convenu de soumettre totalement leurs déplacements à l'in-
dustrie pétrolière. Que ce soit par voie terrestre, maritime ou aérienne, tout
fut basé sur le pétrole : quelqu'un a inventé un avion avec un moteur à es-
sence ; quelqu'un a inventé une automobile avec un moteur à essence ; et,
également, les navires sont passés du vent, à la vapeur et finalement à
l'énergie pétrolière. L'industrie pétrolière s'est développée sans souci réel de
l'apparition éventuelle d'une énergie alternative. Je suis sûr que le premier
jour de leur année fiscale respective, chaque compagnie pétrolière est
certaine de rencontrer au moins 90 % de son chiffre d'affaires sans avoir à
serrer la main de chacun de ses clients comme promesse d'affaires. C'est un
acquis, le 1er janvier de chaque année, ils sont pas mal sûrs de vendre au
moins 90 % de ce qu'ils ont fait l'année d'avant.

Suite à ça, je veux arriver à un point au niveau du contrôle de l'offre
suite à toutes ces fusions-là. Eh bien, j'en viens aux pratiques commerciales,
que je ne considère pas nécessairement de bons citoyens corporatifs à 100 %
dans l'industrie pétrolière. Il y a une étude qui a été présentée à l'automne
2000 pour prouver concrètement qu'il y a eu du contrôle des inventaires
dans le Midwest américain[4], et on s'est retrouvé au mois d'octobre 2000 avec
des prix de 2,33 $US le gallon dans le Midwest américain, ce qui fait
l'équivalent en dollars canadiens, au litre... Ici, à la région de Montréal, si
on aurait vécu la même situation, le litre d'essence ordinaire se serait
retrouvé à 1,15 $. C'est assez... un petit peu catastrophique de voir ça.

Un autre point que je veux apporter, c'est ici au provincial, vous faites
cette commission-là, ce que je trouve bon comme exercice. Je me tourne vers
vous parce que, au fédéral, tout ce qu'il y a eu comme intervention, c'est de
donner une subvention sur le chauffage à tous les citoyens canadiens. J'ai
reçu un chèque de 125 $, je n'en avais pas besoin. Et, deuxièmement, durant
le reste de la campagne, ç'a n'a jamais fait partie des dossiers d'actualité,
des promesses ou des interventions.

J'ai essayé de comprendre un peu pourquoi le gouvernement fédéral
n'est pas plus intervenu que ça. Je vais essayer de respecter le protocole
politique, mais, bon, ce qui me passe par la tête, je vais vous le dire, c'est :
L'industrie pétrolière, en 2000 et 2001 au Canada, a investi 56 milliards en

---

[4] The causes and effects of the price spike in the Midwest during 2000. By Tim
Hamilton

infrastructures, que ce soit en exploration, en exploitation ou en infra-structures de développement. C'est du beau capital politique. Moi, je me dis : Bon, bien ça se peux-tu que, suite à ces investissements massifs de 56 mil-liards-là, le gouvernement, les dirigeants au niveau fédéral se soient inclinés, amenés à dire : Bon, bien, on va leur laisser le terrain de jeu libre dans la commercialisation de leur produit, alors que c'est un produit telle-ment essentiel pour le bon fonctionnement de notre économie ?

Je prends d'autres exemples. On a juste à penser à janvier 1998 lorsque a eu lieu la tempête de verglas. La région de Montréal et la Rive-Sud ont été d'une à deux semaines sans électricité. On a vu de quoi on avait l'air quand on n'a pas de courant électrique, on ne fonctionne pas. Pour l'essence, je pen-se que ce serait la même chose. Et, pour les télécommunications également. Bien, l'électricité est régie par une entreprise d'État. Les communications sont régies par le CRTC. Moi, en tant que citoyen québécois et canadien, je dors en paix quand je pense aux télécommunications pour une simple raison. On a vécu l'exemple lorsque Québécor a fait l'acquisition de Vidéotron. Québécor s'est retrouvé avec une deuxième station de télé francophone à Montréal. Le CRTC lui a dit de se départir d'une de ces deux télés, ça vient de se faire. Pourtant, Québécor a un gros pouvoir financier. Alors, j'ai l'es-prit en paix sur l'objectivité d'un organisme comme le CRTC.

Au niveau de l'industrie pétrolière, je me demande qu'est-ce qu'il y a. En tant que porte-parole de L'essence c'est essentiel, j'ai voulu exercer les différentes entités disponibles pour défendre l'intérêt des consommateurs, j'ai fait deux différentes demandes de vérification au Bureau de la concurrence au mois de janvier de 2001. Il n'y a rien à faire avec le Bureau de la concurrence. Le gouvernement a demandé une étude au Conference Board, et selon cette étude, les canadiens sont biens desservis par l'actuel marché pétrolier. D'ailleurs, M. Tobin a répondu, le 26 avril 2001, à la Chambre des communes, à Ottawa : « Dans presque tous les cas, on a conclu qu'il n'y avait pas de collusion dans l'établissement des prix de l'essence ». Bon, il n'y a rien à faire. Alors, qu'est-ce qu'on peut faire ?

L'important, c'est de vendre l'idée que ce produit-là est trop essentiel au bon fonctionnement de notre économie. Dans le Business Week du 16 juillet[5], il a été établi que, avec les hausses du prix de l'essence en 2000 sur le marché américain, l'industrie pétrolière est allée ramasser 115 milliards dans le produit intérieur brut. Ça dérange un taux d'inflation, ça. C'est énorme. Alors, jusqu'où on va continuer à laisser aller cette industrie-là ? J'étais dans l'alimentation pendant plusieurs années et, que Heinz double le prix de ses bouteilles de ketchup demain matin, je m'en fous. Si je veux

---

[5] Business Week, 16 juillet 2001, page 38.

acheter du Heinz c'est parce qu'il est meilleur, je vais être prêt à payer. Sinon, j'ai une alternative, soit de prendre la compétition ou de ne pas en prendre. Je ne peux pas mettre du jus de pomme dans mon auto.

Pour présenter un exemple concret qui démontre à quel point c'est essentiel au bon fonctionnement d'une économie, faisons un parallèle avec la Deuxième Guerre mondiale qui, selon moi, s'est perdue par les Allemands sur l'enjeu du contrôle du pétrole. Avec la guerre de l'Atlantique, c'était le jeu d'empêcher l'Angleterre d'être approvisionné par les bateaux, les pétroliers américains. La seule façon d'anéantir ou de conquérir l'Angleterre, c'était de couper les approvisionnements en pétrole. À un moment donné, les Anglais ne seraient plus capables de faire fonctionner leurs avions et leurs tanks. Et, de l'autre côté, les Allemands ont tenté d'aller chercher les réserves pétrolifères du Caucase en Russie. C'est ce qui leur a fait perdre la Deuxième Guerre mondiale. C'est pour montrer à quel point un produit comme le pétrole est aussi névralgique pour le bon fonctionnement d'une nation.

Un petit peu plus loin, un résumé, peut-être, au niveau des prix de l'essence. À l'automne 2000, à Montréal, on a vécu 0,80 $ le litre pendant plus de 100 jours et au printemps 2001, à peu près à la même période. Ce qui nous a aidés à retrouver des prix à 0,70 $ dans la région de Montréal et un petit peu à 60... dans la soixantaine, ça a été le ralentissement économique, et de un, qui a été vraiment un imprévu. Quand on a vu 0,879 $ le 17 avril à Montréal, on s'est dit que la piastre s'en venait.

Un autre exemple pour expliquer encore une fois le contrôle de l'offre. Il y a eu l'étude de Tim Hamilton, mais, plus concrètement, ce qui est arrivé au mois d'avril, pourquoi l'essence est passée de 0,77 $ à 0,88 $, c'est tout simplement, sans qu'il y ait d'entente, bien il y a eu un contrôle des inventaires. Dans le Business Week, Peter Coy a expliqué que, étant donné que les marges sur l'huile à chauffage étaient les plus élevées et que l'hiver s'est prolongé, bien tout le monde... Une raffinerie se doit de faire une période annuelle d'entretien qui va varier de cinq à 18 jours. Donc, pendant cette période-là, la raffinerie est fermée, ne produit pas, les inventaires baissent. Mais tout le monde a voulu profiter des marges élevées sur l'huile à chauffage, donc ont retardé cette période d'entretien là. Arrive fin mars, début avril, plus personne peut se permettre de retarder cette période d'entretien-là, trop de raffineries se retrouvent en même temps à faire leur entretien. Alors, c'est ce qui a fait qu'il y a eu moins de production. La demande a été grugée davantage des inventaires, les inventaires ont descendu, et pouf ! Les prix ont monté subitement. Certaines raffineries qui étaient dues pour faire leur entretien... Entre autres, à Aruba dans les

Caraïbes, elle a passé au feu. Donc, encore une période x de jours où elle n'était pas fonctionnelle, la même chose dans la région de Chicago.

Quand je vois tous ces éléments-là, je me dis une chose : Mais, merde, il n'y a pas quelqu'un qui pourrait surveiller ça davantage et donner l'autorité d'avoir le droit de vérifier ça ?

Est-ce qu'on sait quels sont les inventaires, actuellement, des trois raffineries du Québec ? Je ne le sais pas. Je ne suis pas ici en tant qu'expert, je pose la question. Si quelqu'un à la Régie de l'énergie le sait, tant mieux, mais on prend l'exemple à nouveau des inventaires. Le contrôle des inventaires du mois d'avril, pourquoi la marge de raffinage, à ce moment-là, est passée de huit à 0,145 $ à Montréal, alors que les inventaires bas étaient dans la région de New York ? Tout simplement, M. Montreuil, lors d'un débat télévisé auquel j'avais participé en avril, avait lancé que le marché continental, s'ils suivent pas le prix port de New York, il y a des gros pétroliers de New York qui vont venir siphonner nos citernes à Montréal. Bien, j'ai dit : Pourrait-on faire une loi (ce que je demande ici, au niveau provincial), une loi qui force d'abord les raffineurs d'ici à bien desservir leur réseau de détaillants, et leur surplus, ils le vendront le prix qu'ils veulent à l'extérieur ?

La notion de marché continental, c'est bien beau, c'est bien le fun, mais, à un moment donné, il faut s'en détacher. Est-ce qu'on peut commencer à penser à fixer le prix de ce produit-là en fonction de nos besoins ici ?

Un autre exemple, d'avoir le contrôle sur une matière importante pour notre économie, l'électricité. Avec la crise énergétique qu'il y a eu dans l'Ouest américain, je suis fier de savoir qu'Hydro-Québec est une entreprise d'État et qu'il y a possiblement, peut-être un gel des tarifs jusqu'en 2006. Je n'ai pas à me soucier si ma facture, cet hiver, va être...

Le Président (M. Sirros) : *Je vais vous demander de conclure, parce que c'est à peu près le temps pour passer la parole aux échanges.*

M. Quintal (Frédéric) : *O.K. Également, une chose concrète que je veux demander, pour avoir un contrôle sur la demande, à nos entités politiques, c'est qu'il existe, pour diminuer notre situation de soumission et d'otages à l'industrie pétrolière, il y a des véhicules hybrides qui existent actuellement à 40 % de moins de consommation d'essence. Il y a deux modèles qui sont disponibles, chez Honda et Toyota. Aux États-Unis, lorsque le président Bush a fait sa présentation sur le programme énergétique, au* *mois de mai, il a donné une exemption de taxes sur les voitures hybrides. Est-ce qu'il serait possible, au provincial, de déjà passer à cette étape-là ? J'en parle dans mon rapport des différents incitatifs à apporter.*

Le Président (M. Sirros) : *Merci, M. Quintal. Ceci met fin à cette partie de présentation. On vous remercie encore une fois pour votre présentation.*

À cette époque, je ne maîtrisais pas encore correctement la notion du prix de référence commun des produits raffinés négociés sur la bourse Nymex (B). De cette commission parlementaire, il en est ressorti au moins que les causes des fluctuations des prix de l'essence relèvent plutôt de la juridiction fédérale. La marge de raffinage ou le prix des produits raffinés (B) ne peut être réglementée au niveau provincial. Seul la raison d'être du prix minimum et l'inclusion ou non des coûts d'exploitation d'une essencerie dans ce prix minimum tombent bien sous la responsabilité de la juridiction provinciale. Également le débat sur la portion des taxes dans le prix de l'essence ne cible pas les causes des fluctuations du prix de l'essence. Ce premier exercice parlementaire a eu le mérite de départager les juridictions provinciales et fédérales quant aux différentes composantes des prix de l'essence. Donc si on veut réglementer les éléments qui influencent le cours de l'essence raffinée sur la bourse Nymex, comme c'est convenu dans l'accord de libre-échange, c'est à Ottawa qu'il faut se présenter.

La présentation de L'ICPP :

Voici l'intégral de la présentation de l'ICPP. On y retrouve les arguments souvent répétés par l'industrie pour expliquer sa position sur le fonctionnement du marché. Nous avons souligné certains passages pour lesquels vous trouverez une autre version quelques pages plus loin (page 70).

Le Président (M. Rioux) : *Alors, nous avons en place l'Institut canadien des produits pétroliers. Alors, M. Perez, le président, vous allez nous présenter vos collègues.*

Institut canadien des produits pétroliers (ICPP).

M. Perez (Alain) : *Merci, M. le Président. Là, je vous présente mes collègues : Carol Montreuil, à ma gauche, qui est vice-président de l'Institut pour le Québec (il représente donc l'industrie au Québec) et Pierre Desrochers, de la Compagnie Impériale, Esso, qui, en plus de ses fonctions chez Esso comme directeur des affaires gouvernementales, est également cette année le président du comité de direction de mon Institut pour le Québec.*

Le Président (M. Rioux) : *M. Montreuil, on vous donne la parole pour les 15 prochaines minutes.*

M. Montreuil (Carol) : *Merci, M. le Président. Mmes, MM. députés et commissaires, d'abord, merci et bonjour de permettre à notre organisation de vous présenter son point de vue dans le cadre de cette commission parlementaire.*

Donc, mon nom est Carol Montreuil. Je suis vice-président de la division du Québec. Et, au cours des 15 prochaines minutes, je vous résumerai les enjeux principaux de l'industrie pétrolière, spécifiquement dans le contexte des fluctuations des dernières années. Le mémoire que notre organisme vous a déjà transmis ainsi que les questions qui suivront et les réponses de notre présentation compléteront notre témoignage.

L'ICPP est une association de sociétés canadiennes engagées dans le raffinage, la distribution et la commercialisation de produits pétroliers servant au transport, à l'énergie domestique et aux usages industriels. Les membres de la division du Québec sont : l'Impériale, Petro-Canada, Shell, Ultramar, Safety-Kleen, Bitumar et Onyx. Les sociétés membres de l'ICPP exploitent 17 raffineries et alimentent quelque 11 000 points de vente de détail partout au pays, représentant 85 % des produits pétroliers consommés par les Canadiens et les Canadiennes.

D'abord, sur la question des prix à la pompe, marges et fluctuations de la dernière année. Tout au cours de la dernière année, les prix moyens de l'essence au Québec, en excluant les taxes, furent plus bas que chez nos voisins américains et essentiellement au même niveau que ceux de l'Ontario. C'est à la page 5 de notre mémoire, la figure 1. En fait, les consommateurs et les médias sont toujours surpris d'apprendre que les prix hors taxes les plus bas de tous les pays de l'OCDE sont ici même au Québec et au Canada. (A)

Par contre, même avec des prix relatifs bas, il n'en demeure pas moins que le prix absolu élevé du produit au niveau planétaire a eu un impact sur toutes les économies du monde au cours de la dernière année. Aucun facteur isolé ne peut expliquer l'augmentation subite des prix. Le marché serré du pétrole brut à l'échelle mondiale et du marché des produits finis à l'échelle continentale est à l'origine de la situation. Ce marché serré s'accompagne de faibles inventaires et fait fluctuer les prix. Au niveau continental, les causes fondamentales de la situation du marché des produits finis sont américaines, par exemple, un réseau de 158 raffineries près de sa pleine capacité et une dépendance importante à l'égard de l'importation. Le Québec représentant moins que 5 % du marché du Nord-Est américain peut difficilement influencer les données fondamentales régissant les niveaux de prix de ce marché.

L'Accord du libre-échange du Nord des Amériques, l'ALENA, assurant la libre circulation des produits sans pratique restrictive fait en sorte que les prix de gros des produits des deux côtés de la frontière sont en équilibre. Et ce marché libre fonctionne, à preuve et par exemple, l'analyse de la situation en mai et juin derniers. L'arrivée d'essence additionnelle sur le marché, et donc un retour à des niveaux plus normaux d'inventaire de produits, a fait chuter les marges de raffinage de façon spectaculaire, celles-ci passant de plus de 0,14 $ le litre au mois de mai à moins de 0,01 $ le litre à la fin juin, et ce, juste avant la période des vacances (B). C'est à la page 7, la figure 2 de notre mémoire.

Donc, encore une fois, la compétitivité féroce que se livrent les joueurs de l'échiquier nord-est américain et qui fait la force du marché libre dans lequel nous évoluons aura contribué à la baisse des prix sur les marchés (C). Donc, comparée au prix de 0,88 $ le litre de l'essence régulière à Montréal, pour la semaine du 15 avril, l'édition du 16 juillet du rapport hebdomadaire de la Régie, pour la région de Montréal, affichait 0,66 $ le litre, donc une baisse de 0,22 $ le litre à la pompe. Ainsi, malgré les inconvénients qu'apportent les périodes d'instabilité que nous traversons depuis quelques années, il importe de souligner que les consommateurs ont bénéficié de la compétitivité de l'industrie canadienne (D).

En effet, malgré une industrie environ 10 fois plus petite que celle de nos voisins du Nord-Est américain, le marché québécois affichait, tout au cours de la dernière année, une marge totale jusqu'à 0,10 $ le litre inférieur. C'est la page 8, la figure 3 de notre mémoire. C'est ainsi que, dans son rapport de janvier dernier, le Conference Board du Canada affirmait, et je cite : « Les Canadiens bénéficient de l'actuel système de marché libre qui détermine les prix de l'essence (E) [...] qui sont parmi les plus bas au monde (F) ». Cette affirmation est aussi soutenue par les quelque 22 enquêtes qui ont fait l'objet de notre industrie au cours des 10 dernières années, soit par le Bureau de la concurrence ou autres agences.

Finalement, une des causes fondamentales à la source de la situation précaire que nous avons traversée récemment concerne la croissance de la demande en essence. Comme l'illustre la figure 20 à la page 22 de notre mémoire, cette demande ne montrait, jusqu'à tout récemment, aucun signe de ralentissement. Elle est de l'ordre de 2 à 3 % par année depuis 1993. Cette croissance soutenue a poussé l'infrastructure vieillissante du parc de raffinerie nord-américaine près de sa pleine capacité (G).

Dans son rapport, le rapport du Conference Board rapporte un retour moyen, sur investissement du secteur aval de l'industrie, un retour moyen de 8 % pour la période de 1993 à 1999. C'est à la page 60 de l'annexe I de notre mémoire dans le rapport du Conference Board. Il va sans dire qu'aucune nouvelle raffinerie n'a vu le jour dans un tel contexte économique. Il faudrait demander à ceux qui accusent les raffineurs de réaliser des marges et des profits excessifs pourquoi eux ne construisent pas de nouvelles raffineries. Posez la question, c'est y répondre.

Sur la question des taxes, il convient de souligner que ce sont des organismes de défense de consommateurs, des groupes de consommateurs d'énergie ainsi que certains élus qui ont lancé le débat public au sujet du niveau acceptable des taxes sur les carburants. L'ICPP ne s'est pas prononcé sur le sujet de ce niveau acceptable et n'a pas l'intention de le faire aujourd'hui (H). Nous estimons qu'il revient aux diverses administrations publiques de répartir le fardeau fiscal des Canadiennes et des Canadiens entre les divers instruments fiscaux disponibles, donc, en fait, un choix de société.

On le sait, les taxes représentent une partie importante du prix à la pompe. En fait, à Montréal, en juin 2001, pour un prix moyen de 0,74 $ le litre, près de la moitié, soit 0,36 $ ou 49 % du prix à la pompe, était constituée de taxes spécifiques et de taxes à la consommation.

Ainsi, les taxes et le prix de la matière première, c'est-à-dire le brut, représentaient en juin plus de 83 % du prix à la pompe (c'est à la page 9, la figure IV de notre mémoire) donc 83 % du prix à la pompe hors du contrôle de notre industrie (I).

Par contre, il importe de souligner que, dans l'ensemble, le Canada est le troisième pays de l'OCDE, après les États-Unis et le Mexique, où le niveau de taxation est le plus bas. On n'a qu'à penser à des pays comme l'Angleterre où le niveau de taxes atteint près de 80 % du prix à la pompe (c'est à la page 10 de notre mémoire).

Et, sur la question des baisses de taxes, si elles survenaient, plusieurs soutiennent qu'advenant une baisse de taxes gouvernementales sur les carburants, le consommateur ne pourrait pas nécessairement profiter d'une réduction équivalente des prix. En réponse à ces interrogations, l'ICPP est catégorique : sur une période représentative, on a toujours pu isoler, reconnaître et quantifier les différents changements de niveau de taxes et leur impact sur les prix. Spécifiquement au Québec, il convient de rappeler que la Régie de l'énergie du Québec publie hebdomadairement un rapport détaillé pour 17 régions des prix et des écarts moyens. Donc, la portion des taxes est facilement identifiable.

Comme l'histoire peut être un gage de l'avenir, l'analyse de la figure VI, à la page 11 de notre mémoire, traitant de l'évolution des marges d'exploitation de l'industrie et des taxes gouvernementales québécoises au cours des 10 dernières années apporte un éclairage intéressant. Cette analyse démontre clairement que, de 1989 à 1999, les gains d'efficacité enregistrés dans le secteur du raffinage et du marketing ont profité aux consommateurs québécois. Les forces du marché ont alors fait passer la marge d'exploitation de l'industrie, la marge totale, de 0,18 $ à 0,10 $ le litre, donc moins 0,08 $. Durant la même période, les taxes totales ont fait un bond, toujours pour le Québec, ont fait un bond de 0,25 $ à 0,34 $ le litre, donc un bond de 0,09 $ le litre.

Ces données nous forcent à conclure que les mêmes forces concurrentielles qui ont transformé des gains d'efficacité en baisses de prix pour le consommateur produiront ou produiraient le même effet advenant un changement dans la structure fiscale. En conséquence, nous affirmons clairement que, si les taxes baissaient, les consommateurs en bénéficieraient.

Sur la question des rabais de taxes en région, lors des premières journées d'audiences de cette commission, il a également été question des rabais de taxes existants dans certaines régions du Québec. Certains ont même insinué que les marges relativement élevées de commercialisation de ces régions étaient attribuables au fait que les pétrolières empocheraient les rabais de taxes. L'ICPP déplore ces insinuations sans fondement et désire rappeler certains faits. Vous trouverez à l'Annexe V de notre mémoire une copie du rapport d'enquête de février 2000 de la Régie de l'énergie, portant sur les régions de l'Abitibi-Témiscamingue, du Saguenay-Lac-Saint-Jean et de la Haute-Mauricie.

La Régie résume la situation en ces termes, à la page 4, et je cite : « La Régie note qu'environ deux fois plus de stations-service par véhicule sont en opération en Abitibi-Témiscamingue et au Saguenay-Lac-Saint-Jean que dans les régions de Montréal et Québec. Non seulement ces stations sont beaucoup plus nombreuses, mais également elles enregistrent, en moyenne, des débits de vente annuels bien inférieurs à ceux de l'ensemble du Québec ». Fin de la citation. Donc, d'un point de vue purement économique, il ne *faut donc pas être surpris que ces régions soient aux prises avec des marges et des prix plus élevés que la moyenne du Québec.*

Et la Régie conclut son rapport en ces termes, et je cite: « Le marché de l'essence dans ces régions étant, comme ailleurs au Québec, un marché libre où les forces du marché sont présentes, la Régie considère que la réponse à une situation de prix de vente de détail élevés et stables ne passe pas par un rajustement régional des rabais de taxes au détriment d'autres régions, comme le suggèrent certains intéressés ». Fin de la citation.

Sur la question de l'interventionnisme de l'État, plusieurs ont évoqué, lors des premières journées de cette commission, la possibilité d'un rôle accru du gouvernement dans le marché de l'essence. Toutefois, des mises en garde s'imposent. Plusieurs études et analyses d'économistes ont démontré l'impact négatif d'un point de vue du consommateur d'une intervention de l'État dans la réglementation du prix de l'essence. Ces études démontrent que les résultats de ces politiques sont un prix à la pompe plus élevé pour les consommateurs parallèlement à une diminution du niveau de compétition et finalement une réduction du niveau de service pour le consommateur (J).

Au Canada, le rapport du Conference Board nous permet d'analyser la situation dans la province de l'Île-du-Prince-Édouard, la seule autre province que le Québec, au moment de l'étude du Conference Board, avec une réglementation. Aux pages 36 et 37, à l'annexe I du rapport du Conference Board, le Conference Board résume la situation en ces termes : « Il ne semble pas que les consommateurs soient mieux desservis dans un marché réglementé étant donné que les prix de détail hors taxes ayant cours à l'Île-du-Prince-Édouard ne sont pas plus bas, au contraire, que dans d'autres régions du pays et que la moyenne canadienne durant de longues périodes ».

L'analyse du marché américain permet une analyse plus complète des impacts d'une intervention gouvernementale, puisque 26 États ont une réglementation en place. Dans une étude de juin 1998, le Pr Alain Lapointe, des Hautes Études commerciales, résume les impacts de ces réglementations pour le consommateur. C'est l'annexe III de notre mémoire, aux pages 52 à 54.

Voici ce que le professeur Lapointe a à dire des réglementations américaines, et je cite : « Les prix sont généralement plus élevés qu'ils le seraient sans législation. Ces différentiels de prix représentent un coût considérable pour les consommateurs ; les marges de détail sont plus élevées dans les régions où il y a ce type de législation. [...] Elles causent des augmentations significatives de prix ; [...] elles contribuent à accroître le niveau de concentration de l'industrie ». En conclusion, le professeur Lapointe souligne, et je cite : « L'examen des législations au Canada et aux États-Unis montre que les provinces canadiennes ont été très hésitantes et avec raison à intervenir sur un marché qui présente toutes les caractéristiques d'un marché concurrentiel ». (K)

Dans le cas du Québec, depuis 1996, un prix plancher limite le degré de volatilité et ainsi pénalise les consommateurs qui ne peuvent bénéficier pleinement des guerres de prix qui caractérisent le marché de l'essence. La Régie de l'énergie rendait, en juin dernier, une décision suite à des audiences publiques engendrées par une requête des détaillants indépendants, l'AQUIP, qui jugeaient excessives les faibles marges du marché de la grande région de Québec durant les mois de septembre à novembre 2000. En vertu de cette décision, la Régie permettait, pour une durée de trois mois, l'ajout d'une marge de 0,03 $ le litre au prix plancher de la grande région de Québec. Il y a quelques semaines, la Régie était saisie d'une demande similaire pour la région de Saint-Jérôme.

L'ICPP déplore l'intervention de la Régie dans ces deux cas et constate qu'il s'agit là de dangereux précédents. Le réseau d'essencerie de la province de Québec est l'un des moins efficaces du Canada en termes de débit moyen par site. Je vous réfère à la page 15 du rapport du Conference Board, à l'annexe I toujours. Vous allez voir les chiffres par province. L'intervention gouvernementale, soit par l'ajout d'un prix plancher et/ou d'une marge garantie ne fait que protéger les joueurs les plus inefficaces du marché et ainsi retarde la rationalisation, privant ainsi les consommateurs de gains de productivité (L).

Par la décision de Québec, la Régie a démontré qu'elle tient d'abord à protéger certains concurrents plutôt que la concurrence et les consommateurs. Une fois de plus, il faut questionner la raison d'être de la Régie de l'énergie dans le marché de l'essence. Contrairement à l'électricité et au gaz, qui sont des monopoles, l'industrie pétrolière est un marché où s'exerce une compétition vive à tous les niveaux, autant du niveau raffinage que du côté de la vente au détail (M). L'intervention de la Régie dans le domaine dans la région de Québec démontre qu'au bout du compte ce sont les consommateurs qui ont fait les frais de cette décision. Le marché de l'essence n'étant pas monopolistique, l'ICPP conclut que la présence de la Régie de l'énergie dans ce secteur autrement que pour des fins d'information auprès de la population n'est pas souhaitable.

La thèse souvent invoquée pour justifier une intervention de l'État vise à éviter la disparition de certains indépendants, puisque, à long terme, les majeurs profiteraient alors de cette situation pour augmenter les prix au détriment des consommateurs. Cette thèse ne résiste tout simplement pas à l'analyse à cause des faibles barrières à l'entrée du marché de l'essence.

L'arrivée récente, dans le marché québécois, d'une grande surface avec une politique de bas prix (Costco à Saint-Jérôme) confirme cet énoncé. En effet, cette compagnie n'a mis que quelques mois pour installer l'équipement pétrolier nécessaire et affecter les prix à la baisse, et ce, de façon marquée, au bénéfice des consommateurs.

En résumé et en guise de conclusion, l'ICPP soutient : que le libre marché joue à l'avantage des consommateurs ; que l'analyse des prix et des marges de la dernière année confirme que l'impact hors taxes des fluctuations a été moindre ou équivalent sur l'économie québécoise que sur les économies de juridictions avoisinantes ; et que le Québec, durant cette période, a bénéficié de la sécurité d'approvisionnement de son industrie pétrolière.

L'ICPP soutient que tout rabais de taxes ou baisse de taxes spécifiques bénéficierait aux consommateurs et est facilement vérifiable, surtout au Québec, grâce aux rapports hebdomadaires de la Régie de l'énergie sur les prix et les écarts de prix de l'essence ; et finalement, que les consommateurs, ici comme ailleurs, ont toujours fait les frais d'une intervention de l'État dans la réglementation des prix de l'essence, récemment pour la région de Québec et maintenant pour Saint-Jérôme où les indépendants demandent à la Régie d'ajouter 0,03 $ le litre au prix plancher de cette région.

Le marché de l'essence n'étant pas monopolistique, l'ICPP conclut que la présence de la Régie dans ce secteur autrement que pour des fins d'information auprès de la population n'est pas souhaitable. Nous répondrons maintenant à vos questions.

Une autre version :

A- Encore une fois, l'industrie fait référence à un rapport de l'OCDE qui compare les prix de l'essence ordinaire du Canada avec l'essence super des autres pays membres de l'OCDE.

B- Voir la revue Business Week de juillet 01 : le prix était tellement élevé que les raffineurs étrangers ont jugé que le marché américain était une bonne affaire, malgré la distance maritime à couvrir. Les prix en Amérique du Nord étaient peut-être excessivement élevés.

C- Comment oser parler de compétitivité féroce !

D- Bénéficier de la compétitivité de l'industrie canadienne ! D'abord, depuis l'accord de libre-échange 1988, l'industrie canadienne est basée sur l'industrie américaine. Ce sont les représentants de l'industrie eux-mêmes qui ont l'habitude d'user de cet argument.

Peut-être que le décorum du salon rouge au Parlement les a-t-il déconcentrés Et justement, où trouve-t-on cette compétitivité dans le secteur du raffinage depuis que Esso a, en juin 1985, annoncé assez publiquement disons, qu'elle publierait son prix de gros de ses produits raffinés dans un journal spécialisé (l'origine du Oil's Buyers Guide) et qu'elle a signifié qu'elle ne donnerait plus d'escompte sur achat à ses clients (voir chapitre, *Le pétrole et le Canada, le prix rampe de chargement de Esso*). Texaco Canada avait applaudi face à ce comportement. La mise sur pied du système de prix de référence commun des produits raffinés allait prendre ses racines avec l'instauration du prix à la rampe de chargement affiché. Est-ce que le Bureau de la concurrence existait en juin 1985 ? Ça pourrait être interprété comme une certaine démonstration de laisser aller de la part des politiciens fédéraux de 1985 que de ne pas être intervenus dans cette nouvelle pratique commerciale de Esso.

E- Décidément, ils sont liés pour la vie à cette étude du Conference Board qui, rappelons-le (ils le font eux aussi, pourquoi pas nous ?), affiche la présence du Président d'Imperial Oil Esso sur son conseil des directeurs, ce qui soulève un certain doute sur l'objectivité de cet organisme…

F- Et en plus, même l'étude du Conference Board de février 2001 se réfère à l'étude de l'OCDE, qui elle, compare le prix au litre de l'essence ordinaire au Canada avec l'essence super de cinq pays d'Europe. Il fallait que ce soit vraiment écrit en petit caractère pour que même le personnel du Conference Board ne l'ait pas vu.

G- Ils savent que la demande est soutenue depuis 1993. Ils savent que les installations de raffinage sont vieillissantes, mais personne ne veut construire de nouvelles raffineries ! Et vous appelez ça de la forte compétition ? Est-ce rendu immoral d'aller disputer des parts de marché à ses compétiteurs ?

H- Si vous dites que vous n'avez pas du tout lancé le débat sur le niveau des taxes dans le prix de l'essence, pourquoi affichez-vous sur chaque pompe à essence un graphique qui fait justement ressortir la part importante des taxes dans la composition du prix ? Pourriez-vous alors retirer ces petits graphiques sur chaque pompe si vous dites que vous ne participez pas au débat ?

I- Encore l'argument à l'effet que 83 % du prix de l'essence échappe à leur contrôle (l'industrie pétrolière). Pourtant, un élément qui influence beaucoup le prix du pétrole est le niveau des inventaires publié le mercredi de chaque semaine par le Département de l'Énergie et l'American Petroleum Institute. Les raffineurs sont précisément les responsables du niveau d'inventaire de pétrole brut dans les raffineries. Car lorsque le prix du pétrole brut est élevé, ils hésitent à augmenter leurs stocks en raison du risque financier lié à un stock à prix fort.[6]

J- Il est prouvé que les prix de l'essence à la pompe offerts aux consommateurs dans les provinces et les États disposant de lois interdisant les ventes à pertes sont, en moyenne, de plus de 8 % inférieurs à ceux des États sans législation (ou interventionnisme de l'État). La moyenne du prix de détail de l'essence hors taxes aux États-Unis de 1995-2002 pour les États dotés d'une loi interdisant les ventes à pertes est de 29,9 cents le gallon, alors que cette moyenne est de 32,62 cents le gallon pour les États non pourvus d'une loi interdisant les ventes à pertes.[7]

K- Le professeur Alain Lapointe est un intervenant invité par l'industrie pour présenter des analyses favorables à l'industrie. En mars 2001, s'exprimant devant la Régie de l'énergie à titre de représentant de l'ICPP et voulant développer le même thème à savoir qu'une réglementation comme le prix minimum empêche la concurrence, l'avocat représentant les indépendants des produits pétroliers a complètement démoli son argumentaire.

L- L'intention signifiée de vouloir rationaliser, c'est-à-dire diminuer le nombre de stations-service pour ainsi augmenter le volume de litres dans les stations restantes, est bel et bien exprimée ici. Par contre, l'efficacité additionnelle qui en résulterait ou le gain de productivité qu'on en obtiendrait, ne serait pas, par le biais d'une supposée baisse des coûts, refilée aux consommateurs mais deviendrait une source de profit additionnelle.

M- La compétition est vive à un seul niveau, celui de la marge du détaillant. Le prix du pétrole brut est respecté partout sur la planète, de même que le prix des produits raffinés. Il est trompeur ici de faire la mention « autant au raffinage », ça ne peut que maintenir l'ambiguïté dans l'opinion des gens.

---

[6] www.icpp.ca , Infoprix 26 septembre 2000, page 4.
[7] U.S. Department of Energy, www.eia.doe.gov petroleum marketing annual 1995-2002

Le rapport final et les recommandations :

Le rapport final a été livré et rendu public en juin 2002[8]. En voici des extraits :

- Les membres de la commission recommandent que la Régie étudie l'intérêt et la faisabilité d'introduire dans la législation québécoise une loi type « Divorcement law » et fasse rapport à la Commission de l'économie et du travail sur ce sujet.

- Les membres de la Commission recommandent à la Régie de l'énergie d'exercer une présence beaucoup plus marquée sur tout le territoire du Québec et de jouer un rôle de premier plan en tant qu'informateur, vulgarisateur et même pédagogue auprès des consommateurs en ce qui a trait aux grandes composantes du prix de l'essence et aux causes de leurs fluctuations.

- Il est recommandé que la Régie devra agir immédiatement dès qu'elle constatera ou qu'on portera à son attention une guerre des prix abusive par rapport au prix plancher. Celle-ci déposera à l'Assemblée nationale un rapport trimestriel sur l'état de la situation, lequel rapport devra être examiné par la commission compétente.

- La Commission recommande au gouvernement de revoir l'efficacité de l'application des réductions de taxe pour s'assurer que celles-ci profitent réellement aux consommateurs. Le gouvernement pourra examiner à cette occasion d'autres mesures afin d'assurer des prix concurrentiels et raisonnables à ces régions avec une problématique particulière.

- Il est recommandé que la Régie de l'énergie dispose de toutes les ressources financières et humaines nécessaires et devienne l'organisme expert et de référence au Québec en ce qui concerne la connaissance du marché des produits pétroliers.

Ce rapport fut mis sur la glace après sa publication en juin 2002. Le 28 avril 2005[9], le ministre Claude Béchard décidait de sortir en grande pompe les recommandations de ce rapport en signifiant que : *Le gouvernement Charest va enfin bouger devant le prix de l'essence.* La terminologie du message lancé ici pouvait faire croire que le gouvernement se présentait comme un sauveur, mais pas pour le court terme. Les recommandations de la commission sur les prix de l'essence de juin 2002 ont pour principal impact de

---

[8] Commission de l'économie et du travail, rapport final, juin 2002.
[9] Journal de Montréal, 29 avril 2005.

renforcer quelque peu les éléments assurant une certaine viabilité aux in-dépendants sur le marché québécois. L'intention du ministre Béchard ne fera pas baisser les prix, mais empêchera la marge des détaillants de monter en maintenant les conditions nécessaires pour la présence de la concurrence des importateurs, et donc des indépendants sur le marché québécois.

Quand l'actualité pétrolière entre
au parlement d'Ottawa

La crise vénézuelienne de décembre 2002.

Le contexte du prix record de l'essence à 88,9 cents le litre à l'hiver 2003 fut la conséquence de deux événements majeurs. L'arrêt de la production pétrolière du Venezuela et la tension croissante liée aux intentions américaines de vouloir envahir militairement l'Irak.

Considéré comme le quatrième plus important pays exportateur de pétrole avec ses revenus de 54 $ milliards et sa production de 2,8 millions de b/j (le prix du baril de pétrole a fluctué de 25 $ à 30 $ durant l'année 2002), le Venezuela est également le troisième fournisseur des États-Unis. Parmi les compagnies pétrolières du pays, on retrouve la compagnie d'État Petroleos de Venezuela (PDVSA). En avril 2002, lors d'un discours adressé à la nation,[1] le président Hugo Chavez comparait le monopole pétrolier de PDVSA à une île de luxe dans un océan de pauvreté. Il faisait référence aux principaux administrateurs de la compagnie, un peu trop rémunérés à son goût. Certains d'entre eux venaient de l'étranger et le président Chavez ne concevait pas qu'une élite externe contrôle la direction d'une compagnie appartenant à la population du pays.

Le pétrole étant considéré comme une des plus importantes sources de revenus du gouvernement, le président Chavez exigea une plus grande part des profits de PDVSA pour financer certains de ses projets, créant ainsi une certaine tension avec les administrateurs de la compagnie. Dans le but d'affirmer son autorité, Chavez nomma donc cinq de ses supporters sur le bureau de direction de la compagnie composé de 10 membres. Certains employés protestèrent. Chavez répliqua en congédiant certains d'entre eux. S'ensuivit une escalade de réactions plus imposantes les unes que les autres qui aboutirent à la grève générale dans le pays, une grève qui dura du 2

---

[1] Business Week, 22 avril 2002, page 53, « *Revolt in the oil field* ».

décembre 2002 jusqu'au 2 février 2003. La popularité de Chavez chuta dramatiquement, passant de plus de 80 % en 1999, à un mince 35 % durant l'année.

L'impact sur les prix fit passer le prix du baril de pétrole brut de 26 $ au début décembre 2002 jusqu'à 33 $ au début de janvier 2003. Le 12 janvier 2003, en réponse à la crise au Venezuela, l'OPEP annonça une hausse de sa production de 1,5 millions de barils par jour. La production pétrolière du Venezuela reprit finalement ses activités le 2 février 2003 et les marchés mondiaux se re-stabilisèrent. Malheureusement, cette stabilité fut de courte durée.

L'invasion militaire de l'Irak :

Au cours de l'année 2002, les Américains émirent des soupçons relativement à la présence possible d'armes de destruction massives en Irak. Tout cela frôlant la supercherie, comme nous l'apprendrons quelques années plus tard, une enquête et les révélations d'un certain diplomate britannique. Mais à l'époque, la thèse fortement soutenue par les Américains avait convaincu bien des gens. L'Organisation des Nations Unies proposa alors de procéder à des inspections assez intenses de certains sites à l'intérieur de l'Irak. Processus que l'administration américaine accepta dans un premier temps, sans doute dans le but de soigner sa réputation internationale. Ces visites furent dirigées par un diplomate de carrière et chef des inspecteurs en désarmement, Hans Blix. Dans chacun de ses rapports, Hans Blix signala successivement que tout était en règle. Aucune présence d'arme de destruction massive en Irak. Tout en insinuant vouloir respecter le protocole de l'ONU, l'administration américaine entreprit de déployer du personnel militaire un peu partout autour de l'Irak, « au cas où », disait-on. Lors de la dernière inspection de février 2003, et malgré des résultats négatifs, les américains mirent en doute les résultats de l'inspecteur Hans Blix et décidèrent de passer à l'action : ce qui aboutit finalement au déclenchement de l'invasion militaire de l'Irak aux alentours du 20 mars 2003. Entre temps, du 2 février au 20 mars, un jeu de déclarations quasi quotidiennes s'était chargé d'alimenter la tension sur les marchés, faisant grimper le prix du baril de pétrole à un niveau de 38 $. C'est de cet environnement géopolitique qu'il sera question dans ce qui suit.

Le 6 février 2003, le prix du litre d'essence franchit le record de 88,9 cents le litre. L'argumentaire pro-pétrolier justifia la hausse comme étant une conséquence de l'arrêt de la production pétrolière du Venezuela, de l'hiver froid et de l'intention des Américains d'envahir militairement l'Irak.

Le 12 février 2003, cette situation trouve un écho parmi nos politiciens fédéraux. Le député libéral du comté de Pickering,[2] Dan McTeague, alors vice-président du comité Industrie, Science et Technologie, affirme que la marge de profit des raffineurs est trop élevée en regard du prix mondial du baril de pétrole et qu'il est fallacieux de justifier ces prix excessifs par ce que les pétrolières qualifient de « crise internationale ». Monsieur McTeague expliqua qu'à titre de vice-président du comité, il ne pouvait lui-même déposer une motion pour obliger les compagnies pétrolières à se présenter devant une commission parlementaire. Il fallait qu'un membre du comité se charge de cette tâche, ce dont se chargea aussitôt le député bloquiste Paul Crête.

Le 17 février 2003, le député du Bloc Québécois du comté de Kamouraska/Rivière-du-Loup/Témiscouata/Les Basques, Paul Crête,[3] réussit à faire adopter une motion qui allait forcer les pétrolières à s'expliquer devant un comité des Communes sur les récentes hausses du prix de l'essence, précisant : « On se substitue au ministre (de l'Industrie, Allan Rock), parce qu'il n'a pas pris ses responsabilités ». Bien que siégeant dans l'opposition, le député Paul Crête avait convaincu ses collègues des autres partis de l'urgence de la situation. Il est intéressant de constater que même si un député siège dans l'opposition, il peut provoquer une action concrète.

En vertu de la motion de M. Crête, le comité des Communes sur l'Industrie allait convoquer les dirigeants des grandes pétrolières, des propriétaires indépendants de stations-service et des experts, à venir, dans les semaines suivantes, faire la lumière sur les récentes hausses des prix à la pompe.

Sitôt cette information connue, j'établis les contacts nécessaires pour m'informer du protocole d'inscription à ce comité d'enquête.

On m'informa que le processus de préparation de l'agenda du comité était en cours, qu'il fallait vérifier la disponibilité des députés et de l'agenda parlementaire du comité.

Le 6 mars 2003, le député Paul Crête entreprit, en conférence de presse,[4] de réfuter les allégations des pétrolières qui affirmaient que la hausse des prix était due aux taxes gouvernementales. Le député libéral Dan McTeague,

---

[2] Journal La Presse, 13 février 2003, « *Le gouvernement se croise les bras, accuse un député libéral.* »
[3] Journal La Presse, 18 février 2003, « *Les pétrolières devront s'expliquer aux Communes sur les prix de l'essence.* »
[4] Journal La Presse, 7 mars 2003, « *Un comité des Communes tente de faire la lumière sur les hausses des prix du pétrole.* »

balaya lui aussi cet alibi, tout comme celui maintes fois évoqué par les pétrolières de la conjoncture internationale, notamment la situation en Irak.

Un peu plus loin dans son article, La Presse rapporte les propos de Paul Crêt, le premier politicien qui, à mon sens, comprenait ce qui se passait réellement : « Les compagnies disent que se sont les taxes qui sont à l'origine des augmentations. Il y a actuellement 7 % d'augmentation au niveau des taxes à la pompe alors qu'il y a 94 % d'augmentation des coûts au niveau des marges de profits à l'étape du raffinage et 58 % d'augmentation au niveau du prix du brut. Donc, ce ne sont pas les taxes qui sont la cause de l'augmentation récente. C'est une augmentation soudaine qui est due à la spéculation (le député du Bloc Paul Crête) ».

Le 31 mars 2003, le comité Industrie, Sciences et Technologie de la Chambre des Communes annonce que les audiences du comité d'enquête sur l'industrie pétrolière auraient lieu début mai[5]. J'avais reçu ma confirmation vers la mi-avril pour comparaître comme témoin à ce comité le 13 mai 2003.

Le 25 avril 2003, les gens de l'industrie pétrolière effectuent une tournée des médias pour présenter leur point de vue sur les causes expliquant les prix records de l'hiver 2003 et qui ont provoqué la mise sur pied de ce comité d'enquête dont les audiences auront lieu dans 2 semaines à Ottawa.

Voici une partie de leur argumentation :[6]

Selon l'ICPP, les marges des raffineurs dépendent des prix de gros en vigueur sur le marché et ne peuvent pas être manipulées par les entreprises intégrées pour augmenter au besoin leur rentabilité. Si le raffinage était une activité aussi rentable qu'on le dit, il n'y aurait pas 7 ou 8 raffineries à vendre actuellement.

La réalité, c'est qu'il s'agit d'une vieille industrie dont la rentabilité est faible et qui doit réinvestir tous ses profits dans les équipements requis par les nouvelles exigences environnementales. Il ne faut pas s'étonner que ça n'intéresse personne. L'an dernier, une bonne partie de la performance de l'économie canadienne était attribuable aux 50 $ milliards d'investissements qui ont été faits par l'industrie pétrolière dans l'ouest, soutient monsieur Perez, président de l'ICPP. On devrait presque se réjouir de voir que les prix de la matière restent assez élevés.[7]

---

[5] Journal La Presse, 1er avril 2003, « *Ottawa a l'oeil sur les prix du pétrole.* »
[6] Journal La Presse, 26 avril 2003, « *L'industrie pétrolière doit défendre ses profits gargantuesques.* »
[7] Journal de Montréal, 28 avril 2003, « *Pétrole : Les Canadiens devraient presque se réjouir des prix élevés.* »

Il faut rappeler ici que les dépenses requises pour les nouvelles exigences environnementales apparaissent dans les résultats financiers de 2003 et 2004, qui font pourtant état de profits records successifs. Pour les raffineries à vendre, une approche de proposition d'achat plus que sérieuse a amorcé en novembre 2003 avec un partenaire financier solide, mais Pétro-Canada a quand même maintenu son intention de fermer ses installations de Oakville.

Le comité d'enquête de mai 2003 :

Le 5 mai 2003, le comité d'enquête reçoit le premier témoin à comparaître, le commissaire du Bureau de la concurrence du Canada, monsieur Konrad Von Finckenstein. Voici dans leur intégralité quelques-unes de ses déclarations:[8]

Canadians enjoy some of the lowest pump price in the world, which are about the same as those in the United States when taxes are excluded. When prices rise sharply, market forces usually cause them to fall shortly thereafter. Gas prices are lower than in 1980, when inflation is accounted for.

Traduction : *Les canadiens bénéficient des prix de l'essence les plus bas au monde, qui sont comparablement les mêmes qu'aux États-Unis, si on exclut les taxes. Quand les prix fluctuent à la hausse, les forces du marché tendent habituellement à les faire redescendre dans un court délai. Les prix de l'essence sont plus bas que ceux qui ont eu cours dans les années 1980, si on tient compte de l'inflation.*

Il est surprenant que ces paroles proviennent du commissaire du Bureau de la concurrence. C'est le même argumentaire que les compagnies pétrolières. Il oublie peut-être de mentionner que les mêmes forces du marché tendent également à faire monter les prix dans un délai encore plus court.

Sa meilleure déclaration de la journée aura été : *The bureau does not have the authority to regulate gas prices.* (Le bureau de la concurrence n'est pas mandaté pour réglementer les prix de l'essence).

Ces propos ne sont pas parvenus aux oreilles du premier ministre Paul Martin, puisque le 4 mai 2004, soit un an plus tard, il réclama une intervention au Bureau de la concurrence.

Le 6 mai 2003, c'est au tour du ministre de l'Industrie lui-même à comparaître devant le comité d'enquête. Une qualité qu'on peut lui reconnaître,

---

[8] Journal Globe and Mail, 6 mai 2003, « *Gasoline sellers get all clear* »

c'est qu'il maîtrise bien l'art oratoire : il a parlé durant environ 30 minutes en pesant bien ses mots, sans jamais regarder ses notes et en ressortant les arguments déjà entendus de l'hiver froid, des conséquences de l'arrêt de la production pétrolière au Venezuela, de l'invasion militaire américaine en Irak, de l'étude du Conference Board et de certaines déclarations du commissaire du Bureau de la concurrence. Autrement dit, ce fut une deuxième journée sans éclat.

Le 7 mai 2003 : c'est maintenant au tour de trois compagnies pétrolières de comparaître, soit Pétro-Canada, Ultramar et Shell Canada.

Le premier témoin à s'exprimer fut Monsieur Ford Ralph (Vice-président, gros et détail, Pétro-Canada). Dans le cours de sa présentation, il dit ceci :[9]

The second reason I say that we're a highly competitive industry is that independent studies tell us so. A study conducted by the Conference Board of Canada, which has been alluded to in testimony over the last couple of days, concluded that there is a high level of competition in the gasoline market and the Canadians are well served by our industry. (La seconde raison pour laquelle j'affirme que notre industrie est très compétitive, c'est qu'une étude indépendante le dit. Une étude menée par le Conference Board (février 2001) conclut qu'il y a un fort niveau de compétition sur le marché canadien de l'essence et que les Canadiens sont biens servis par l'actuel marché pétrolier).

Décidément, en voilà un autre qui avait un faible pour cette étude du Conference Board qui, soit dit en passant, compte le président d'Esso parmi les membres de son bureau des directeurs.

La présentation de Pétro-Canada fut suivie de la période de question des députés membres du comité. Le premier à prendre la parole fut M. Brian Fitzpatrick (Prince Albert, Canadian Alliance), dont la première question s'employa à faire répéter à Monsieur Pétro-Canada où se situait le Canada par rapport aux autres pays industrialisés en ce qui concerne les prix de détails de l'essence. Il se fit répondre que le Canada était deuxième tout près des États-Unis. Bref, ce qu'il rêvait d'entendre à nouveau. Et toutes ses autres questions furent orientées de façon à mettre en valeur la compagnie plutôt que de chercher des explications sur les prix de l'hiver 2003. Il faut rappeler que monsieur Fitzpatrick représente le comté de Prince Albert, en Saskatchewan, circonscription sise assez près des gisements de l'ouest.

---

[9] Chambre des Communes, Ottawa, témoignages du comité numéro 42, 7 mai 2003, 15h25.

La seconde intervention fut celle du député Dan McTeague dont les questions manifestèrent un peu mieux le souci de prendre la défense des consommateurs. Ses questions étaient très techniques et portaient sur le prix de gros et la marge au raffinage. Sa dernière question résuma le sens de son intervention : *Pourquoi toutes les compagnies ont-elles un prix de gros identique, et ce chaque jour ?*

Monsieur Ralph sembla embarrassé et ne fournit pas d'explication sur le système de prix de référence commun, qui découlerait de l'accord de libre-échange. Non. Il référa simplement aux marges de profit au raffinage et au détail de Pétro-Canada dans la dernière année. Peut-être avait-il mal saisi la question.

À l'opposé, voyons maintenant l'intervention du député du Bloc Paul Crête face au représentant de Pétro-Canada :

M. Paul Crête : *Moi, ce que je vous demande, c'est au niveau des marges de profits au raffinage. Vous reconnaissez qu'en mars 2003 versus mars 2002, il y a eu une hausse de 138 % des profits au raffinage. On a plus que doublé cette marge. Expliquez-moi comment, dans un marché où la matière première a augmenté sur le prix international, pour avoir une concurrence saine en bout de ligne, on a augmenté, chez vous et partout ailleurs, en même temps, la marge de profit sur le raffinage, qui sont des frais fixes qu'on devrait tendre à diminuer plutôt qu'à augmenter en période de concurrence lorsque les matières premières coûtent plus cher ?*

Monsieur Ralph répondit que la marge de raffinage n'était pas un profit mais la différence entre le coût du pétrole brut et le prix de gros des produits raffinés.

Monsieur Crête revint à la charge :

M. Paul Crête : *Je parle du profit sur la marge de raffinage seulement, sur la partie d'argent additionnel en profits que vous avez recueillis. Comment expliquer autrement que par le fait que vous êtes dans un marché captif, que vous avez accru vos profits à ce niveau-là, alors que c'est l'endroit où, si vous aviez voulu avoir plus de part de marché, vous auriez nécessairement essayé de baisser les prix et d'être le plus compétitif possible et non augmenter les prix à cette étape-là, alors que le prix du brut augmentait lui-même. C'est contraire à toute règle de commercialisation.*

M. Ralph : *J'aimerais prendre exception à vos mots « marché captif ». Nous avons ici au Canada, un marché concurrentiel surtout. Au point de vue de nos...*

M. Crête : *Est-ce que vous pouvez mettre autre chose que de l'essence dans votre auto, monsieur ?*

M. Ralph : *Non.*

M. Crête : *Non, Est-ce que quelqu'un qui chauffe à l'huile pour un hiver peut changer de produit ?*

M. Ralph : *Non monsieur.*

M. Crête : *Donc, c'est un marché captif.*

Monsieur Ralph ne semblait pas saisir le sens du mot captif utilisé par Monsieur Crête. Il répondit ceci :

M. Ralph : *Ce n'est pas un marché captif parce que c'est un marché concurrentiel et qu'il y a beaucoup d'importations qui sont arrivées ici au Canada. Il y a beaucoup de compétiteur dans le marché.*

M. Crête : *J'ai juste posé une question sur la marge de profit au raffinage.*

Ici monsieur Ralph sembla s'impatienter. Il termina sa réponse dans sa langue première :

M. Ralph : *Est-ce que je peux répondre à votre question, s'il vous plaît ? On m'a posé une question sur les profits au raffinage. Monsieur le président du comité, j'ai indiqué que pour le premier trimestre de cette année nos profits étaient approximativement de 2,6 cents par litre. De ce fait, ça représente environ 130 $ millions, je sais que c'est beaucoup d'argent, je l'admets. De ce montant, environ 75 % provient du raffinage, et l'autre 25 % des opérations de commercialisation. Je crois que ça répond à la question.*

Là encore, il sentit le besoin de justifier ses profits par des investissements :

M. Ralph : *Je voudrais également souligner au comité que nous investissons présentement un peu plus de 500 millions de dollars dans les infrastructures de raffinage et de commercialisation au Canada cette année. Faire 130 $ millions de profits dans le premier trimestre alors que nous investissons plus de 500 $ millions ici au Canada dans nos raffineries et nos points de ventes au détail. Et les investissements requis dans le raffinage ne sont pas pour les affaires directement, mais pour réduire le soufre contenu dans l'essence comme le gouvernement du Canada nous a demandé de le faire. Donc nos profits sont de l'ordre de 2,6 cents le litre. Nous avons besoin de profit pour investir. Si on ne fait pas de profit, on ne peut obtenir d'argent pour investir.*

M. Crête voulut poursuivre mais son temps était écoulé.

Et d'ailleurs ces investissements ont quand même permis à Pétro-Canada de faire un profit record pour l'année fiscale 2003. Mais bon, c'est un réflexe de relation publique pour chaque industrie qui dégage des profits qui pourraient sembler excessifs, que de se hâter de sortir la phrase *oui mais on a investi tant...*

Puis ce fut le tour de M. David Chatters (Athabasca, Alliance Canadienne), un député qui semble ne plus se rappeler qu'il est là pour défendre les consommateurs et non pas pour presque féliciter les compagnies pétrolières. Géographiquement, son comté d'Athabasca est situé à environ 100 kilomètres au nord d'Edmonton, là où précisément on sème les plants de tomates dans des sables bitumineux. Monsieur Chatters tint un discours à saveur disons bitumineuse.

Voici la question qu'il dirigea vers Monsieur Ralph de Pétro-Canada :

M. Chatters : *Certainly I guess my first question would be considering that your industry has nothing to do with setting prices for gasoline in north american market, and on top of that, you are supplying this north american market with the second cheapest gasoline in the world, why do you see yourselves being targeted over and over again, some 19 studies in the last dozen years, searching for... in price fixing, which is never found but the process is never ending ? Can you explain that to me ?* (Je pense que ma première question devrait prendre en compte que votre industrie n'a rien à faire avec le système d'établissement des prix sur le marché nord-américain, tout en sachant, que vous approvisionnez ce marché américain avec l'essence la plus abordable au monde, pourquoi devez-vous constamment faire face, encore et encore, et ce malgré 19 études et enquêtes depuis une douzaine d'année, lesquelles n'ont jamais prouvé que le processus de fixation des prix n'était pas conforme ? Pouvez-vous m'expliquer ça ?)

Monsieur Ralph fut ravi de cette question ! Il répondit qu'il travaillait dans cette industrie depuis 40 ans, qu'il avait déjà été impliqué dans plusieurs de ces enquêtes et qu'il y avait une mauvaise conception dans le public face aux profits réels de l'industrie.

M. Ralph : *La plupart des gens semblent croire que l'on fait 10, 15 et même 20 cents le litre alors que c'est en réalité 1 à 2 cents seulement. Nous avons essayé d'informer les gens le mieux possible, nous avons placé des graphiques explicatifs sur toutes les pompes au Canada.*

Ici il se référait au graphique sur les pompes que chacun peut voir en faisant le plein et qui indique un maigre 2 % de profit au total en omettant de signaler les profits sur le pétrole et au raffinage. Il l'adorait vraiment ce graphique-là.

Seconde question de monsieur Chatters :

M. Chatters : *Pourquoi vos stations sont-elles hésitantes à afficher le prix de détail avec toutes ses composantes ? Les consommateurs pourraient ainsi voir l'implication des taxes dans le prix de l'essence et donc voir ce que le gouvernement arrache dans les poches des consommateurs.*

... et également voir ce que les compagnies pétrolières arrachent dans les poches des consommateurs. Un autre qui croit que c'est à cause des taxes que le prix est élevé.

Vous voyez ici comment un député de l'Alliance, qui deviendra le parti Conservateur, défendait plutôt mollement les consommateurs. Rappelez-vous, il sème ses plants de tomates dans des sables bitumineux. Tirez vos conclusions.

À la fin de ce premier tour, il restait quelques minutes que le président du comité accorda au député Paul Crête.

M. Crête : *J'ai une petite question à double volet, la même que tantôt. Pourquoi avez-vous fixé la marge de profit au raffinage au maximum ? Tantôt, vous m'avez répondu sur les investissements. Je voulais plutôt savoir comment il se fait que vous n'avez pas décidé de couper le prix là et, ainsi, pouvoir concurrencer les autres alors que toutes les autres entreprises ont fait la même chose. Deuxièmement, C'est vrai que ça fait 20 ans qu'il y a des enquêtes et qu'à toutes les fois, il n'y a pas de satisfaction. Mais peut-être qu'une étude comme le Conference Board, qui vient d'un organisme respecté mais non indépendant, et dont je crois que vous êtes membres... Est-ce qu'on ne serait pas mieux avec un organisme, une agence indépendante de surveillance sur les prix de l'essence, une espèce d'observatoire ? À partir de là vous n'auriez plus à faire de justification ; vous auriez un organisme qui fait de l'observation de prix comme représentant la population ?*

Conscient peut-être que le temps s'écoulait, Monsieur Ralph épuisa son temps de réponse en épluchant l'étude du Conference Board sous tous ses angles, mentionnant même la cotisation de Pétro-Canada, alors que la réponse sur la marge du profit au raffinage se résuma à ceci :

M. Ralph : *Au sujet de votre allégation que nous fixons le prix de gros à son maximum, monsieur, nous ne fixons pas le prix de gros à aucun niveau. Je vous ai indiqué que le profit combiné au raffinage et au détail représente de 1 cent à 2 cents de profit par litre.*

Le temps était écoulé. Cet épisode a donné lieu à des échanges corsés. Monsieur Crête a tenté de faire dire au représentant de Pétro-Canada que le prix de gros est le même pour tous parce que c'est convenu dans l'accord de libre-échange (selon les pro-pétroliers) que d'avoir un prix de référence commun négocié sur une bourse et non basé sur une compétition entre raffineur.

Mais monsieur Ralph de Pétro-Canada n'est pas entré dans le jeu. À un journaliste du journal Le Droit d'Ottawa,[10] le député Crête commenta simplement : *Il n'a pas répondu à ma question.*

Le témoin suivant fut celui de la compagnie Ultramar, M. François Trudelle, directeur principal, approvisionnement en produits et optimisation de l'exploitation.

Monsieur Crête utilisa à son endroit la même approche.

M. Crête : *Le tableau que vous nous avez donné sur la marge de raffinage, New York harbour, 211...*

Ici monsieur Crête faisait référence à un tableau tiré du document de présentation d'Ultramar remis aux membres du comité.

M. Trudelle : *Oui.*

M. Crête : *C'est finalement la même marge de raffinage pour toutes les entreprises qui font du raffinage ?*

M. Trudelle : *C'est un indicateur pour l'ensemble des entreprises, oui.*

M. Crête : *D'accord. C'est celui-là qui est appliqué uniformément d'une compagnie à l'autre ?*

M. Trudelle : *Pas nécessairement, nous on utilise celui-là parce que ça répond bien à nos opérations, à notre avis.*

M. Crête : *D'accord. Mais dans la période du premier semestre de 2003, on s'est aperçu que toutes les compagnies avaient utilisé à peu près la même marge de raffinage.*

M. Trudelle : *C'est de l'information générale, ce n'est pas ...*

Ici Monsieur Crête interrompit Monsieur Trudelle et tenta de l'amener à mentionner le système de prix de référence commun sur la bourse Nymex (B) convenu avec l'accord de libre-échange 1988.

---

[10] Journal Le Droit, 8 mai 2003, « *Les pétrolières se défendent.* »

M. Crête : *Est-ce que c'est le résultat d'une entente entre les compagnies ou si c'est une façon de faire qu'on a décidé, qui dit que la marge de raffinage on la fait par rapport à ce qui apparaît à celui-là ou à celui de la rampe de chargement de Buffalo, selon les régions quoi ?*

M. Trudelle : *Il n'y a aucune entente avec les compagnies à ce sujet-là, il y a des entreprises spécialisées qui rapportent les prix tels qu'observés dans les différents marchés pétroliers et eux mettent cette information-là disponible à l'ensemble des intervenants dans l'industrie ou même du public qui sont intéressés.*

M. Crête : *Votre entreprise n'est pas dans l'extraction. Expliquez-moi comment il se fait que vous n'avez pas décidé, parce que la marge de profit est très importante, vous auriez pu décider si vous vouliez vendre pas mal plus d'essence, de dire : bien, au lieu de ramasser 15 cents ou même 10 cents à certains autres mois, on va accepter pour cette période-là de faire 7 cents ou 7 cents et demie, et avec la différence on va faire tellement de ventes que ce sont nos compétiteurs qui vont payer le prix.*

M. Trudelle : *Il faut regarder l'ensemble des activités de l'entreprise, l'ensemble des activités des marchés. Dans une telle situation lorsque la marge augmente, habituellement toute notre production est déjà vendue. Donc, cela veut dire qu'elle pourrait, par exemple, augmenter nos ventes en réduisant nos prix dans une situation comme ça, on n'a tout simplement pas de produits à vendre.*

M. Crête : *D'accord. Si on regarde vos tableaux pour les mêmes années, le graphique du pétrole brut et celui de la marge de raffinage, très étonnamment, l'un et l'autre sont pareils. Je pourrais les superposer et à chaque fois que le prix du brut augmente, votre marge de raffinage augmente en proportion identique. N'est-ce pas un comportement inexplicable au niveau économique ? J'aurais tendance à baisser le prix au moins à moitié tout le long et sur un long terme vous deviendriez à peu près la seule entreprise capable d'offrir un prix que les gens accepteraient.*

M. Trudelle : *Cela assume que les gens vont payer plus lorsque les prix sont bas ou la marge est basse. Je ne sais pas ce qui se produit, on est dans un marché ouvert où il y a de l'importation. On ne réalise pas la marge à la hausse. Quand la marge va descendre à notre seuil de rentabilité, on sera dans une situation où les gens vont importer du produit et on ne pourra pas vendre notre production.*

M. Crête : *Pourquoi la même marge au raffinage pour tout le monde ?*

M. Trudelle : *C'est un marché international ouvert d'un produit de commodité qui est interchangeable. C'est un marché global et à ce moment-là, par exemple lorsque notre capacité de raffinage est rendue à son maximum, qu'on importe des produits, nous devons payer les prix du marché international, on n'a pas d'autres choix que de réaliser la marge de raffinage.*

Ici, le président du comité mit fin à l'échange, le temps de monsieur Crête étant écoulé.

Le représentant d'Ultramar a parlé d'un marché ouvert, sans préciser lui non plus qu'il s'agit d'un système de prix de référence commun négocié sur une bourse et non basé sur une compétition entre raffineur. Décidément, si la question ne leur est pas posée dans les termes exacts, ils ne le diront pas. On croirait faire face à une conspiration du silence. C'est ce qu'on appelle une culture d'entreprise commune à toute l'industrie pétrolière. Ils préfèrent parler de marché ouvert ou de marché continental, au lieu d'admettre une forte diminution de la compétition au raffinage.

Shell Canada fut la dernière compagnie à comparaître à ce comité. Elle était représentée par monsieur Terry Blaney, son vice-président marketing et commercialisation.

M. Crête tenta à deux reprises de faire se compromettre Pétro-Canada et Ultramar sur le système de prix de référence sur la bourse Nymex, mais ni l'une ni l'autre n'était tombée dans le piège. Pour la dernière compagnie, on sentait monsieur Crête davantage prêt pour l'attaque.

Voici quelques extraits de l'exposé du représentant de Shell Canada :

At Shell Canada, we believe short-term price movements do not have a significant negative impact on the economy. We emphasize that Canadians enjoy some of the lowest prices for secure supplies of energy in the world and continued to do so trough this period. Shell Canada believes energy pricing should continue to reflect free market mechanisms. We believe government policy should encourage private investment and profitable growth and continuous improvement to the benefit of consumers, shareholders, the environment and society, as a whole. (Chez Shell Canada, nous croyons que les fluctuations de prix à court terme n'ont pas un impact négatif sur l'économie. Nous voulons rappeler que les Canadiens bénéficient des meilleurs prix et des approvisionnements fiables en produit pétrolier sur la planète. Shell Canada croit que les prix de l'énergie vont continuer de refléter les mécanismes de libre-marché. Nous croyons que les politiques gouvernementales devraient encourager les investissements privés et une croissance profitable et continue pour le bénéfice des consommateurs, des actionnaires, de l'environnement et de la société en général).

C'était un vrai discours d'assemblée des actionnaires.

Après le tour d'échange avec les autres députés, monsieur Crête revint à la charge :

M. Crête : *Dans l'étude du Conference Board, on parlait de l'avantage compétitif, du fait que le prix américain avait une influence à la baisse sur le prix canadien. Mais depuis le dépôt du rapport, pour étayer le fait que la situation a changé, maintenant, c'est confirmé par le propriétaire de Valero, il y a 95 % d'utilisation de la capacité de raffinage aux États-Unis. Donc, l'effet est maintenant devenu inverse. À chaque fois qu'on ferme une raffinerie, pour quelque raison que ce soit, ça vient avoir une influence sur le prix au Canada.*

Comment verriez-vous l'idée de réglementer les compagnies de pétrole canadiennes à ne plus se baser sur le prix de référence américain ?

M. Blaney : *I think that this leads to a host of speculation on what could and couldn't happen. I think in the context of any of the work that we've either been involved in or are aware of, we've consistently come away with the view that regulation ends of being to the detriment to the consumer over time as opposed to the benefit.*

The reality is that we are in a global market ; we are dealing with commodities. If you look to impose a regulatory framework on something as critical as pricing, you run the risk of challenging the ability for Canada to maintain its own self-sufficiency because opportunities to invest are based on where the available opportunities are and if you regulate Canadian market to the detriment of what else is happening outside of Canada, you would see a flow of investment dollars, whether for the upstream or for the downstream side of the business to where it would be more attractive. (... et si vous réglementez le marché canadien par rapport à ce qui se passe en dehors du Canada, vous pourriez voir une bonne partie des capitaux cesser d'être investis ici, que ce soit à l'extraction ou au raffinage, et être investis dans des pays où il est plus facile de faire des bonnes affaires).

Cette réponse fut plus que fracassante. Monsieur Crête avait réussi à faire se compromettre le représentant de Shell Canada sur une des réalités de l'industrie pétrolière. Ce secteur industriel est tellement gros en immobilisation et en profit, qu'il peut se permettre l'arrogance de signifier par sous-entendu à un gouvernement qu'il se retirera de son marché si ce gouvernement brise cette harmonie de marché en imposant une quelconque réglementation.

Une fois peinturé dans le coin par les questions du député Paul Crête, le représentant de Shell Canada s'était démarqué des clichés de relation publique et éternelles ambiguïtés. Shell Canada avait sorti le spectre du désinvestissement si le Canada se mêlait de réglementer le moindrement l'industrie pétrolière. Deux journalistes de la télévision ont été témoins de cette scène dont l'ampleur semble leur avoir échappé. Cette déclaration fracassante n'est donc jamais sortie des murs de cet édifice à l'ouest du parlement.

La comparution de l'essence à juste prix a eu lieu le dernier jour d'audience de ce comité d'enquête, le 13 mai 2003, en présence de monsieur Roland Boulé, président de l'Association professionnelle des chauffeurs de taxi du Québec.

Voici le document écrit de l'essence à juste prix remis aux membres du comité.

STANDING COMMITTEE ON INDUSTRY, SCIENCE AND TECHNOLOGY

Comité d'enquête sur l'industrie pétrolière

Document de travail

Présenté par

L'essence à juste prix

Audience du 13 mai 2003

Chambres des Communes, Ottawa

Résumé de présentation :

Le présent mémoire a pour but de démontrer que les lois naturelles du marché ont perdu beaucoup de leur effet dans le secteur pétrolier nord américain.

Les arguments d'influence des prix comme le froid de l'hiver, une flotte de véhicule à plus grande consommation, une grève au Venezuela, etc. sont pourtant des éléments qui n'influençaient pas autant les prix avant 1998.

Le laisser-aller dans la quête de profit en constante croissance, les fusions douteuses, l'utilisation de la capacité de raffinage à la limite, la manipulation intentionnelle des inventaires reconnue par les représentants de l'industrie, expliquent les fluctuations plus qu'exagérées des 3 dernières années.

Comme recommandations, nous invitons le gouvernement à considérer sérieusement la création d'une agence de surveillance des activités pétrolières investie de l'autorité d'intervenir sur les éléments qui exercent une influence sur les prix des produits raffinés.

Sinon, de créer un comité de travail indépendant qui aura comme mandat d'établir un plan de déconcentration dans le marché du raffinage nord américain.

Objectif de cette présentation :

Démontrer l'existence d'un comportement non orienté vers la demande mais plutôt vers la recherche de profits excessifs et identification de recommandations où le gouvernement peut intervenir et/ou réglementer.

Pourquoi intervenir ? Ce qui fait le plus mal à une économie, ce sont les mouvements brusques et incontrôlables. La marge de raffinage a doublé en quelques semaines sur certains produits raffinés et à différentes occasions dans les 3 dernières années (tableau 1).[11] Le prix de l'essence est passé de 62,9 cents à 86,2 cents en 12 mois (+ 37 %) dans la région de Montréal (tableau 2).[12] Et le prix avant taxe aux rampes de chargement est passé de 25 cents en février 2002 à 45 cents en février 2003, soit une fluctuation de 80 % sur une période d'une seule année (graphique 3).[13]

Aucune preuve écrite ne pourra être remise au Bureau de la concurrence. La seule preuve possible ne peut être que la démonstration de **comportement similaire**. C'est-à-dire que les compagnies ne semblent pas s'efforcer d'aller chercher des parts de marché additionnelles, mais d'augmenter plutôt leurs profits sur ces mêmes parts de marché.

La réserve de pétrole stratégique non utilisée :

Pourquoi les américains poursuivent-ils (en date du 10 mars 2003) le stockage du Strategic Petroleum Reserve ? L'objectif du Strategic Petroleum

---

[11] www.eia.doe.gov, what we pay for in a gallon of regular gasoline.
[12] www.icpp.ca, Infoprix 18 février 2003, retail price of regular gasoline.
[13] www.icpp.ca, Infoprix 18 février 2003.

Reserve est de prévenir une situation de prix élevé qui peut endommager le niveau de l'économie. Et cela doit être effectif au début d'une crise.[14]

Les fusions :

Pourquoi, dans la tendance des mégafusions en Amérique du Nord, les organismes de vérification de la concurrence ou de la concentration du marché n'ont-ils pas établi des critères quant au nombre de gisement en opération à maintenir ? C'est-à-dire qu'à la suite des fusions il s'ensuit une opération de restructuration des dépenses pour répondre à l'objectif de rentabilité de la fusion.[15]

Quelques fusions nord américaines répertoriées :

1981-82	Fina et BP par Pétro-Canada
1984	Chevron et Gulf US
1984	Texaco et Getty Oil Corp.
1984	Mobil et Superior
1985	Gulf Québec par Ultramar
1985	Arco vend des actifs à Atlantic Petroleum
1985	Tenneco achète des actifs gaziers de Celeron
1985	Flying J acquiert 2 raffineries de RMT Properties
1986	Texaco Canada par Imperial Oil
1987	Sunoco Québec par Ultramar
1997	Les stations Sergaz par Ultramar
1997	Valero acquiert Basis Petroleum (Texas et Louisiane)
1997	Amoco par British Petroleum
1997	Chevron et Texaco
1999	Les stations Super Gaz par Ultramar
2000	Exxon et Mobil
2000	Valero acquiert une raffinerie de Exxon à Benicia en Californie
2001	Gulf Canada resources et Crestar
2001	Valero acquiert une raffinerie de El Paso Energy à Corpus Christi
2001	Valero acquiert Huntway Refining Company
2001	Valero Energy et Ultramar Diamond Shamrock
2002	Phillips Petroleum et Conoco

---

[14] Revue Business Week, 3 mars 2003, « *Time to tap the oil stash.* »
[15] Revue Business Week, 10 mars 2003, « *Those exploding gas prices.* »

Un effet des fusions (hiver 1994 et hiver 2003) :

Durant le dernier hiver (2003), les représentants des compagnies pétrolières n'ont pas hésité à catégoriser ce dernier de « froid et rigoureux » pour justifier les prix records sur le litre d'huile à chauffage.[16] Qui plus est, pour l'automne/hiver 2000-2001, les craintes d'un marché serré pour la production d'huile à chauffage étaient reconnues dès le 12 septembre 2000.[17] Les feuilles étaient encore vertes dans les arbres et pourtant, le prix de l'huile à chauffage s'était mis à grimper jusqu'à atteindre 52 cents le litre en octobre 2000. Ce qui nous a d'ailleurs valu la dernière intervention de notre gouvernement fédéral dans le secteur pétrolier, soit la subvention aux familles de 125 $ pour le chauffage. Bien des citoyens avaient reçu ce coupon-rabais sans avoir eu à utiliser des produits pétroliers pour leur chauffage.

Par contre, l'hiver 1994 avait été plus froid de 1 degré sur le minimum et de 1,7 sur le maximum (tableau 8).[18] Et pourtant, ce fameux argument d'hiver rigoureux n'a pas du tout influencé la marge de raffinage cet hiver-là.[19] Pourquoi ? Les dernières fusions ont donné lieu à des rationalisations majeures sur la capacité de raffinage et sur le nombre de raffineries en opération.

Nombre de raffinerie fermées et capacité de raffinage (tableau 10)[20] :

Année	1981	2001
Nombre de raffineries aux États-unis	324	155
Capacité de raffinage (millions b/j)	18,62	16,60
% utilisation	68,6 %	92,3 %

---

[16] www.icpp.ca, Infoprix, 11 mars 2003.

[17] www.icpp.ca, Infoprix, 12 septembre 2000.

[18] Statistique sur les températures, site environnement Canada.

[19] www.eia.doe.gov, annal energy review 2001, refiner margin 1985-2001.

[20] www.eia.doe.gov, annual energy review 2001, refinery capacity and utilization 1949-2001.

La croissance de la demande a pris l'industrie par surprise :

Pourtant en janvier 1986, l'OCDE nous avait prévenus que d'ici dix ans (1996), la demande mondiale de pétrole pourrait atteindre un niveau suffisamment proche de la capacité de production pour provoquer des pressions à la hausse sur les prix et rétablir l'état de vulnérabilité.[21]

Prenons comme exemple la grève au Venezuela. Le manque à produire de 2,8 millions (3 % de la production mondiale) a fait grimper le prix du baril de 26 $ à 33 $ en quatre semaines et ce prix s'est maintenu à 33 $ durant un mois. Pendant que le Venezuela perdait ainsi des revenus quotidiens de 75 $ millions, les autres pays producteurs empochaient dans le même temps 490 $ millions additionnels par jour. Grève drôlement rentable[22] !

Les véhicules SUV envahissent le marché :

En 2002, 3 532 896 véhicules de promenade étaient enregistrés à la Société d'assurance automobile du Québec, dont 851 731 camions légers (sport utilitaire, 4 X 4, fourgonnette, caravane), soit 24 % du parc automobile au Québec. En 1997, ce chiffre avait grimpé à 695 566, soit une hausse de 22 %. Et en 2003 la hausse se situait à plus de 40 % du parc autoroutier du Canada, comparativement à 10 % en 1980.

Le tableau sur la composition du parc automobile de 2003 sur les routes d'Amérique du nord indique 69 modèles SUV répertoriés non scientifiquement.

Tous ces véhicules ne sont pas arrivés par surprise sur le marché. De la planche à dessin jusqu'à la prise de possession par le consommateur, il y a des délais de 3 à 5 ans. Les porte-parole des compagnies pétrolières ont du culot de venir dire que les consommateurs les ont pris par surprise en se mettant à utiliser des véhicules qui consomment 40 % à 50 % de plus qu'une voiture conventionnelle. Cet accroissement de la capacité de consommation des produits raffinés était prévisible. Et les informations ad hoc étaient accessibles à quiconque voulait les obtenir, même sans être un intervenant du milieu.

---

[21] Journal Le Devoir, 14 janvier 1986.
[22] Journal de Montréal, 17 avril 2003, « *Le Venezuela affirme avoir des preuves de l'implication des États-Unis dans le putsch de 2002 contre Hugo Chavez.* »

L'appétit des profits est sans fin pour l'industrie pétrolière :

Prise de profit 1 :

Durant les années 80, à la suite de la diminution de la demande, beaucoup de raffineries ont fermé et démantelé leurs installations. Comme conséquence, il y a eu soudainement absence de raffineries sur des territoires où certaines compagnies pétrolières possédaient des réseaux de stations-service. Ces compagnies ont alors conclu de faire des échanges d'approvisionnement avec des compétiteurs. Ainsi la compagnie Esso, ne disposant plus de raffinerie au Québec, est approvisionnée par les raffineries de ses compétiteurs. Cette situation permet de couvrir un territoire au plan commercial sans avoir à supporter les coûts d'opération d'une raffinerie. Une telle économie de coût devient une prise de profit.

Prise de profit 2 :

Également dans les années 1980 à 2000, il y a eu une restructuration du nombre de stations-service desservant le territoire canadien. Les cas d'Imperial Oil et de Shell constituent deux exemples où on a rationalisé en réduisant le nombre de points de ventes de 4 454 durant les années 1990 à 2001 (tableau 13)[23]. Quand il y a moins de points de vente, il en résulte une source d'économie dans les coûts à supporter, donc une autre prise de profit.

Prise de profit 3 :

Cette même rationalisation a permis d'augmenter le nombre de litres vendus par postes d'essence en activité. Les frais fixes d'utilisation sont répartis sur un plus grand nombre de litres vendus. Voici une autre source d'économie et donc une prise de profit additionnelle.

Prise de profit 4 :

Et le marché plus que sensible du prix de référence sur les produits raffinés (B) combiné au resserrement de la capacité de raffinage donne comme résultat que la marge sur les produits raffinés se met à fluctuer. Vers

---

[23] Analyse financière des 4 grandes pétrolières intégrées opérant au Québec, provenance et utilisation de leur bénéfice. Léo-Paul Lauzon et Michel Bernard, 1998, http://www.unites.uqam.ca/cese/

avril 99, les fluctuations sur les marges de raffinage ont entamé leurs valses du double au triple. Ce dernier secteur de prise de profit amènera d'ailleurs les compagnies pétrolières à livrer des performances exceptionnelles au chapitre des profits annuels.

Profits de 2 compagnies pétrolières au Canada (en millions de dollars) :

Année	1998	1999	2000	2001
Imperial Oil	554	582	1420	1244
Shell Canada	432	641	858	1010

Quand décider d'accroître la capacité de raffinage.

Voici une citation de Bill Grehey, président de Valero Energy parue dans le rapport annuel 2001.[24]

... la demande augmente, et aucune nouvelle capacité importante n'est mise en service. Je crois profondément que nous sommes entrés dans une nouvelle ère où les marges de raffinage seront généralement supérieures et où les périodes de faibles marges de raffinage seront moins marquées et plus courtes. La rareté s'organise et elle est payante.

Également cité dans le document infoprix :

12 septembre 2000 : *À l'automne 99, tout le monde s'attendait à ce que les prix du pétrole brut, qui se situaient alors aux alentours de 25 $ le baril, diminuent dans un avenir proche. En raison de ce repli appréhendé, les raffineurs, et notamment les raffineurs indépendants américains, ont main-tenu leurs stocks à des niveaux anormalement bas.[25]*

18 février 2003 : *Lorsque les prix du brut sont élevés et que l'on s'at-tend à ce qu'ils tombent, les raffineurs hésitent à augmenter leurs stocks en raison du risque financier lié à un stock à prix fort.[26]*

---

[24] Valero Energy, rapport annuel 2001 et 2002.
[25] www.icpp.ca, Infoprix, 12 septembre 2000.
[26] www.icpp.ca, Infoprix, 18 février 2003.

Cette philosophie d'affaires de ne produire que lorsque c'est rentable, est une insulte envers les consommateurs. Ça s'appelle accroître le profit à la marge de raffinage sur la perte engendrée sur le pétrole acheté antérieurement à un prix plus élevé. Cette possibilité de perte financière sur le pétrole est pourtant équilibrée quand celui-ci a été acheté à prix plus faible et qu'il est en cycle croissant, comme ce fut le cas en décembre 2002 (26 $ à 33 $).

Quand les erreurs sur les projections sont si profitables et qu'elles ne pénalisent aucunement l'industrie, mais seulement le revenu disponible de la classe moyenne, il faut se demander jusqu'à quel point c'est une erreur. C'est en tout cas une justification suffisante pour confier à une agence fédérale la projection de la demande et l'établissement des niveaux d'inventaire à maintenir dans l'industrie. La récréation devrait être terminée pour l'industrie.

En raison de cette irresponsabilité dans la qualité de ses projections de la demande et de la quantité de production qui devrait y correspondre, le gouvernement fédéral serait pleinement justifié de mettre sur pied l'Agence Canadienne de surveillance et de réglementation de l'industrie pétrolière. Notre gouvernement se donne des outils de contrôle sur certains éléments de notre économie. La Banque du Canada fixe le taux d'intérêt, le CRTC réglemente les communications et différentes régies agricoles fixent les quotas et les prix de certaines denrées alimentaires.

Recommandations :

Créer une agence de surveillance de l'industrie pétrolière dont le mandat consistera :

Réglementer les éléments qui ont une influence directe sur le cours boursier des produits raffinés, entre autres les inventaires de pétrole brut aux raffineries, les inventaires de produits raffinés, le niveau d'inventaire à maintenir pour les périodes intenses de consommation, un plan d'alternative d'approvisionnement par pipeline et autres moyens de transport.

Établir un échéancier pour chacune des raffineries d'Amérique du nord concernant la période d'entretien, la période de convention collective des travailleurs (des raffineries) ainsi qu'un échéancier de fermeture permettant d'ajuster les infrastructures de raffinage aux nouvelles normes du taux de souffre de 30 pp entrées en vigueur en janvier 2005.

Cette demande n'est pas irréaliste si l'on se rappelle que le gouvernement fédéral est intervenu de façon très autoritaire dans le passé dans l'industrie pétrolière canadienne. Ainsi :

17 janvier 1974 :

Construction du pipeline Sarnia-Montréal. Une étape importante vers l'indépendance canadienne en matière d'approvisionnement de pétrole brut.

21 mars 1974 :

Le bill C-42 est déposé. Cette loi confiait à Pétro-Canada la responsabilité des approvisionnements en pétrole importé.

27 mars 1974 :

Accord fédéral-provincial qui instaure un prix unique pour le pétrole brut au Canada, soit un prix de 6,50 $ le baril pour une période de 12 à 15 mois.

28 octobre 1980 :

Dépôt du programme énergétique national

1er septembre 1981 :

Entente Ottawa-Alberta sur le prix du pétrole Canadien.

Autres solutions :

L'industrie a beaucoup utilisé la terminologie de prime de guerre pour justifier la hausse du prix du pétrole brut entre octobre 2002 et mars 2003. C'est durant cette période de six mois que les Américains ont élaboré l'environnement géopolitique mondial actuel et provoqué une hausse non justifiée du prix du baril de pétrole. Quand on considère que la prime de guerre a résulté en une ponction de dix cents le litre depuis six mois au Canada, on atteint un total de deux milliards de dollars (moyenne annuelle de 40 milliards de litres au Canada), de quoi financer facilement l'investissement d'une réserve d'État ou d'une installation de raffinage gouvernementale.

Enfin créer un comité de travail indépendant pour mettre sur pied un projet visant à réduire la concentration du secteur du raffinage des produits pétroliers en Amérique du nord.

Si la dimension financière de l'industrie pétrolière vous fait hésiter à réglementer ce secteur (56 $ milliards d'investissements en 2000-01), vous n'avez qu'à comparer avec le produit domestique brut que les consommateurs canadiens dépensent dans l'économie canadienne chaque année (500 $ milliards). Si les gros chiffres motivent vos choix, en voici un.

Recommandations spéciales :

Serait-il possible de :

1- Exiger que les compagnies pétrolières cessent de biaiser les interprétations des composantes du prix de l'essence. Les graphiques sur les pompes à essence représentent la portion du pétrole et du raffinage comme un coût alors qu'il s'agit d'une zone de profit extraordinaire.

2- Exiger que les compagnies pétrolières cessent d'utiliser la formule du 85/15 dans les interventions avec les médias, soit de cesser de dire que 85 % du prix de l'essence provient du pétrole et des taxes et que les raffineurs et détaillants ne sont responsables que de 15 % du prix de l'essence. D'abord le 42 % de taxe faisant partie intégrante du 85 % ne fluctue pas. Par contre le pétrole fluctue de 50 % à 75 % sur 6 mois et la marge de raffinage peut fluctuer de 100 % sur 1 mois.[27]

3- Corriger la terminologie de la loi du prix minimum. Il ne s'agit pas de faire fixer un prix plancher par le gouvernement, mais simplement d'avoir une loi qui dit aux stations-service de ne pas vendre l'essence sous son prix coûtant, lequel prix est actuellement fixé par les compagnies pétrolières.[28]

Conclusion :

Je remercie notre institution politique fédérale de m'avoir permis de participer à cet exercice démocratique. Je souhaite que les recommandations qui ressortiront de ces travaux répondront aux besoins et attentes des contribuables canadiens.

C'est précisément au cours de ma présentation verbale que j'ai utilisé un terme et cité des propos qui m'ont valu un avertissement juridique un mois après ma comparution.

---

[27] www.icpp.ca, Infoprix, 11 mars 2003.
[28] Journal La Presse, 12 février 2003, « *Le litre à $1 ?* »

Ma présentation fut suivie de la période habituelle de questions qui débuta avec le sympathique député conservateur David Chatters, le jardinier des sables bitumineux.

M. David Chatters (Athabasca, Conservateur) : *Je ne sais vraiment pas quoi tirer de ce témoignage. Je suis bien sûr sensible aux défis que ces gens doivent relever, mais cela n'est vraiment pas pertinent dans le cadre de notre étude consistant à trouver des preuves que l'industrie fixe les prix ou conclut des arrangements au préjudice des consommateurs. Il est donc difficile de tirer quoi que ce soit de cet exposé.*

Vous comprendrez que j'ai explosé et que c'est là que ce sympathique Monsieur Chatters est devenu pour moi celui qui sème ses plants de tomates dans des sables bitumineux.

Le second député à m'interroger fut M. Gilbert Normand (Bellechasse-Etchemin-Montagny, libéral).

M. Normand : *Monsieur Quintal, vous êtes très bien documenté. Tout de même, j'aurais aimé savoir ce qui fait la différence entre le prix ici en Amérique du nord et en Europe.*

M. Quintal : *C'est principalement la taxe qui fait que le prix de l'essence est beaucoup plus élevé dans les pays d'Europe. Si on fait abstraction de la taxe, il y a peu de différence. Ça a été une décision européenne que de décourager la consommation d'essence. La France, entre autres, qui ne possède aucun pétrole et qui doit donc l'acheter à l'étranger, pour éviter un déficit commercial, a mis un frein à la consommation en imposant beaucoup de taxes. C'est ce que j'appelle un traitement choc.*

M. Normand : *Ici au Canada, les compagnies pétrolières sont contrôlées en bonne partie par des capitaux étrangers. Pensez-vous que c'est cela qui fait la grosse différence et qui entraîne les fluctuations qu'on connaît ? Pensez-vous que cela est attribuable au fait qu'on n'a pas de loi sur les investissements dans le domaine de l'énergie ?*

M. Quintal : *J'ai étudié un peu l'historique canadien. Dans le passé, le gouvernement canadien était intervenu à un très haut niveau au moyen de certaines réglementations. On pense au projet de loi C-42 qui a été adopté le 21 mars 1979 pour permettre à Pétro-Canada d'être entièrement responsable des approvisionnements en pétrole importé pour toutes les raffineries canadiennes. Cela a été fait en raison d'un coup bas de la compagnie Exxon, qui avait détourné un pétrolier d'Esso destinés aux raffineries de l'est au profit de ses raffineries américaines à la suite d'une rupture des approvisionnements provenant de l'Iran. Cela a justifié la loi C-42.*

Il y a eu le programme énergétique national du gouvernement libéral de cette autre époque, qui avait voulu éviter de faire en sorte que cette belle richesse naturelle canadienne tombe entre des mains étrangères. Cela a duré un certain temps. Cela a fonctionné, mais il y a eu beaucoup de soulèvement. Quand on regarde le pouvoir financier du lobby pétrolier, on voit qu'Exxon a un chiffre d'affaires plus élevé que le budget annuel du Canada.

M. Normand : *On lit actuellement que le Canada est le plus gros fournisseur des États-Unis, avec environ 6 %. On a une réserve qui pourrait satisfaire aux besoins de la planète pour environ 100 ans avec les sables bitumineux.*

M. Quintal : *Oui, principalement.*

M. Normand : *On nous dit aussi que les sables bitumineux ne sont pas rentables quand le prix est inférieur à 25 $ le baril. Croyez-vous que le Canada pourrait penser à s'autosuffire avant d'exporter ?*

M. Quintal : *Cela a commencé le 17 janvier 1974, quand le ministre de l'Industrie Donald MacDonald avait fait l'annonce de la construction du pipeline Sarnia-Montréal pour permettre l'approvisionnement des raffineries de Montréal en pétrole lourd de l'ouest canadien. Par contre, quand il a commencé à y avoir des fermetures de raffineries dans l'est de Montréal, les 4 premières raffineries qui ont fermé étaient en mesure de traiter le pétrole lourd de l'ouest. La dernière a été Gulf en septembre 1985 ; à partir de septembre 1985, le pipeline Sarnia-Montréal est devenu le pipeline Montréal-Sarnia. Ça s'est terminé-là.*

M. Normand : *Vous demandez qu'on crée un comité de supervision et de contrôle des prix. Est-ce que ce n'est pas toute la politique énergétique du gouvernement canadien qui devrait être revue ?*

M. Quintal : *C'est un pensez-y bien. J'ai ici une belle étude sur la concurrence dans l'industrie pétrolière canadienne qui a été présentée en janvier 1986. Malheureusement le gouvernement fédéral d'alors avait mis un veto pour empêcher sa publication. Je ne sais pas quand le veto a été levé, mais 17 ans plus tard, le rapport de cette étude était disponible. Regardons la chronologie des interventions du gouvernement canadien dans l'Industrie pétrolière. Cela commence en 1957 avec la commission royale d'enquête sur l'énergie et se termine en 1985. C'est à vous, membre du comité permanent de l'Industrie d'inscrire la prochaine date en mettant sur pied cette agence.*

Le temps du député Gilbert Normand s'étant écoulé, ce fut au tour de monsieur Crête.

M. Crête : *Vous nous dites qu'on se fie maintenant au prix du marché américain. Cela a peut-être été avantageux dans le passé, mais cela ne l'est plus maintenant. C'est ce que je comprends lorsqu'on nous dit qu'on prend les marges de raffinage du marché de New York présentement et qu'on les applique au Canada. Il y a là quelque chose d'un peu indécent. Que devrait-on faire pour qu'il y ait une réelle concurrence entre les compagnies et qu'on ne se fie pas tout simplement au prix déterminé dans un autre marché, pour que toutes les compagnies adoptent exactement la même marge de profit ? Quelles mesures suggéreriez-vous ?*

Frédéric Quintal : *Vous savez que cela a commencé dans les années 1980, quand les raffineries ont commencé à fermer sur certains territoires provinciaux. Cela a permis ce qui est décrit dans l'étude du Conference Board de février 2001, soit la permutation ou les échanges d'approvisionnement sur des territoires qui n'étaient pas desservis par une raffinerie. Ce comportement convivial a fait en sorte que les entreprises ont commencé à établir des ententes d'approvisionnement entre elles et à peut-être devenir moins agressives pour s'attaquer à d'autres parts de marché. Cela a mis du temps à se faire ; on ne l'a pas vu venir. Le prix de référence commun sur les produits raffinés sur le marché américain a été instauré avec l'accord de libre-échange de 1988. Ces gens étaient des visionnaires. Il y a deux ans, j'ai participé à un débat télévisé où un porte-parole de l'industrie avait mentionné que si on ne suivait pas les prix de base, les prix de référence du Port de New York (B), de gros pétroliers allaient venir siphonner nos réserves de produit raffiné à Montréal. Cela a soulevé un peu ma colère, en ce sens que leur priorité était d'aller chercher le meilleur taux sur le prix de gros, où que ce soit dans le monde. Leur préoccupation ne serait pas de bien desservir le réseau de stations-service au Québec ou ailleurs au Canada. Leur objectif serait d'aller chercher le meilleur prix possible sur ce qu'ils raffinent et non de desservir leur clientèle.*

Il faudrait établir un système où une agence fixerait le prix de gros canadien (B), un peu comme le CRTC le fait chaque fois que Bell Canada veut augmenter ses tarifs. C'est un marché différent, mais on peut faire un certain rapprochement. Si Hydro-Québec était une compagnie privée et suivait le marché américain où le prix du kilowatt est négocié sur la bourse, on payerait aujourd'hui des tarifs d'électricité trois fois plus élevés.

Le député suivant, Monsieur Brent St-Denis, s'amena avec une question très enlignée avec une piste menant à l'explication des fluctuations sur la marge de raffinage et le prix de référence commun. Malheureusement à ce moment (mai 2003), je ne disposais pas encore de l'information. Voici la transcription de cet échange avec Monsieur St-Denis, en mai 2003, et ce qui aurait dû être répondu si la question avait été posée en 2005.

M. Brent St-Denis (Algoma-Manitoulin, Libéral) : *Pour être honnête, je dois dire que lorsque j'ai commencé à travailler sur ce dossier, je ne croyais pas que les compagnies pétrolières étaient automatiquement coupables de grands crimes contre les consommateurs. Même si le système n'est pas parfait, je considère que dans la plupart des cas, le marché finira par établir l'équilibre.*

Je voudrais que M. Quintal sache qu'on a déjà déployé de nombreux efforts pour tenter de prouver qu'il y avait, entre les compagnies pétrolières, des recours à des pratiques déloyales d'établissement des prix. Toutefois, au niveau fédéral, rien n'a encore été démontré. Comment se fait-il que les études réalisées par le passé n'aient pas permis de le prouver ? Pourquoi a-t-on été incapable de démontrer que les compagnies pétrolières ont des pratiques inadéquates qui se soldent par une hausse injustifiée des prix à la consommation ? J'aimerais savoir si vous êtes en mesure de trouver les raisons pour lesquelles nous n'avons pas réussi à le prouver ?

Frédéric Quintal : *Dans le rapport de la Commission sur les pratiques restrictives et la concurrence dans l'industrie pétrolière de 1985, on démontre qu'il y avait des risques. À l'époque, en 1985-86, c'était surtout une question de prévention. On se disait que si on laissait l'industrie s'organiser et se structurer comme elle commençait à le faire (elle commençait à permettre des échanges d'approvisionnement et à avoir un prix de gros commun à la rampe de chargement), on allait un jour se retrouver avec des conditions qui diminueraient de beaucoup les lois naturelles du marché, ce qu'on vit présentement.*

Ce qu'on vit depuis l'année 2000, n'est ni passager ni cyclique. Le tableau de mon annexe 1 indique pour chaque mois la fluctuation exagérée de la marge de raffinage. Avant 1998, cette marge fluctuait beaucoup moins. Les gens semblent s'accommoder de ne pas accroître la capacité de production. Le président de Valero Energy le mentionne ouvertement dans son rapport annuel 2001 et 2002. C'est décevant d'afficher une information stratégique comme celle-là de la part d'un président d'une compagnie supposément en concurrence avec son secteur d'industrie.

Bien sûr, il y a eu d'autres études, notamment l'étude du Conference Board de février 2001 où on mentionne, à la page 12, que le fait de baser les prix de référence (B) et les prix de gros canadiens (B) sur les prix américains, est favorable aux consommateurs parce que le marché américain fonctionne bien. Je m'excuse, mais les événements de l'hiver 2003[29] et de avril 2001,[30] ont démontré que ce marché n'était plus favorable.

---

[29] Deux mois de grève au Venezuela et invasion militaire en Irak.
[30] La raffinerie de Aruba dans les Caraïbes avait fermé pour une avarie.

La capacité d'utilisation des raffineries est trop serrée en fonction de la demande ; elle ne peut plus absorber quoi que ce soit. Une seule pointe dans la demande entraîne une prise de profit incroyable au niveau de la marge de raffinage. Il faut peut-être penser à se détacher de cette façon de structurer les prix (B).

La réponse apportée deux ans plus tard à cette question de Monsieur St-Denis aurait été qu'en juin 1985, lorsque Esso a initié le prix à la rampe de chargement, un prix publié dans un journal spécialisé et donc accessible à ses compétiteurs, cela aurait dû donner lieu à une sérieuse enquête de la part du Bureau de la concurrence. Mais les prix du pétrole étaient en baisse et le prix de l'essence n'apparaissait pas excessif. C'est ainsi que, dans cet environnement de grande discrétion, le système du prix de référence commun prit discrètement racine. De plus, en juin 1985, le gouvernement Trudeau n'était plus au pouvoir, ce gouvernement qui supervisait bien les agissements de l'industrie pétrolière. Le gouvernement suivant n'annonçait rien de bon pour les consommateurs, préoccupé qu'il était de réduire la présence de l'État dans les activités commerciales et industrielles. C'est malheureusement là à ce moment qu'il aurait dû y avoir une enquête, mais personne ne l'a demandé. Le Bureau de la concurrence aurait possiblement apposé un refus à ce système de prix à la rampe de chargement publié. Mais cette hypothèse demeurera un mystère.

Après les audiences du Comité d'enquête sur l'industrie pétrolière, les députés membres du comité ont complété leur rapport final qui fut déposé en novembre 2003. Parmi les recommandations proposées avec l'accord des députés de chaque parti, celle de la création d'un Office de surveillance du secteur pétrolier deviendra le cheval de bataille d'un seul parti, le Bloc Québécois.

Les politiciens qui défendent les consommateurs... ou l'industrie :

Durant la période de l'automne 2002 à l'hiver 2005, l'actualité pétrolière revint de façon récurrente dans les débats à la Chambre des Communes à Ottawa. Voici quelques extraits des échanges intervenus entre députés et ministres au cours de cette période.

25 novembre 2002, 14h40 (Bureau de la concurrence et juridiction provinciale).

L'hon. Allan Rock (ministre de l'Industrie, Lib.) : *Monsieur le Président, le député a très bien exprimé la frustration des consommateurs,* *que je partage entièrement, concernant le déséquilibre qui existe entre le prix du brut et le prix à la pompe.*

Le gouvernement du Canada n'a pas le pouvoir constitutionnel de réglementer les prix à la pompe. Il peut cependant demander au Bureau de la concurrence d'intervenir, advenant la preuve d'une collusion entre les sociétés pour fixer les prix de l'essence. Le Bureau de la concurrence surveille constamment ce qui se passe sur le marché afin de s'assurer que les lois sont respectées.

Vendredi 31 janvier 2003. 11h45 (au sujet des prix élevés de l'essence).

Mme Jocelyne Girard-Bujold (Jonquière, BQ) : *Monsieur le Président, les énormes profits annoncés aujourd'hui par les compagnies pétrolières démontrent encore une fois les effets de l'absence de réglementation et l'intégration verticale par les pétrolières. Le contrôle des pétrolières est presque total, du puits de pétrole à la pompe. Qu'attend le gouvernement pour réglementer l'industrie pétrolière en mettant fin, entre autres, à l'intégration verticale qui fausse les règles normales de la concurrence ?*

L'hon. Herb Dhaliwal (ministre des Ressources naturelles, Lib.) : *Monsieur le Président, nous croyons qu'il nous faut une industrie dynamique et nous collaborons avec elle pour qu'elle le soit. Il faut absolument que l'industrie soit forte pour répondre à nos besoins énergétiques et alimenter nos exportations.*

Nous exportons pour 58 milliards de dollars. Cela aide le Canada. Cela rapporte 9 milliards de dollars au gouvernement fédéral. La députée est-elle en train de dire que nous ne devrions pas percevoir cet argent ? Est-elle en train de dire que nous ne devrions pas avoir une industrie concurrentielle, car si c'est le cas, elle a tort.

L'hon. Herb Dhaliwal (ministre des Ressources naturelles, Lib.) : *En fait, monsieur le Président, l'industrie pétrolière et gazière n'est pas admissible à la réduction de l'impôt des sociétés que nous avons présentée récemment. Elle est la seule à ne pas y avoir droit et elle a présenté des instances pour bénéficier, elle aussi, de cette réduction d'impôt de 28 à 21 % que nous présentons maintenant.*

Si la députée s'était informée, elle saurait que l'industrie pétrolière et gazière et l'industrie minière ne bénéficient pas de la réduction d'impôt annoncée...

13 février 2003, 14h45 (la solution des prix élevés passe par les taxes).

Mme Carol Skelton (Saskatoon-Rosetown-Biggar, Alliance canadienne) : *Monsieur le Président, le coût de l'essence est un élément essentiel du budget de nombreuses familles du Canada, surtout dans les régions rurales et en banlieue. Les prix qu'atteignent le mazout et l'essence aujourd'hui risquent de les empêcher de chauffer leurs foyers et de conduire leurs enfants à leurs activités.*

Pourquoi le gouvernement impose-t-il des taxes excessives sur l'essence aux familles canadiennes qui croulent déjà sous le poids des impôts ?

Lundi 17 mars 2003, 12h30 (au sujet de la juridiction provinciale).

M. Bryon Wilfert (secrétaire parlementaire du ministre des Finances, Lib.) : *Monsieur le Président, j'ai écouté les propos de mon collègue concernant le prix de l'essence.*

Pour ce qui est de l'établissement du prix de l'essence, je renvoie le député à la Constitution et lui rappelle que la question relève de la compétence provinciale. Si le député veut s'adresser à ses collègues à Québec, je puis l'assurer que le gouvernement du Québec, à l'instar des autres administrations provinciales, a le pouvoir d'imposer un gel des prix.

Par conséquent, bien que nous comprenions fort bien l'argument du député, nous réitérons que la question relève de la compétence des provinces.

Jeudi le 25 septembre 2003, 12h20 (au sujet de la réduction fiscale).

M. Monte Solberg (Medicine Hat, Alliance canadienne) : *Monsieur le Président, c'est avec plaisir que j'interviens aujourd'hui dans le débat sur le projet de loi C-48. Rappelons aux auditeurs de quoi il s'agit. Le projet de loi vise à modifier la Loi de l'impôt sur le revenu pour abaisser le taux d'imposition des sociétés du secteur des ressources naturelles. Sur un certain nombre d'années, le taux passera de 28 à 21 %.*

(1) Je tiens à dire pour commencer que mon parti appuie vigoureusement cette mesure. Nous la réclamons depuis des années. Plus particulièrement,

mon collègue qui est le porte-parole de l'Alliance pour les ressources naturelles, le député d'Athabasca, a accompli un travail exceptionnel comme champion de cette idée.

Nous sommes déçus que cette mesure ne soit pas venue plus tôt. C'est une chose dont on discute depuis longtemps, car, sans ces baisses d'impôt, les entreprises ont été gravement désavantagées. Je reviendrai sur ce point dans un instant.

Je vais aussi dire un mot dans un instant sur l'orientation que j'entends donner à mon intervention. Un certain nombre de personnes ont parlé des avantages et inconvénients relatifs d'une réduction du taux d'imposition des sociétés par rapport à des mesures comme les déductions pour épuisement, par exemple. Je ne vais pas entrer dans ce débat, que je laisse à d'autres.

Je veux parler de la réduction de l'impôt des sociétés en général.

(2) Selon moi, chaque fois que nous retardons une réduction de l'impôt des sociétés, nous retardons aussi une augmentation de la productivité de notre pays. Nous retardons une augmentation de la qualité de vie des Canadiens. Je pense que le gouvernement a été beaucoup trop nonchalant quant à la réduction de l'impôt des pétrolières, des entreprises de gaz, des sociétés minières et des entreprises en général. Le gouvernement s'est trop traîné les pieds et n'a pas fait assez.

(3) Voici les pays qui nous ont devancés au cours des dernières années parce qu'ils ont pris de meilleures décisions en matière d'orientations publiques, particulièrement en ce qui concerne l'impôt sur le revenu des sociétés. L'Irlande, l'Islande, le Danemark, la Norvège, la Suède, la Suisse et les Pays-Bas ont un niveau de vie supérieur à celui du Canada parce qu'ils ont fait des choix plus judicieux au chapitre des orientations publiques. Un des choix les plus déterminants à cet égard a été de réduire le taux d'imposition des sociétés pour accroître leur compétitivité.

(1) Cette déclaration par la voix officielle du parti de l'Alliance Canadienne en matière de finance (devenu le nouveau parti Conservateur), confirme que les conservateurs appuient vigoureusement la réduction fiscale aux compagnies pétrolières.

(2) Examinons cette déclaration en profondeur.

Retarder une réduction de la fiscalité des sociétés, retarde une augmentation de la qualité de vie !

Des pays comme l'Inde et le Sri Lanka proposent une fiscalité pratiquement nulle pour attirer des sociétés étrangères. Résultats ? Les gouvernements de ces pays respectifs retirent donc très peu de revenus de ces entreprises étrangères, donc très peu d'argent pour offrir des services de base à leur population, comme la santé, l'éducation, la protection civile. La conséquence est venue le 26 décembre 2004 : par manque de fonds pour s'offrir un service de régie des bâtiments qui aurait permis d'établir des standards de construction et de zonage d'habitation en regard de zone inondable ; par manque de fonds pour s'offrir une politique de protection des rivages côtiers, comme des remparts à certains endroits ; par manque de fonds pour s'offrir un budget qui aurait pu permettre à la sécurité civile de disposer d'équipements adéquats en cas de catastrophes naturelles et pour s'offrir un système d'alerte adéquat, la population de ces pays a subi une catastrophe sans précédent.

Le tsunami du 26 décembre 2004 a servi une belle démonstration de certains effets pervers de la mondialisation, cette tendance à mettre les États en compétition entre eux pour diminuer leur présence dans le secteur privé et se concurrencer sur leur fiscalité et leur norme du travail. Qui a bénéficié le plus de l'hospitalité fiscale de ces pays ? Les entreprises étrangères. Qui a répondu à la demande d'aide financière d'après tsunami ?

Tirez vos conclusions.

(3) Pour répondre au député M. Monte Solberg (Medicine Hat, Conservateur), quelle qualité de vie préférez-vous ? Il y a une limite à réduire la fiscalité des sociétés en la comparant constamment avec d'autres pays (l'Irlande, l'Islande, le Danemark, la Suède, la Suisse et les Pays-Bas), surtout des pays qui ne possèdent pas de pétrole ni de gaz dans leurs ressources naturelles.

Le 6 octobre 2003, 18h35 (L'étude de l'OCDE et du Conference Board disent que tout va bien, et qu'il faut que l'industrie demeure compétitive).

Mme Nancy Karetak-Lindell (secrétaire parlementaire du ministre des Ressources naturelles, Lib.) : *Nous croyons qu'un marché équitable, efficace et compétitif permettra aux consommateurs de bénéficier des meilleurs prix et encouragera les entreprises à innover et à offrir de nouveaux choix de produits.*

Nous devons aussi reconnaître que cette question s'inscrit dans un contexte plus vaste. Nous ne devons pas oublier que des facteurs extérieurs ont influé sur les prix de l'essence sur les marchés canadiens, surtout en février 2003 avec l'imminence de la guerre en Irak, une crise politique au Venezuela, qui a touché la production pétrolière dans ce pays, un hiver rigoureux dans le nord-est de l'Amérique du Nord et des niveaux de stocks exceptionnellement bas aux quatre coins de notre continent. Tous ces facteurs conjugués ont exercé des pressions à la hausse sur les cours du brut, hausse qui a eu des répercussions sur les prix de l'essence au Canada et sur toute la planète.

Toutefois, selon les dernières données publiées par l'Agence internationale de l'énergie, une agence autonome liée à l'OCDE, en juin 2003, les prix de l'essence étaient plus bas au Canada que dans la plupart des autres pays industrialisés faisant partie de l'enquête.

Au Canada, les fournisseurs de n'importe quel produit sont habituellement libres d'imposer les prix que le marché peut supporter. L'expérience montre qu'à long terme, les forces du marché sont le moyen le plus sûr d'assurer que les prix des produits sont aussi bas que possible.

En fait, les hausses de prix survenues dans le passé se sont révélées temporaires et ont toujours été suivies d'un retour à des prix normaux.

En 2000, à la suite des préoccupations exprimées au sujet des prix de l'essence, le gouvernement fédéral a parrainé une étude indépendante dans le cadre de laquelle le Conference Board du Canada a examiné les marchés canadiens de l'essence et du diesel. Dans son rapport, publié en février 2001, le Conference Board arrive à la conclusion que les Canadiens étaient bien servis par des marchés de l'essence qui fonctionnaient de façon équitable et efficiente, et que les consommateurs jouissaient des prix parmi les moins élevés au monde. Le rapport signale également que la hausse rapide des prix mondiaux du brut était la principale cause de l'augmentation des prix de l'essence au Canada.

5 février 2004, 14h55 (au sujet de l'Office de surveillance).

L'hon. Lucienne Robillard (ministre de l'Industrie et ministre responsable de l'Agence de développement économique du Canada pour les régions du Québec, Lib.) : *Monsieur le Président, je suis consciente de la frustration des consommateurs et, sûrement, de l'association des camionneurs par rapport aux fluctuations du prix de l'essence. Il est très clair que le Bureau de la concurrence a déjà étudié cette question. Il peut l'étudier encore, si on s'aperçoit qu'il y a un comportement illégal dans le marché à l'heure actuelle.*

Le 5 mai 2004, 14h25 (au sujet du prix du prix de l'essence).

M. Gilles Duceppe (Laurier-Sainte-Marie, BQ) : *Monsieur le Président, le prix de l'essence explose ! Les gens n'en peuvent plus et le premier ministre ne fait toujours rien pour mettre au pas les pétrolières qui engrangent des profits excessifs.*

Au lieu de se faire le complice des pétrolières comme il en a l'habitude, est-ce que le premier ministre va enfin agir dans l'intérêt public et créer l'Office de surveillance du secteur pétrolier, réclamé par le Comité permanent de l'industrie ?

Le très hon. Paul Martin (premier ministre, Lib.) : *Monsieur le Président, le député doit savoir qu'on est très préoccupés ici, de notre côté de la Chambre, exactement par le même sujet. Le député doit aussi savoir que le Bureau de la concurrence, comme il l'a fait dans le passé, va se pencher sur la situation, et s'il y a quoi que ce soit à faire, il va agir.*

M. Gilles Duceppe (BQ) : *Monsieur le président, si on se fie au passé, ils n'ont justement rien fait dans le passé. La hausse des prix de l'essence est en grande partie due aux marges bénéficiaires démesurées des pétrolières à l'étape du raffinage. On parle actuellement de marges de 17,5 cents le litre, alors qu'à 6 cents le litre, les pétrolières font déjà de bonnes affaires. Or, le raffinage, c'est de responsabilité fédérale, et le premier ministre refuse d'intervenir. Quand le premier ministre va-t-il cesser de penser profits comme un actionnaire et enfin discipliner les pétrolières en créant l'Office de surveillance du secteur pétrolier ?*

Hon. R. John Efford (Libéral) : *Monsieur le président, laissez-moi répondre à l'honorable membre, le chef du Bloc, exactement ce qui est arrivé à Terre-neuve et au Labrador au cours des 10 dernières années. Nous payons le litre d'essence à 89 cents. C'est le meilleur prix qu'il est actuellement possible de trouver à Terre-Neuve. Nous avons une législation sur le prix plafond depuis cinq ans. Ça ne fait absolument aucune différence. Le premier ministre a raison. S'il y a un problème, le Bureau de la concurrence va agir. Il n'y a aucune façon possible pour qu'une compagnie puisse contrôler les prix à travers le pays.*

M. Paul Crête (BQ) : *Monsieur le président, selon l'association qué-bécoise des indépendants du pétrole, le marché est trop concentré, il y trop peu de joueurs dans l'industrie et ils maintiennent leurs stocks très bas, créant une rareté artificielle. Les consommateurs n'en peuvent plus. Et le gouvernement ne fait rien alors qu'il pourrait très bien mettre en place, une enquête sur la concurrence dans le domaine pétrolier. Pourquoi le gou-vernement reste-t-il les bras croisés alors qu'il peut faire quelque chose ?*

Hon. John Efford (Libéral) : *Monsieur le président, peut-être l'hono-rable membre ne comprend pas exactement les marchés et les lois naturelles du système de libre entreprise. Quand le prix du pétrole monte à 35 $ le baril, naturellement le prix de l'essence suit en conséquence. Est-ce que l'honorable membre s'attend qu'à chaque fois que le prix change qu'on doit dire aux compagnies pétrolières quoi faire ? S'il y a un problème avec le prix des produits pétroliers, s'il y a quelque changement de prix douteux, l'honorable membre devrait écrire et se plaindre au Bureau de la concur-rence.*

M. Paul Crête (Kamouraska-Rivière-du-Loup-Témiscouata-Les Bas-ques, BQ) : *Monsieur le Président, je sais par exemple ce qui arrive aux portefeuilles des consommateurs. On se souviendra qu'une des enquêtes que le gouvernement a faite sur la concurrence a été confiée par ce gouver-nement au Conference Board où siègent justement les grandes pétrolières. Pourquoi ne pas demander une véritable enquête sur le manque de con-currence dans l'industrie pétrolière ? Le ministre en a le pouvoir. Il doit la déclencher.*

L'hon. Lucienne Robillard : *Monsieur le Président, soyons très clairs. Je pense que personne au Canada n'apprécie, à l'heure actuelle, la hausse vertigineuse du prix de l'essence, pas plus les consommateurs que les gens d'entreprises de toutes natures. Alors, c'est sûr qu'on est très préoccupé par la question. Les parlementaires ont eux-mêmes étudié le sujet au mois de mai 2003. Tout le monde a conclu qu'il n'y avait pas de collusion dans le marché à l'heure actuelle. Cela étant dit, le Bureau de la concurrence est toujours là pour suivre les activités...*

Le 11 février 2005, 13h50 (au sujet de l'Office de surveillance).

Monsieur David McGuinty (comté de Ottawa-sud, Libéral) : *En résumé, rien ne prouve qu'on doive créer un nouvel Office de surveillance du secteur pétrolier, avec les coûts que cela va inévitablement entraîner.*

Le 11 février 2005, 14h15 (au sujet de l'Office de surveillance).

L'honorable Paddy Torsney (comté de Burlington-Ontario, Libéral) : *Dans les années 80, par exemple, une étude sur le prix de l'essence a été menée au Canada par la Commission sur les pratiques restrictives du commerce. Celle-ci a entendu plus de 200 témoins et l'étude a duré cinq ans. Ces enquêtes sont très coûteuses. Je voudrais également souligner que l'exemple de l'enquête sur l'essence fait ressortir la nécessité de garantir que les enquêtes ne soient entreprises que lorsqu'il y a lieu de croire qu'il existe des problèmes légitimes de concurrence qui méritent d'être examinés.*

Il est décevant que la seule préoccupation de ces deux derniers députés se situe au niveau des frais d'une enquête et non des coûts que les consommateurs doivent supporter. De plus, la députée Tornsey faisait référence à l'enquête de la Commission sur les pratiques restrictives du commerce, la seule qui ait dénoncé le système de prix à la rampe de chargement instauré par la compagnie Esso en juin 1985. On peut lui garantir qu'il y avait lieu de croire qu'il existait bien un risque de diminution de la concurrence.

Décidément, autant Paul Martin que Lucienne Robillard donnent l'impression de croire que le Bureau de la concurrence se situe au-dessus d'eux dans l'organigramme des postes au sein du pouvoir à Ottawa.

Au vu de ces quelques interventions répertoriées dans les débats au Parlement du Canada, avez-vous l'impression que le gouvernement fédéral défend bien les consommateurs du pays ?

L'office de surveillance du secteur pétrolier

La recommandation du Comité d'enquête de mai 2003 :

En novembre 2003, le Comité Industrie, Sciences et Technologie de la Chambre des Communes déposait son rapport qui faisait suite au comité d'enquête sur l'industrie pétrolière de mai 2003.

Il en est ressorti la recommandation que voici :

Le Comité apprécie beaucoup les données sur les prix recueillies par MJ Ervin and Associates et présentées au public par l'Institut canadien des produits pétroliers. Toutefois, il préférerait que le gouvernement fédéral pourvoie lui-même à ces activités car il croit que la collecte et la diffusion de données sur les prix de l'essence par un organisme indépendant de l'industrie pétrolière aurait plus de crédibilité auprès du public. Par conséquent, il recommande ceci :

Que le gouvernement du Canada crée et finance un Office de surveillance du secteur pétrolier investi d'un mandat de trois ans pour la collecte et la diffusion en temps opportun de données sur les prix du pétrole brut, des produits pétroliers raffinés et de l'essence au détail dans tous les marchés nord-américains concernés. Que le gouvernement du Canada, en consultation avec les intervenants du secteur pétrolier (les « grands », les « indépendants » et les groupes de consommateurs), nomme un directeur à la tête de cet organisme. Que l'office présente au Parlement un rapport annuel sur les aspects concurrentiels du secteur pétrolier au Canada et que, lors du dépôt du troisième rapport de l'Office au Parlement, le Comité permanent de l'Industrie, des Sciences et de la Technologie de la Chambre des Communes examine le rendement de l'Office et la nécessité d'une prolongation de son mandat.

Comme on peut le constater, c'est un peu mince comme recommandation. Il ne s'agit pas de réclamer une intervention qui consisterait à réglementer les éléments qui influencent la marge au raffinage et le prix du pétrole. Mais de mandater cet organisme à compiler toutes les données du

113

marché, ce qui permettrait de bien cibler justement ces éléments. À l'inverse, si le gouvernement n'est pas capable d'identifier les causes qui font fluctuer les prix des produits pétroliers, de réglementer et d'intervenir, il devrait au moins être gêné à l'idée que la population sera informée de ce qui se passe.

Confrontés à cette recommandation pourtant bien mince , les députés de l'Alliance (maintenant le parti Conservateur) James Rajotte, Dave Chatters et Brian Fitzpatrick, « les jardiniers des sables bitumineux », ont tenté de faire adopter un compromis tendant à diluer la recommandation commune de ce rapport. Ils ne concevaient pas que l'on crée un office de surveillance puisque le secteur privé, par l'entremise de MJ Ervin and Associates, s'acquittait très bien de cette tâche.

Voici quelques observations relevées dans certains rapports de MJ Ervin. MJ Ervin publie ses rapports deux fois par mois sur le site Infoprix de l'ICPP.[1] Les rapports du 11 mai, du 25 mai et du 8 juin de l'année 2004 déclaraient que la plus forte marge au raffinage avait été de 17,8 cents le litre, mais omettaient de signaler le sommet atteint de 21 cents le litre. Dans le rapport du 26 août 2003,[2] il est dit que la marge moyenne au raffinage pour les quatre dernières semaines s'est établie à 12,4 cents alors que le record de 18 cents du 21 août 2003 ne semble n'avoir jamais existé. MJ Ervin présente des moyennes sur une et quatre semaines quand les écarts varient fortement sur une base quotidienne. L'Office de surveillance permettrait d'obtenir des données plus précises et ainsi le gouvernement fédéral disposerait d'informations plus réalistes sur le marché et serait ainsi en mesure de prévenir et éventuellement intervenir dans d'éventuelles situations d'excès.

Voici également comment, dans son analyse, MJ Ervin résume et explique les hausses de la période du début mai 2004[3] :

Les prix de gros de l'essence au comptant sont montés en flèche dans toute l'Amérique du Nord au cours du mois dernier en réaction aux prix du pétrole brut, qui ont presque atteint un nouveau sommet, à la faiblesse des stocks d'essence et à la fermeté de la demande d'essence. La faiblesse des stocks d'essence ce printemps a été de, entre autre, à l'ampleur des périodes d'entretien dans les raffineries, aussi bien au Canada qu'aux États-Unis, liées à l'installation du matériel requis pour la production d'essence à faible teneur en soufre conformément aux nouveaux règlements sur la teneur en soufre qui entrent en vigueur au début de 2005. Ces entretiens ont eu un effet négatif sur la production d'essence et a contribué au resserrement entre la

---

[1] www.icpp.ca, document infoprix.
[2] www.icpp.ca, Infoprix, 26 août 2003.
[3] www.icpp.ca, Infoprix, 25 mai 2004.

balance de l'offre et de la demande. Les statistiques récentes du ministère de l'énergie des États-Unis, indiquent toutefois que la production d'essence dans les raffineries a augmenté de façon marquée au cours des dernières semaines, de même que les importations d'essence. Ces facteurs devraient contribuer à calmer les inquiétudes causées par la faiblesse des stocks en ce qui concerne les prix.

Il n'y est fait aucune mention de la décision de l'agence de protection de l'environnement des États-Unis qui, le 22 avril 2004, a refusé de prolonger le délai d'application du règlement sur le soufre à la demande de certains raffineurs. Cette décision a donné lieu à une frénésie boursière sans précédent chez les spéculateurs, mais on ne le mentionne pas dans ces mots là. L'installation de l'équipement requis pour produire de l'essence à faible teneur en soufre dans les seize raffineries canadiennes n'a pas affecté la production d'essence qui s'est maintenue durant les travaux de conversion. Les raffineries américaines travailleraient-elles autrement ? Les raffineries canadiennes ont effectué ces travaux de conversion durant les années 2003 et 2004 et cet argument de l'installation dudit équipement n'a pas été soulevé durant cette période.

Et les inquiétudes se sont calmées seulement 11 jours plus tard. MJ Ervin ne le mentionne pas.

Autre élément : l'Office de surveillance n'indiquerait pas seulement la durée des périodes d'entretien des raffineries, mais irait jusqu'à préciser quelle raffinerie cesserait sa production et pour combien de temps. Ça permettrait d'avoir des données précises sur ces périodes d'entretiens et donc de suggérer un calendrier mieux équilibré pour diminuer l'impact sur les inventaires, voire de choisir une période de l'année moins à risque.

MJ Ervin mentionne que la production d'essence dans les raffineries a augmenté de façon marquée. L'Office de surveillance fournirait plutôt des chiffres précis sur la production des raffineries au lieu de simplement écrire une augmentation marquée de la production.

Est-ce qu'on continue à fonctionner avec les données de MJ Ervin ou notre gouvernement s'offre-t-il un organisme disons plus fiable. Ah oui, si le public veut avoir accès aux rapports de MJ Ervin, ça coûte 65 $ pour chacune des années que l'on veut consulter. Au chapitre de l'objectivité, précisons que le client principal de MJ Ervin est l'industrie pétrolière alors que le client principal de l'Office de surveillance du secteur pétrolier serait la population canadienne.

Revenons à nos trois députés de l'Alliance (parti Conservateur) qui vont encore plus loin dans leur recommandation :

L'Alliance canadienne reconnaît qu'il existe au Canada un problème de perception. Les consommateurs sont convaincus qu'il y a bel et bien collusion sur le prix de l'essence, peu importe le nombre d'enquête. L'Alliance estime que le secteur pourrait faire davantage pour expliquer le mode de fixation des prix et des fluctuations. C'est un phénomène complexe, et nous croyons que c'est le secteur lui-même qui est le mieux placé pour informer les consommateurs.

Il est vrai que le renard est le mieux placé pour expliquer pourquoi il mange les poulets dans le poulailler.

L'Alliance canadienne recommande que le ministre de l'Industrie écrive au secteur canadien du pétrole pour l'encourager à nommer immédiatement un commissaire à l'information pétrolière, qui serait chargé d'informer les Canadiens et de contribuer à répondre à leurs préoccupations.

C'est intéressant comme propos. Il semble que ce présent livre remplit en partie ce mandat d'informer la population. Est-ce que l'Alliance Canadienne (devenu le Parti Conservateur) aiderait à défrayer le coût de publication de ce livre afin de l'offrir à tous les Canadiens ? Nous devrions en adresser un exemplaire à chacun de ces trois députés de l'Alliance (parti Conservateur). C'est une question de décence élémentaire.

Où en sommes-nous rendus avec l'Office de surveillance :

Le protocole parlementaire accorde un délai de 150 jours au ministre de l'Industrie pour répondre. En raison probablement du changement de premier ministre survenu entre le dépôt du rapport en novembre 2003 et la date maximum à laquelle le ministre devait répondre, ce n'est pas le ministre de l'Industrie qui s'est chargé de présenter la réponse du gouvernement libéral, mais le ministre des Ressources Naturelles, en l'occurrence l'honorable John Efford dont le comté est situé dans la province de Terre-Neuve, dans la même province où sont situés les gisements marins d'Hibernia et Terra-Nova. Autrement dit, quelqu'un qui pourrait arroser ses plants de tomates avec du pétrole. Décidément, ce Parlement-là fourmille d'objectivité ! Quant à l'Office, il demeure coincé au stade des interventions à la Chambre des Communes. Les députés du Bloc Québécois pressent le gouvernement de le créer ; les libéraux principalement et les conservateurs le rejettent sans cesse.

Voici quelques interventions sur le sujet pendant les périodes de questions à la Chambre des Communes.

11 mars 2004 : 14h35.

M. Paul Crête (Bloc Québécois, Kamouraska-Rivière-du-Loup) : *Monsieur le président, le rapport du comité permanent de l'industrie déposé en novembre dernier, recommandait la création d'un office de surveillance du secteur pétrolier. Le gouvernement a jusqu'au 5 avril pour donner sa réponse. Peut-on savoir si la ministre de l'Industrie entend donner suite à la recommandation du comité, et peut-elle prendre l'engagement de faire connaître sa décision avant le déclenchement des élections ?*

L'honorable Lucienne Robillard (ministre de l'Industrie, Libéral, Westmount) : *Monsieur le président, à l'heure actuelle, le gouvernement étudie très sérieusement les recommandations faites par le Comité permanent de l'Industrie. Je suis assurée que d'ici peu, la réponse du gouvernement sera donnée. Mon collègue, le ministre des Ressources naturelles, sera en mesure d'expliquer exactement ce qui se passe dans ce dossier.*

M. Paul Crête : *Monsieur le président, le premier ministre a dénoncé à plusieurs reprises le déficit démocratique et affirmé qu'il voulait valoriser le rôle des députés. Il a ici une belle occasion d'agir en ce sens. Après avoir écarté la Loi sur la concurrence, est-ce que cette fois-ci le gouvernement entend saisir l'occasion que lui offre le Comité et créer cet Office de surveillance qui donnerait aux consommateurs un outil pour discipliner les pétrolières ?*

L'honorable Lucienne Robillard : *Monsieur le président, il est très clair que c'est un enjeu important pour la majorité des consommateurs canadiens et aussi pour les entreprises. Il est également clair que, par les différents mécanismes en place, notre gouvernement a suivi de très près cette situation. Nous avons maintenant le rapport d'un comité parlementaire qui a été soumis ; je peux assurer aux députés de cette Chambre que nous allons prendre très au sérieux les recommandations du comité et que le gouvernement fera connaître sous peu sa réponse.*

23 mars 2004 : 15h00.

M. Serge Cardin (Sherbrooke, Bloc Québécois) : *Monsieur le président, les hausses injustifiées du prix de l'essence causent des maux de tête importants à toute l'industrie du camionnage, en plus de grever inutilement le budget des consommateurs. Le gouvernement est irresponsable de demeurer inactif devant les effets négatifs de la hausse des prix de l'essence. Est-ce que la ministre de l'Industrie va se décider à dire oui à la création de l'Office de surveillance du secteur pétrolier, comme le recommande le Comité permanent de l'Industrie ?*

L'honorable R. John Efford (ministre des Ressources naturelles, Libéral, Terre-Neuve) : *Monsieur le président, nous discutons actuellement de cette question. J'ai toujours été d'opinion que l'industrie privée et les prix dans cette industrie devaient être déterminés par le marché. Par ailleurs, chaque gouvernement provincial a le privilège de régir le prix de l'essence. En fait, deux provinces canadiennes, à savoir Terre-Neuve et l'Île-du-prince-Édouard, l'ont déjà envisagé. Nous examinons la question et nous rendrons bientôt une décision.*

25 mars 2004 :

M. Paul Crête : *Monsieur le président, avec la vente de ses actions de Pétro-Canada, le gouvernement fédéral perdra son secteur témoin de l'industrie pétrolière, ce qui ajoute à la pertinence de donner suite à la recommandation du Comité permanent de l'Industrie, de créer un Office de surveillance du secteur pétrolier. Est-ce que la ministre de l'Industrie ne voit pas là une raison additionnelle de donner suite à la recommandation du Comité pour se donner cet Office de surveillance, ce chien de garde qui permettrait enfin de discipliner l'industrie pétrolière ? Va-t-on connaître la position du gouvernement avant le déclenchement des élections ?*

L'honorable R. John Efford : *Monsieur le président, j'ai répondu à cette question à la Chambre hier. Le député connaît parfaitement notre position à ce sujet. Nous avons déjà expliqué très clairement que la libre entreprise s'organise elle-même, et que les provinces, en l'occurrence deux provinces de l'est du Canada, essaient de réglementer leur industrie pétrolière. Nous étudions la question et nous annoncerons notre décision au moment opportun.*

Le 8 avril 2004, par voix de communiqué, le ministre des Ressources naturelles John Efford anonçait sa décision[4] :

Le gouvernement Martin s'en remet aux forces du marché pour contrôler les prix de l'essence. Le ministre John Efford, vient en effet de rejeter la recommandation d'un comité parlementaire de créer un Office de surveillance du secteur pétrolier. « Le gouvernement est toujours résolu à faire en sorte que les prix de détail soient déterminés par les forces du marché et non par des pratiques anti-concurrentielles » a écrit le ministre au Comité de l'Industrie, qui s'est penché sur les prix de l'essence après leur soudaine montée, à l'hiver 2003.

Le 21 avril 2004, le débat s'est poursuivi :

M. Serge Cardin (Bloc) : *Monsieur le président, on sait que le gouvernement demeure passablement inactif devant les effets négatifs de la hausse du prix de l'essence. Quelle ne fut pas ma surprise de voir le ministre me répondre que, selon lui, les prix devraient et sont déterminés par les lois du marché. Le gouvernement a rejeté la création de cet Office de surveillance des produits pétroliers pour protéger les consommateurs des abus des pétrolières.*

Dans la réponse du gouvernement, il y a un élément important, soit les forces du marché. En ce qui concerne les forces du marché, le gouvernement dit qu'il ne doit pas s'impliquer dans le processus. Par contre, on se souviendra que depuis 1970, sous forme de subvention ou de bénéfices indirects versés à l'industrie pétrolière, le gouvernement a investi 66 $ milliards. Si ce n'est pas de l'intervention dans les forces du marché, je me demande encore ce que c'est ! Tout récemment également, le gouvernement a avantagé les industries pétrolières et gazières pour une réduction de leur fiscalité. Pourtant nous savons très bien que les pétrolières ne cessent de faire des profits faramineux depuis ce temps-là.

On se souviendra toujours de la somme de 1,5 cents ajoutée à la taxe d'accise fédérale sur le prix de l'essence en 1994 pour réduire le déficit. C'est donc une intervention indirecte dans les lois du marché. On sait aussi que lorsque le Comité de l'Industrie avait adopté cette recommandation, l'ensemble des députés libéraux l'avaient justement accepté. Le premier ministre répète souvent qu'il veut faire disparaître le déficit démocratique et il rejette du revers de la main ses propres députés !

---

[4] Le Journal de Montréal, 9 avril 2004, « *Ottawa dit non à un Office du secteur pétrolier.* »

Ce que je demande vraiment au ministre ce soir, c'est pourquoi il a refusé de mettre en place cet Office de surveillance du secteur pétrolier ?

L'honorable André Harvey (secrétaire parlementaire du ministre des Ressources naturelles, Libéral, Chicoutimi) : *Monsieur le président, le gouvernement s'est penché sur la recommandation du Comité. Le gouvernement estime néanmoins que ses activités actuelles, combinées d'ailleurs à la recherche de l'information recueillie à travers tout le pays et même sur le plan international, qui est largement diffusé par le secteur privé (il faut tenir compte aussi des secteurs provinciaux et de certains organismes), constituent, selon lui, la méthode la plus pratique et la plus efficace pour informer les consommateurs.*

Depuis 1985, le gouvernement du Canada pratique une politique énergétique axée sur les forces du marché. Cela implique notamment que les prix intérieurs du pétrole et des produits raffinés sont basés sur le coût international du pétrole brut.

Permettez-moi d'ajouter que depuis plus de 20 ans, le gouvernement du Canada met de l'avant d'autres solutions pour aider les Canadiens à faire des choix judicieux en matière d'énergie et à réduire leur facture énergétique. Grâce aux programmes de l'Office de l'efficacité énergétique de Ressources naturelles Canada, des efforts considérables sont déployés pour assurer une large diffusion de l'information sur la consommation de carburant des véhicules. En outre, l'Office s'emploie activement à promouvoir l'efficacité énergétique et l'utilisation de carburants de remplacement.

En guise de réaction à la réponse de ce grand député libéral, précisons qu'il a perdu ses élections en juin 2004. Rappelons également qu'à l'élection fédérale de juin 2000, il est passé du parti Conservateur au parti Libéral. Ce qui tend à démontrer que la différence entre ces deux partis est plus mince qu'on pourrait le penser. Il est à espérer que ces quelques échanges vous permettront de bien saisir les positions des politiciens qui « défendent » les intérêts des consommateurs. On est bien loin du gel du prix du pétrole décrété par le gouvernement Trudeau en mars 1974, tout comme de la décision de réduire la dépendance du Canada au pétrole importé, par le prolongement du pipeline de Sarnia (Ontario) à Montréal en janvier 1974 afin d'acheminer le pétrole de l'Alberta jusqu'au Québec.

L'industrie supporte pourtant la création de l'Office de surveillance :

De façon quelque peu surprenante, l'industrie pétrolière déclarait dans le communiqué suivant, le 7 mai 2004, qu'elle invitait le gouvernement fédéral à créer cet office du secteur pétrolier :

L'industrie pétrolière invite le gouvernement fédéral à créer un office de surveillance du secteur pétrolier.

Toronto (Le 7 mai 2004). Par suite des prix record de l'essence dans plusieurs villes canadiennes, les membres de l'industrie pétrolière invitent le gouvernement fédéral à examiner de nouveau sa décision de ne pas créer un office indépendant de surveillance du secteur pétrolier. La création d'un office constituait la seule recommandation au gouvernement contenue dans un rapport produit en 2003 par un comité fédéral sur les prix de l'essence.

Au printemps de 2003, le Comité permanent de l'industrie, des sciences et de la technologie de la Chambre des communes a fait enquête sur les prix élevés de l'essence et entendu des représentants des groupes de citoyens, de l'industrie et du Bureau de la concurrence. Dans son rapport final intitulé « Prix de l'essence au Canada », le comité n'a fait qu'une recommandation au gouvernement, soit celle de créer un office indépendant chargé de rassembler des données sur l'industrie, de les diffuser au public et de présenter chaque année au Parlement un rapport sur le rendement concurrentiel de l'industrie.

Les membres de l'industrie pétrolière partagent l'avis du comité selon lequel un office de surveillance indépendant mettrait fin à la confusion existant chez les consommateurs et les idées fausses entourant les questions relatives aux prix de l'essence, affirme le président de l'Institut canadien des produits pétroliers (ICPP), M. Alain Perez. L'industrie pétrolière maintiendra ses efforts de sensibilisation du public, mais elle est déçue de constater que le gouvernement fédéral ne profite pas de l'occasion pour faire avancer le débat sur l'établissement du prix de l'essence. Nous l'encourageons à envisager des occasions de travailler avec les principales parties intéressées, telles les provinces et nous-mêmes, afin d'améliorer la quantité et la qualité de l'information sur les marchés pétroliers du Canada.

Plusieurs provinces ont déjà affirmé qu'elles appuient la recommandation du comité.

Des offices tels la Energy Information Administration (EIA) existent aux États-Unis depuis les années 1970. Ceux-ci fournissent au gouvernement et aux consommateurs des perspectives à court terme et une analyse indépendante de la dynamique du marché, des niveaux d'approvisionnement des produits et des prix. L'EIA est un organisme indépendant du ministère de l'Énergie.

En l'absence d'une analyse indépendante, le consommateur canadien continuera d'entendre, d'un côté, les critiques passionnées de spécialistes improvisés et de l'autre, les membres de l'industrie pétrolière ripostant à des accusations mal fondées, ajoute M. Perez.

L'ICPP est une association de compagnies canadiennes engagées dans le raffinage, la distribution et/ou la commercialisation de produits pétroliers servant au transport, à l'énergie domestique et aux usages industriels. Les compagnies membres de l'ICPP exploitent 17 raffineries (représentant 80 % de la capacité de raffinage du Canada) et approvisionnent en carburant 10 000 essenceries de marque partout au Canada.

Où en sommes-nous (avril 2005) ?

Un mot sur cet Institut Canadien des produits pétroliers. L'appellation de cette organisation est susceptible de prêter à confusion. Dans l'esprit du public, un institut est un organisme de recherche indépendant (Institut Armand Frappier). Or l'ICPP n'est pas un institut indépendant. C'est une entité qui regroupe les grandes multinationales du pétrole. Pourquoi ne pas le rebaptiser du nom de l'Association canadienne des compagnies pétrolières. Ce changement d'appellation rendrait davantage compte de la nature de cette organisation et ne risquerait plus d'induire le public en erreur.

Après l'élection de juin 2004, le Bloc Québécois est revenu sur la création de l'Office de surveillance, voulant tirer parti du fait que le gouvernement était devenu minoritaire. Monsieur Yvon Lévesque, député du Bloc nouvellement élu, a déposé une motion en ce sens en première lecture, le 11 février 2005. Les libéraux autant que les conservateurs ont utilisé les mêmes arguments pour le rejeter, soit que les lois naturelles du marché fonctionnent bien ou que la firme MJ Ervin s'acquitte bien de la tâche de compiler les données du marché pétrolier. La motion n'a pas franchi l'étape de la deuxième lecture à la Chambre des Communes, jeudi le 22 avril 2005. Nous en sommes restés là.

La réduction fiscale fédérale de février 2003

Sortir la nouvelle :

« Pour aider les pétrolières, Ottawa leur donne un cadeau de 250 $ millions ».[1]

Cette manchette faisait la une en première page du Journal de Montréal dans l'édition du 13 août 2003. Une manchette engendrée par un long et laborieux travail de préparation.

Le temps a été pluvieux au cours de la dernière semaine de juillet 2003. Pour m'occuper, je me rabattis sur les résultats financiers du deuxième trimestre 03 de nos chères pétrolières et entrepris de les examiner en profondeur. En analysant les paragraphes un à un, je tombai sur la citation suivante dans le rapport de Pétro-Canada :

« Pétro-Canada a annoncé aujourd'hui un bénéfice d'exploitation de 455 $ millions (1,72 $ par action) pour le deuxième trimestre, ce qui comprend un ajustement positif de 96 $ millions (0,36$ par action) relié à des modifications de taux d'imposition canadiens ».[2]

À première vue, le mot « modification » semblait signifier réduction du taux d'imposition. Ça semblait également concerner l'année fiscale 2003, donc ça devait se retrouver dans le budget de février 2003. Un contact dans l'entourage même du ministre des Finances fédéral me mit sur la piste d'un document d'information intitulé : « Nouveau régime d'imposition applicable au secteur des ressources naturelles. »[3]

---

[1] Journal de Montréal, 13 août 2003, page 50.
[2] Pétro-Canada, rapport 2e trimestre 2003
http://www.petro-canada.ca/fr/investor/9259.htm
[3] Ministère des Finances Canada, communiqué 2003-030
http://www.fin.gc.ca/news03/data/03-030_1f.html

Document d'information :

Nouveau régime d'imposition applicable au secteur des ressources naturelles :

Description du nouveau régime d'imposition :

Tel qu'il est indiqué dans le budget de 2003 et décrit dans le document technique de mars 2003, *Amélioration du régime d'imposition applicable au secteur canadien des ressources naturelles,* le nouveau régime fédéral d'imposition applicable au secteur des ressources naturelles comprend les mesures suivantes qui seront mises en œuvre de façon graduelle sur cinq ans :

- Le taux de l'impôt fédéral des sociétés prévu par la loi à l'égard des bénéfices tirés d'activités liées aux ressources passera de 28 à 21 % ;

- On autorisera la déduction des redevances provinciales réelles, des autres redevances à la Couronne et des impôts miniers ayant été versés, tandis que la déduction de 25 % relative à des ressources sera éliminée ;

- Un nouveau crédit d'impôt de 10 % applicable aux frais d'exploration minière admissibles sera instauré au Canada.

Voici l'échéancier de mise en œuvre graduelle des divers éléments du nouveau régime :

Échéancier pour le nouveau régime d'imposition applicable au secteur des ressources naturelles.

	Année (en %)				
	2003	**2004**	**2005**	**2006**	**2007**
Taux d'imposition des bénéfices des sociétés.	27	26	25	23	21
Pourcentage déductible de la déduction actuelle de 25 % relative à des ressources.	90	75	65	35	0
Pourcentage déductible des redevances à la Couronne et des impôts miniers.	10	25	35	65	100
Nouveau crédit d'impôt pour exploration minière au Canada.	5	7	10	10	10

Je m'enquis auprès de gens de l'opposition à Ottawa afin de savoir si cela n'était pas déjà sorti dans les médias. Ils n'étaient pas précisément au courant de cette clause dans les détails, mais leur parti s'était opposé au budget Manley dans son ensemble et il est certain que lorsque le vote interviendra sur ce projet de loi, qui portera la mention de C-48, ils refuseraient d'endosser ce cadeau fiscal à la plus profitable industrie du pays.

Deux des quatre éléments contenus dans ce document expliquent que le taux d'imposition des sociétés passera de 28 % en 2002 à 21 % en 2007, l'année de sa pleine application. Également, les royautés ou redevances provinciales redeviennent déductibles. Il faut rappeler ici qu'au cours des années 1970, le premier ministre Trudeau avait éliminé la déductibilité des redevances provinciales sur les produits pétroliers. Dans la constitution canadienne, les ressources naturelles sont de juridiction provinciale. D'intenses négociations avec les provinces productrices au sujet des revenus gaziers et pétroliers rendirent bien clair que le fédéral disposait d'un seul moyen de retirer des revenus de cette ressource, soit récupérer un pourcentage d'impôt sur les redevances ou royautés versées aux provinces.

En 2003, non seulement le fédéral réduit l'impôt de ce riche secteur industriel, mais en plus il permet aux pétrolières de déduire de leur impôt les redevances qu'elles versent aux provinces. Si ces royautés représentent des revenus de 5 milliards de dollars, le fédéral perd ainsi plus de 1 milliard de dollars en revenus ! Paradoxalement, le document conclut que l'incidence projetée de ces modifications fiscales sur les recettes d'impôt fédéral sur le revenu se chiffreront à quelques 260 millions de dollars une fois le régime entièrement en vigueur en 2007.

Voilà encore un bel exemple illustrant comment l'expertise en communication qui se manifeste dans le titre du document a permis à la nouvelle de passer inaperçue. On parle de nouveau régime d'imposition et non de réduction fiscale. Remarquez surtout qu'on prend bien soin de ne pas mentionner industrie pétrolière, mais plutôt le secteur des ressources naturelles. C'est l'art de dissimuler la vraie terminologie. On appelle ça une « bonne job » de communication. Également, l'estimation de 260 $ millions du coût de ce régime est grossièrement en dessous de la réalité. Il est plus juste de l'évaluer à plus de 3 milliards de dollars par année en 2007.

Je reproduis ici un propos éclairant publié dans le journal d'information de l'Association des comptables agréés du Canada, sous la plume de M. Neil Smith, alors chef d'équipe senior aux services de base en fiscalité chez Ernst & Young, à Calgary :

La publication de ces documents (programme de modification de la fiscalité des entreprises oeuvrant dans les ressources naturelles) faisait suite au lobby intensif mené par le secteur des ressources en faveur de la réduction du taux d'imposition fédéral applicable aux sociétés.

Une proposition avec le Journal de Montréal :

Ce document-là était manifestement de la grosse information. Comment la relancer ? Faire une conférence de presse ? Avec les conférences de presse, quand l'actualité pétrolière n'est pas chaude, ce n'est pas évident d'entrer dans les bulletins de nouvelles.

Le vendredi 8 août 2003, j'entrepris une démarche auprès du Journal de Montréal.

F.Q. : *Salut J, je pense avoir une grosse nouvelle au sujet de la fiscalité des compagnies pétrolières. Si je vous réserve l'exclusivité de la nouvelle, est-il possible de donner de l'impact pour la sortir ?*

Journal de Montréal : *Bien c'est quoi la nouvelle et à quel impact vous vous attendez ?*

F.Q. : *Dans le budget fédéral de février dernier, le ministre des Finances John Manley réduit le taux d'impôt des compagnies pétrolières de 25 % et permet la déductibilité des redevances provinciales. Pour l'impact, je pense rien de moins que la première page. La nouvelle est forte, elle n'est pas connue et si vous la sortez rapidement, vous êtes sûr de l'exclusivité. C'est un contact au ministère des finances qui m'a remis le document, c'est publié dans le dernier budget. Quelqu'un d'autre peu l'avoir vu ou le voir sous peu.*

J. M. : *Envoie-moi le document, je vérifie avec mes patrons et je te reviens dans quelques minutes.*

L'information a produit son effet et je n'ai pas eu à attendre longtemps la réponse du journaliste.

J. M. : *Oui, le Journal est très intéressé. C'est du matériel pour un front. Mais je ne peux rien te garantir. Il suffit d'une plus grosse nouvelle pour déloger une grosse nouvelle. Au pire, je le travaille pour une page complète dans la première page de la section affaires. Oui on tient à l'exclusivité, mais j'ai besoin de la journée de lundi pour faire un bon dossier complet. On s'enligne pour mardi matin. Habituellement j'ai congé le lundi, mais je rentre pareil parce que ça m'intéresse.*

F.Q. : O.K. J, la nouvelle est à vous autres si c'est pour l'édition de mardi. Appelles-moi lundi après-midi pour me situer où tu seras rendu. En fonction de l'éventuel impact que ça donnera, je devrai me préparer pour des entrevues potentielles que ça pourrait générer.

Il fallait que la nouvelle fasse du bruit. Il était important que le monde sache que notre cher gouvernement fédéral avait accordé en catimini une importante réduction fiscale à l'industrie pétrolière. Il était inadmissible que le gouvernement vienne en aide au plus riche secteur industriel du pays. En janvier 2000, John Manley, alors ministre de l'Industrie, a présenté un programme d'aide pour les équipes canadiennes de la ligne nationale de hockey.[4] La réaction fut tellement vive dans l'opinion publique que, deux jours plus tard, le ministre Manley revenait devant les journalistes et annulait son programme d'aide aux millionnaires du hockey. Réflexion faite, cependant, on peut penser que la conférence de presse en grande pompe du ministre Manley avait pour but de dresser l'opinion publique contre cette aide absurde et ainsi fournir au gouvernement les munitions nécessaires pour dire non aux propriétaires d'équipes.

On pourrait en dire autant de l'opération de sauvetage du Grand Prix de Montréal. Après avoir fait bien sentir aux Montréalais qu'ils pouvaient perdre l'événement, il serait plus facile de faire passer l'aide gouvernementale aux écuries automobiles en compensation des pertes de revenus publicitaires des produits du tabac.

Mais dans le cas de ce cadeau fiscal aux compagnies pétrolières, il n'y a eu aucune opération de promotion. C'est peut-être qu'on préférait que le public ne soit pas au courant : ça risquait peut-être d'être mal reçu.

Le gouvernement ne veut pas réduire les taxes sur l'essence. Il ne veut pas réglementer les pratiques commerciales de l'industrie. Mais il fait des cadeaux fiscaux aux pétrolières !

Lundi après-midi, je rappelai le Journal de Montréal pour savoir où était rendu le reportage. Le journaliste, me dit qu'il avait besoin de l'opinion d'un expert en fiscalité sur les ressources naturelles pour évaluer correctement cette réduction fiscale. Il l'avait trouvé chez la firme KPMG, mais il était 15h30 et il attendait toujours son retour d'appel. S'il n'obtenait pas cette entrevue, il devrait attendre l'édition du mercredi pour publier.

---

[4] 18 janvier 2000, Industrie Canada, problèmes financiers auxquels sont confrontés les équipes canadiennes de la LNH.

Le journaliste me mentionna également qu'il avait contacté un porte-parole d'une compagnie pétrolière pour sonder l'opinion de l'industrie. Ceci dans le but d'avoir le point de vue des deux côtés.

F.Q. : *Çà ça m'embarrasse un peu J. Une compagnie pétrolière sait maintenant qu'un journaliste est au courant du nouveau régime d'imposition. Sachant que ça va sortir sous peu, ils vont peut-être prendre les devants et le sortir eux-mêmes de façon à mieux contrôler la saveur que ça pourrait prendre.*

J. M. : *C'est possible mais peu probable et j'ai absolument besoin de l'opinion du fiscaliste de KPMG. Je ne serai pas prêt pour mardi. Peux-tu me donner cette journée de plus ?*

F.Q. : *J'ai tellement peur que l'industrie le sorte à sa façon. Écoutes J, tu sembles faire un bon dossier pour expliquer l'impact de cette réduction fiscale. Je me retiens 24 heures de plus, mais pèse fort pour le front. Je ne veux pas aller plus loin que mercredi sinon je le sors par une conférence de presse. Je te rappelle mardi midi.*

Mardi, le journaliste me rappela vers 18h00 heures. Son dossier était complet.

J. M. : *Ça sortira demain le 13 août. Pour le front, c'est la nouvelle sur le dessus de la pile, mais l'impression finale commence seulement vers 23 heures. D'ici là croises-toi les doigts.*

Je l'ai remercié pour son travail.

Depuis bientôt 3 ans que je suivais les agissements de l'industrie pétrolière, c'est le lendemain matin que l'actualité leur offrirait un party d'explication.

Le lendemain, mercredi 13 août 2003, à 5h15 am, dans la revue de presse du jour à LCN, la nouvelle se retrouvait effectivement en première page du Journal de Montréal : *Pour aider les pétrolières, Ottawa leur verse un cadeau de 250 $ millions.* Ce n'était pas le titre espéré, mais le journal ne pouvait se permettre de citer un montant autre que celui de 250 $ millions apparaissant dans le document.

Est-ce qu'une conférence de presse aurait permis une meilleure couverture ? Peut-être aurait-elle motivé à se déplacer un certain média télé qui a refusé de s'intéresser au sujet, prétextant qu'il ne cherchait pas à couvrir la nouvelle d'un autre. Je lui ai fait valoir que justement l'occasion se présentait d'approfondir le sujet en demandant l'opinion du ministre des Ressources naturelles ou celui des Finances (fédéral). Également de voir des comparatifs de fiscalité avec d'autres pays et d'autres secteurs. Rien à faire, ça ne faisait pas partie des plans de ce média-là. Pour eux le sujet était épuisé, il n'y avait rien à ajouter. Pourtant, un élément assez important fera surface quelques semaines plus tard.

La réduction fiscale n'est toujours pas votée :

Le mercredi 24 septembre 2003, lors d'un entretien téléphonique avec le bureau du député Paul Crête, j'appris que le projet de loi C-48 franchirait l'étape de première lecture au cours de la présente session parlementaire. C-48, c'était le nom donné au programme de réduction de la fiscalité des compagnies oeuvrant dans les ressources naturelles. Comme il faisait partie intégrante du budget Manley de février 2003, on aurait pu croire que la mesure était déjà en vigueur. Mais on apprend que C-48 n'est pas voté. Le bureau de Monsieur Crête m'invita sur ce à entrer en contact avec Pierre Paquette, député du Bloc dans le comté de Joliette et critique de l'opposition en matière de finance. Monsieur Paquette me raconta que lors du dépôt en première lecture de ce jour même, le Bloc avait utilisé tout son temps de débat pour dénoncer cette réduction fiscale à l'industrie pétrolière qui, au surplus, désavantage l'industrie minière au Québec en éliminant le crédit à l'exploration. Le parti Libéral, les Conservateurs et l'Alliance étaient en faveur, donc peu importait l'opposition des bloquistes, la loi C-48 allait passer. Le seul pouvoir qu'avait le Bloc était de retarder l'étape de la deuxième lecture. Non seulement il y parvint, mais le gouvernement dut même négocier avec lui en coulisse pour qu'il cesse de retarder le processus parlementaire. Et dire que notre chère et honorable Lucienne Robillard se plaisait à répéter, dans toute sa diplomatie, que le Bloc, siégeant dans l'opposition, ne pourrait jamais diriger ni prendre de décision. Il dérangeait tout de même, le parti de l'opposition.

Non seulement le Bloc retarda le vote ce mercredi soir 24 septembre, mais au cours de la négociation en coulisse, il arracha au gouvernement un comité spécial des finances pour permettre aux opposants de C-48 de présenter leurs arguments dénonçant ces allègements fiscaux. Le comité siégea dès le mercredi suivant, 1er octobre. Des représentants des compagnies minières s'y présentèrent ainsi que les groupes qui trouvaient scandaleux l'immense réduction fiscale qu'Ottawa était sur le point d'accorder à l'industrie pétrolière. Comme ce comité fut mis sur pied dans un laps de temps très court, peu de personnes furent informées de sa tenue. Je demandai à monsieur Paquette quelles étaient les modalités pour s'inscrire comme témoin à ce comité. Il fallait contacter le greffier du comité des finances à qui j'envoyai donc mes coordonnées par courriel dans les minutes suivantes.

Le matin du dimanche 28 septembre, je recevais l'appel du greffier du comité des finances. Ma présence était confirmée et ça m'avait permis de tout donner dans la préparation du document que je présenterais le mercredi suivant à Ottawa.

Ce mercredi 1er octobre je me levai à 6h00 am pour envoyer un communiqué de presse aux médias :

Séance spéciale d'un comité permanent des finances, la loi C-48 sur la réduction fiscale des compagnies pétrolières. Loi toujours pas votée, je comparaîtrai pour dénoncer ce formidable cadeau fiscal à la plus riche industrie au Canada. Je demeure disponible pour une entrevue jusqu'à 14h00, ensuite Ottawa 17h00.

Je savais qu'à 7h00 am, mon communiqué serait entré dans toutes les salles de nouvelles. Je décidai d'être proactif et de contacter directement les affecteurs de certaines salles de nouvelles. J'insistai sur le fait que le document qui serait présenté ferait mal paraître les députés favorables à cette réduction fiscale et que s'ils (les médias) voulaient des bons clips télé, ils en auraient.

Personne ne s'engagea ni ne manifesta formellement l'intention de couvrir l'événement. Je réalisai que s'il est facile d'entrer dans un bulletin de nouvelle lorsque l'actualité pétrolière est brûlante, il est difficile de créer la nouvelle quand elle ne fait pas de vague. La suite m'apprit que je devrais apprendre à gérer la déception.

En route vers Ottawa, je pus donner trois entrevues par cellulaire dans le sillage du communiqué de presse. Ce furent les seuls médias qui me permirent d'informer la population sur ce qui se passerait à Ottawa ce soir-là.

Le Comité spécial des Finances du 1er octobre 2003 :

Le comité siégeait dans la salle 253 D dans l'édifice du Parlement. Un débat très protocolaire dans un décor grandiose. Un buffet très sobre était servi à l'arrière, offrant crudités, croissants et sandwichs. Nous étions loin des réceptions du Gouverneur Général. Le greffier nous informa que la séance débuterait avec du retard parce les députés étaient en train de voter à la Chambre des Communes. J'en profitai pour lui demander si, en tant que témoin, nous avions droit au remboursement pour le déplacement comme çà avait été le cas pour le comité d'enquête sur l'industrie pétrolière en mai dernier. Il me remit un formulaire en me demandant de demeurer discret.

Les autres représentants de l'industrie minière ont la plupart voyagé en avion et ont probablement des allocations de dépenses de leur association et compagnie. Alors si on peut éviter quelques remboursements on va le faire. Voilà un employé cadre de l'univers politique soucieux d'éviter les dépenses inutiles. Il mériterait une promotion.

Un coup d'œil aux cartons d'identification sur la table révélait la présence d'un seul groupe représentant les intérêts des consommateurs de produits pétroliers : L'essence à juste prix. Les autres provenaient de l'industrie minière.

Les autres témoins à comparaître étaient :

Gordon Peeling : président et chef de la direction de l'Association minière du Canada.

Clyde Graham : vice-président, stratégies et alliances, Institut canadiens des engrais.

Nick Nikolakakis : vice-président et chef des services financiers, Association minière du Canada.

Pierre Gratton : vice-président, affaires publiques et communications, Association minière du Canada.

Mark Ruus : directeur, fiscalité internationale, Association minière du Canada.

La vue de tous ces titres rendait songeur devant la faiblesse du lobby voué à la défense des intérêts des consommateurs. Diviser pour mieux régner qu'ils disaient. La force qui émane de la solidarité, comme la représentation impressionnante de l'industrie minière dans ce cas-ci, laissait entrevoir qu'ils obtiendraient les amendements nécessaires relatifs à l'élimination de la déduction relative aux ressources. Ça démontrait à quel point l'industrie minière n'avait pas été consultée au cours de la phase d'élaboration du programme de réduction de la fiscalité des entreprises oeuvrant dans les ressources naturelles. Il était également fort surprenant de ne voir aucun représentant de l'industrie pétrolière venir soutenir les arguments favorables à la réduction fiscale. Peut-être parce que d'autres s'occupaient bien de défendre leurs intérêts… Quoiqu'il en soit, les députés libéraux et ceux de l'Alliance avaient l'air de bien combler cette absence. C'est une simple constatation.

Les députés présents étaient :

La présidente, **Sue Barnes**, London-Ouest, libéral.

David Chatters du comté d'Athabasca en Alberta, Alliance canadienne.

Pierre Paquette du comté de Joliette au Québec, Bloc Québécois.

Roy Cullen du comté d'Etobicoke nord, parti Libéral.

Larry Bagnell, du comté Yukon, parti libéral.

Tony Valeri, Stoney Creek, parti liberal.

Shawn Murphy, Hillsborough, parti liberal.

Les députés s'amenèrent finalement et les présentations débutèrent à 19h25.

La Présidente : *Nous entendrons maintenant M. Quintal, porte-parole de L'essence à juste prix.*

M. Frédéric Quintal (porte-parole, L'essence à juste prix) : *Merci beaucoup, madame la présidente, de me donner cette occasion de présenter notre point de vue. Je suis porte-parole d'un organisme qui représente les intérêts des consommateurs. Le 6 octobre, j'aurai consacré trois ans à m'intéresser à ce dossier.*

Lorsque j'ai entendu les débats de la semaine dernière avec les députés en faveur du projet de loi C-48, l'argument principal présenté était qu'il fallait accroître la compétitivité face au secteur international. Il s'agit là du principal argument présenté par les intervenants en faveur de ce programme d'allègements fiscaux. J'aimerais rafraîchir la mémoire de ces personnes et leur rappeler que le Canada a des attributs valables pour favoriser des investissements dans le secteur des ressources naturelles, et plus précisément le secteur pétrolier, avec la présence d'immenses gisements de pétrole, de sables bitumineux et de gaz naturel.

Pour répondre au député de l'Alliance Canadienne de Medecine Hat, M. Monte Soldberg qui, la semaine dernière, comparait le taux d'imposition des sociétés canadiennes à celui de pays comme l'Irlande et autres, j'aimerais lui rappeler que ni l'Irlande, ni l'Islande, ni le Danemark, ni la Suède, ni la Suisse, ni les Pays-Bas n'ont notre équivalent en ressources naturelles. Alors, à quoi servirait-il de copier la fiscalité de ces pays ?

Je vais faire un parallèle ici. Notre premier ministre a décidé de tenir tête à Formula One Management Limited et donc de ne pas succomber aux pressions de ceux qui souhaitent qu'on modifie la loi qui régit la publicité sur les produits du tabac pour convenir à un seul événement. La Belgique elle, s'est soumise aux pressions internationales. Notre gouvernement canadien a démontré une certaine fermeté dans la protection de ses acquis et de ses valeurs. Je l'invite donc à croire aux autres valeurs du pays, soit la qualité de la main d'oeuvre canadienne, qui fait partie des avantages de notre marché, le marché de consommation que l'on représente, la disponibilité des ressources naturelles, la proximité d'un grand marché comme les États-Unis, ainsi que la stabilité sociale du pays, qui rend assez fiables les approvisionnements. Autrement dit, le Pentagone n'a pas besoin d'envoyer l'armée américaine en Alberta comme il l'a fait en Irak. Je pense qu'on a une bonne stabilité sociale ici.

À travers tout cela, il y a le taux de change du dollar canadien qui rend favorables les coûts d'exploitation pour les entreprises pétrolières au Canada. Je fais ici abstraction des libertés commerciales totales et de l'absence de réglementation qui permettent déjà une formidable compétitivité, que l'on observe dans les profits records des compagnies pétrolières.

On va parler des investissements. Lors des débats du 24 septembre dernier, le secrétaire parlementaire du ministre des Finances, M. Bryon Wilfert, énonçait 3 raisons principales pour justifier un traitement fiscal spécial et pour soutenir le projet de loi C-48.

La troisième raison tient à la concurrence directe en vue d'attirer les capitaux internationaux. Et pourtant, la plupart des données confirment qu'en 2000 et 2001, l'industrie pétrolière a investi au Canada 56 milliards de dollars dans le cadre de l'ancienne fiscalité.

Je regarde le nombre de zéro (je tenais à ce moment dans mes mains une feuille 8 1/2 par 11 avec écrit en gros le montant de 56 000 000 000 $) ; il va falloir que je travaille plusieurs années pour arriver à ce chiffre-là. Pourtant, avec l'ancienne fiscalité, on avait déjà de bons incitatifs fiscaux et on a généré 56 milliards de dollars en investissements au Canada.

Autrement dit, la précédente fiscalité ne semble pas avoir freiné les investissements massifs. Pourtant, on utilise cet argument des incitatifs à l'investissement. Je pense que les conditions actuelles les favorisent. J'aimerais citer en exemple les immenses chantiers de Terra Nova, la rivière Muskeg, Mac Kay River, Jumping Pound, White Rose, le projet Syncrude, les sables d'Athabasca, Meadow Creek et bien d'autres.

Le député de Medecine Hat, M. Monte Soldberg, a dit, le 25 septembre dernier, que chaque fois que nous retardons la réduction d'impôt des sociétés, nous retardions une augmentation de la qualité de vie des Canadiens. J'aimerais bien qu'on m'explique ce que devient notre qualité de vie quand l'industrie pétrolière vient presque doubler chaque année les dépenses des familles canadiennes pour l'achat d'essence, d'huile à chauffage et de gaz naturel.

La réduction fiscale pour l'industrie pétrolière générera un manque à gagner de plus de 3 $ milliards de dollars pour le gouvernement canadien lors de sa pleine application en 2007. Je m'excuse, mais on est extrêmement loin des 260 millions de dollars dont on parlait dans le communiqué sur le dernier budget des finances.

Avec une dette accumulée de plus de 500 milliards de dollars, est-ce que notre gouvernement a les moyens d'offrir un cadeau fiscal à la plus riche industrie du Canada ? On ne parle pas ici d'un secteur en difficulté. Ce n'est ni le boeuf canadien, ni le bois d'oeuvre, ni le transport aérien. On parle du plus riche secteur industriel. J'aimerais citer en exemple ici trois compagnies canadiennes : Shell, Pétro Canada et Esso. Les six premiers mois de 2003 ont déjà généré 242 % des bénéfices des 12 mois de 1999. Je pense que ce sont de bonnes performances.

J'aimerais donner un autre exemple. Il y a trois ans, lorsque que le ministre de l'Industrie d'alors, l'honorable John Manley, a proposé un programme d'aide aux équipes canadiennes de la ligue nationale de hockey, il a dû retirer son offre après 48 heures parce que la population avait été extrêmement choquée de voir que le gouvernement s'apprêtait à venir en aide aux millionnaires du hockey. Et maintenant, notre gouvernement ici présent veut venir en aide aux milliardaires du pétrole. Je m'excuse, mais je trouve cela extrêmement controversé. Tout comme pour la loi sur le tabac, si vous adoptez le projet de loi C-48, dans cinq ans, les compagnies pétrolières en voudront davantage. On est bien loin de l'autoritarisme du gouvernement libéral de l'honorable Pierre Elliott Trudeau.

Pour terminer, je dirai que vous offrez ces allègements fiscaux sans négocier quelques conditions que ce soit. Pétro-Canada a annoncé, le 3 septembre, la fermeture de sa raffinerie d'Oakville en raison de l'obligation de se conformer à la nouvelle loi sur le taux de soufre pour janvier 2005. Le cas d'Oakville fait planer un grand doute sur les intentions quant aux investissements futurs. Si notre gouvernement veut créer des incitatifs fiscaux pour attirer davantage d'investissements, il devrait négocier les conditions quand il fait des offres. Ne donnez rien en cadeau s'il vous plaît.

Il y a une chose qui est importante. Pétro-Canada a été la première raffinerie à annoncer la fermeture d'une de ses installations en raison de son obligation de se conformer à cette loi. Le document du ministère de l'environnement de 1999 confirme que 4 ou 5 autres raffineries vont fermer à cause de ce règlement environnemental. On parle d'investissements, alors qu'ici, on donne en cadeau des avantages fiscaux et que d'un autre côté, il y aura peut-être d'autres raffineries qui vont fermer. À ce moment-là, on est loin des investissements qu'on pense créer.

J'invite chacun des députés qui vont voter en faveur du projet de loi C-48 à retourner dans leur comté et à expliquer cela à chacun de leurs électeurs.

Merci, madame la présidente.

Après les présentations des porte-parole de l'industrie minière, chaque député présent avait 10 minutes pour interroger les témoins que nous étions. Roy Cullen, Larry Bagnell, Tony Valeri et Shawn Murphy ont tous utilisé leurs périodes de 10 minutes pour l'industrie minière. Aucun de ces quatre députés n'a formulé la moindre petite question sur mon argumentation. Pourtant, je les avais regardés droit dans les yeux, prêt à faire face à toute contre-argumentation. Leurs arguments en faveur de C-48 étaient bidons et je les avais détruit un à un. Je souhaitais que l'un d'eux me pose une seule question.

Vint le tour de M. David Chatters, du comté de Athabasca, pour l'Alliance Canadienne. Nous avions déjà croisé le fer en mai 2003 au comité d'enquête sur l'industrie pétrolière. À la suite de ses quelques interventions à ce comité, je l'avais étiqueté comme celui qui sème ses plants de tomates dans des sables bitumineux, tellement son discours ressemblait à un rapport annuel de compagnie pétrolière.

On se retrouvait donc ce soir-là et il semblait me reconnaître. La présidente lui donna la parole.

M. David Chatters : *Merci, madame la présidente.*

Eh bien il est difficile de comprendre le raisonnement de M. Quintal à ce sujet et de comprendre ses propos au sujet du discours de mon collègue à la Chambre des communes. On perçoit clairement ce que peut apporter un régime fiscal concurrentiel à un secteur, en fait non seulement au seul secteur, mais au pays entier en ce qui a trait à son niveau de vie et à la création de la richesse qu'entraînent les investissements.

Je n'ai certainement pas besoin d'aller en Irlande pour le constater, ni ailleurs ; je le constate dans ma propre circonscription.

Vous ne pouvez tout simplement pas vous permettre de croire que l'industrie pétrolière et gazière pourrait investir 52 milliards de dollars par année si elle n'était pas rentable et concurrentielle. Le secteur doit être concurrentiel pour attirer ce type d'investissement. Lorsque vous recevez ce type d'investissement, vous obtenez de nouveaux emplois comme ceux dans le secteur des sables bitumineux de Fort McMurray. Je ne vois pas comment on pourrait prétendre le contraire.

Mais ce n'est pas là le but véritable de mon intervention. Je souhaite plutôt me pencher sur quelques-unes des préoccupations de l'industrie minière.

Après qu'il eut prononcé mon nom, je m'attendais à une question. J'écoutais son allocution avec une concentration totale pour bien voir venir une éventuelle question. Et vlan ! Il s'est retourné vers l'industrie minière. J'avais le goût d'un bon face à face avec ce monsieur. Hélas!

Il ne restait plus que l'interrogatoire du député du Bloc, M. Pierre Paquette.

Il centra la majeure partie de son interrogation sur l'industrie minière puis, à la fin, il m'a regardé et posé une question. J'ai senti que c'était pour éviter que j'aie l'air d'une plante décorative.

M. Pierre Paquette : *Monsieur Quintal, j'ai écouté avec attention votre présentation. Une autre chose qui nous fatigue beaucoup dans le projet de loi C-48 est qu'il avantage le secteur pétrolier alors que ce dernier est déjà dans une situation extrêmement avantageuse. On nous a dit hier que lorsque cette réforme aura été mise en oeuvre, son coût annuel sera de 250 millions de dollars par année et que 80 % de ce manque à gagner pour le fédéral ira à l'industrie pétrolière.*

De votre côté, vous estimez que les coûts seront de 3 milliards de dollars lorsque la réforme aura été pleinement mise en oeuvre. J'ai soulevé cette question hier. Je disais que déjà, on voyait dans les rapports financiers des multinationales du pétrole qu'elles escomptaient des profits qui équivalaient à environ 250 millions de dollars. Donc, on se demande qui d'autre va bénéficier de la réforme à part elles. On nous a parlé de 250 millions de dollars sur l'ensemble de la période. J'ai demandé à voir les études, mais on n'a pas été capable de me dire si je pourrais les voir. Par contre, on m'a dit qu'on pourrait voir la méthodologie. Il serait intéressant de voir la méthodologie avant de voter sur le projet de loi. J'espère qu'on acquiescera à cette demande du comité.

Comment avez-vous estimé ce montant de 3 milliards de dollars ? À partir de quelle méthode en êtes-vous arrivé à cette conclusion ?

M. Frédéric Quintal : *Malheureusement, à ce sujet, je dois dire que je ne suis qu'un consommateur qui est monté aux barricades et que je n'ai pas les moyens financiers d'investir dans une étude. J'ai fait des démarches auprès de certains fiscalistes, et il aurait fallu que j'investisse 5000 $ de mon argent pour avoir une étude ayant toute la crédibilité voulue et difficile à réfuter.*

Au mois d'août, j'ai consacré une douzaines d'heures à vérifier les projections d'exploitations futures dans chacune des compagnies accessibles par Internet, c'est-à-dire environ huit compagnies pétrolières ; Talisman, Anadarko, Shell, Pétro Canada, Husky et quelques autres. Je suis arrivé à ce chiffre au bout d'une douzaine d'heures.

Naturellement, tous ceux qui s'opposent à ma position pourront facilement détruire cet argument. Donc, je n'irai pas plus loin. J'espère simplement qu'en janvier 2008, lorsqu'on aura les résultats de l'année financière 2007, on constatera que je me suis trompé. Mais la projection que j'ai faite avec ce programme progressif indique qu'on va frôler les 3 milliards de dollars. Je ne pense pas que notre gouvernement canadien, qui a encore une dette énorme à rembourser, ait les moyens de se priver de ces revenus pour favoriser l'industrie la plus riche au Canada, qui a déjà beaucoup bénéficié des largesses du gouvernement au niveau des affaires. Elle a pu jouer avec la marge de raffinage au cours des cinq dernières années, et on a pu constater des fluctuations de plus de 250 %. Elle a fait passer la marge de raffinage de 0.05 $ à 0.18 $ le litre, surtout le 21 août dernier, parce qu'elle base ses prix de gros (B) sur ceux du marché américain, qui lui, n'est plus en mesure de répondre adéquatement à la demande. Mais malheureusement, il a été convenu, lors de la signature de l'ALENA au début des années 1990, qu'on baserait les prix de gros canadiens sur les prix américains.

M. Pierre Paquette : *Selon vous, un allègement fiscal consenti aux pétrolières ne se rendrait jamais à la pompe, n'est-ce pas ? Le consommateur n'en verrait jamais la couleur.*

M. Frédéric Quintal : *Non, on verra simplement un accroissement additionnel des profits des compagnies pétrolières. Je vous rappelle qu'en 2003, en six mois, sans ce programme, trois compagnies, soit Esso, Shell et Pétro Canada, ont déjà dépassé de 242 % les profits nets des 12 mois de l'année 1999, qui était considérée comme une très bonne année.*

Jugeant à ce moment que je jouissais du privilège unique de disposer d'un droit de parole, sitôt terminée ma réponse au député du Bloc Pierre Paquette, je dirigeai dare-dare une question vers le député Chatters, sans point et ni virgule.

F. Q. *J'aimerais poser une question au député Chatters ...*

Et la présidente de m'interrompre immédiatement : *Malheureusement les témoins ne peuvent pas s'interroger entre eux.*

Ce qui déclencha un grand éclat de rire. Je venais de tenter de briser cet univers de protocole, mais on ne m'en tenait pas rigueur.

Au cours de l'année 2004, les seules redevances pétrolières et gazières en Alberta, ont totalisé 4,25 milliards de dollars, selon les données du budget de l'Alberta pour l'année 2004. Pour la même année, la déductibilité des redevances sur le pétrole et le gaz se situe à 25 % et le taux d'impôt fédéral réduit à 26 %. Donc, le trésor fédéral perd 276 000 000 $ de revenus et on ne compte pas ici les autres provinces et territoires qui reçoivent des redevances tirées du pétrole et du gaz, entre autres Terre-neuve et la Nouvelle-Écosse. Le document de présentation mentionne pourtant un montant de 55 000 000 $ pour l'année 2004. Faut-il en parler à la vérificatrice générale ?

La séance terminée, je repris la route de Montréal. Je remis en marche mon téléphone cellulaire dont la boite vocale ne contenait aucun message. Je me consolai à l'idée que j'avais fait mon devoir de citoyen soucieux de dénoncer ce que certains qualifieraient d'abus.

Quelques jours plus tard, en ce début octobre 2003, certains médias déclenchèrent une tornade avec un fait divers. On venait de découvrir que la fille du ministre de la Justice du Québec pratiquait le métier de danseuse et c'était devenue la nouvelle du jour. Elle n'avait rien fait de mal, rien que de travailler pour suivre le train de la société de consommation. Pas d'accident, pas de vol, pas de corruption, pas de fraude, pas de drogue, pas de prostitution, pas de voie de fait, pas d'entrave à la justice. Seulement que de travailler pour avoir une place honorable dans la société. Mais c'est demeuré le sujet du jour et même du lendemain. L'ampleur accordée à ce fait divers demeurera discutable.

Quelques jours auparavant à Ottawa, un comité spécial avait siégé pour faire la démonstration évidente et absurde d'une réduction fiscale de plus de 25 % à la plus riche industrie au Canada. Un communiqué de presse avait été émis pour informer les médias de l'événement. Un simple citoyen avait contacté quelques-uns de ces médias le jour même et quatre députés n'avaient pas daigné défendre leurs arguments indéfendables sur cette réduction fiscale qui se traduira par un manque à gagner de l'ordre de 3 milliards de dollars par année pour le gouvernement central. J'aimerais qu'on m'explique ! Ce soir-là j'ai sauté les plombs. La vie privée de la fille d'un politicien avait obtenu plus d'espace qu'une manoeuvre politique de 3 milliards de dollars !

Une créativité fiscale :

Serait-il possible que nos gouvernements consentent une réduction du taux d'impôt aux travailleurs et travailleuses qui sont actifs sur le marché du travail depuis disons vingt ou vingt-cinq ans ? La justification serait que l'énergie disponible pour le travail n'est pas la même qu'à vingt ans. On pourrait nous répondre que c'est farfelu, de ne même pas y penser.

Pourtant, l'industrie pétrolière bénéficie de ce genre de privilège fiscal sous le couvert d'amortissement pour épuisement du gisement. Dans les rapports financiers, il loge sous l'étiquette « amortissement, épuisement et mise en service ». Il n'est donc pas évident à préciser. Souhaitons que les ministères du revenu fédéral et provincial pourront obtenir l'information. Car, pour l'année 2004, ça représente un montant de 908 $ millions chez Imperial[5] et un montant de 722 $ millions chez Shell Canada.[6]

À quand une réduction fiscale en fonction de la force des vents ou de la hauteur des vagues ? La créativité n'a pas de limites !

---

[5] Rapport annuel 2004, Esso.
[6] Rapport annuel 2004, Shell Canada.

Le règlement sur la réduction de la teneur
en soufre contenue dans l'essence

Le premier contact :

J'ai entendu parler de cette réglementation pour la première fois en février 2001, lors de la première réunion du comité consultatif de l'ICPP à Toronto. On nous avait alors présenté l'échéancier, les intervenants et les nouveaux taux de soufre à atteindre pour répondre aux nouvelles exigences. Ces gens de l'industrie procédaient d'une façon qui me faisait penser à une expérience de laboratoire. Ils nous avaient réunis pour mesurer nos points de vue et nos réflexions. Même si l'industrie bénéficiait d'un délai encore raisonnable avant de devoir appliquer les nouvelles normes, nos hôtes nous présentaient ce programme de réduction du soufre comme une obligation imposée par une entité externe style « l'industrie doit se conformer à des exigences environnementales qui lui sont imposées ». Ça avait eu comme effet de rendre l'auditoire sympathique à l'industrie qui aurait à faire face à des contraintes environnementales jugées coûteuses.

Près de deux ans plus tard, le 30 décembre 2002, je me suis rappelé que l'application du règlement sur le soufre viendrait à échéance le 1er janvier 2005. Dans 2 ans exactement. J'ai pensé alors que ça pourrait intéresser les média. Nous étions durant le temps des fêtes et je savais par expérience que l'actualité est tranquille durant cette période, car les entreprises et les institutions politiques sont en congé, ce qui inclut probablement les représentants des compagnies pétrolières. En conséquence, les salles de nouvelles risquent d'être aussi occupées que le réparateur Maytag. Je téléphonai au Journal de Montréal en début d'après-midi du 30 décembre 2002. Je tombai sur un journaliste que mon dossier sur l'échéance du règlement relatif au taux de soufre intéressa. En fin de journée, j'étais à son bureau même au Journal de Montréal. Je lui présentai quelques documents à l'appui durant notre rencontre d'une quinzaine de minutes.

Le lendemain matin le journal titrait : *Le litre à 1 $ d'ici 2 ans ?* ... en page 36 ! Je me dis que nous étions le 31 décembre et qu'en page 36, ça ne devrait pas faire affluer les demandes d'entrevues de la part des autres médias. Je rentrai chez moi et me couchai. En m'éveillant vers midi je vérifiai ma boîte vocale. Elle contenait cinq ou six demandes d'entrevues pour commenter la déclaration du litre à 1 dollar... et je les avais toutes manquées ! La plupart dans le cadre d'émissions du matin entre 6h00 et 9h00. Seul LCN pouvait encore me prendre en direct dans son bulletin de nouvelles. Ce qui fut fait dans l'heure suivante.

Pour l'entrevue avec le Journal de Montréal, je disposais, pour toute information sur le sujet, des documents que m'avait remis l'industrie pétrolière et quelques articles de journaux. Il fallait en savoir plus. Je voulais maîtriser davantage ce dossier sur le taux de soufre car j'anticipais qu'il y aurait bel et bien un impact important sur les prix à l'échéance de janvier 2005, ou peu de temps après. De la réunion du comité consultatif de Toronto, j'avais gardé le souvenir que quatre intervenants avaient participé à l'élaboration de ce règlement sur le taux de soufre : l'industrie pétrolière, l'industrie automobile, le ministère de l'industrie et le ministère de l'environnement. Je décidai donc un beau jour de janvier 2003 de faire une visite au bureau du ministère de l'environnement sur la rue McGill, dans le vieux Montréal.

Je me dirigeai vers le premier étage qui semblait ouvert au public. Ce qu'on y trouvait concernait exclusivement l'environnement aquatique du fleuve St-Laurent. Je demandai l'aide d'un employé. Je ne voulais surtout pas me faire répondre que ce que je cherchais était à Ottawa, qu'il fallait remplir un formulaire ou prendre un rendez-vous. Je voulais des documents traitant du taux de soufre dans l'essence. La terminologie utilisée dans le dossier ne disait rien à mon interlocutrice qui me dirigea vers un autre étage où logeait le département des enjeux atmosphériques.

Je me présentai à la réception de l'étage en question. La préposée partit à la recherche d'un employé qui connaîtrait le sujet qui m'intéressait. Elle fut de retour après un bref instant. Un ingénieur qui avait suivi le dossier sur le taux de soufre pouvait m'accorder quelques minutes. La rencontre dura finalement presque une heure. L'ingénieur répondit à une foule de questions de ma part et je le quittai en emportant deux documents qui expliquaient toute l'élaboration de ce programme de réduction du soufre dans l'essence. Je m'étais présenté dans cet édifice avec peu d'attente. Et je ne voulais pas investir plus que le coût du parcomètre dans la recherche de cette documentation-là. Jusqu'ici, dans la défense de cette cause, quantité de démarches n'avaient abouti à rien. Ça faisait du bien d'avoir été favorisé par le destin ce jour-là.

Le document du ministère de l'environnement :

Conformément à la procédure parlementaire, le règlement sur le soufre dans l'essence était passée par le ministère de la justice du Canada avant de devenir partie intégrante de la loi canadienne sur la protection de l'environnement. Il a été enregistré le 4 juin 1999 sous l'appellation suivante :

a L.R., ch. 16 (4ᵉ suppl.) b L.C. 1992, ch. 1 , art. 144, ann. VII, art. 18.

Ce document du ministère de la justice présente une explication du règlement passablement technique et très juridique. Aussi me référerai-je plutôt ici au document de la Gazette du Canada publié en juin 1999.

Description du problème :

Le soufre est une composante naturelle du pétrole brut. Sa teneur dans les carburants dépend de la source du brut et de la réduction de son taux au cours de l'étape du raffinage. Les teneurs élevées en soufre augmentent la quantité de polluants libérés par les véhicules automobiles et contribuent grandement à la pollution de l'air.

Les émissions de polluants provenant des véhicules alimentés à l'essence causent des dommages considérables à la santé et à l'environnement. La combustion de l'essence est, de loin, la plus importante source au Canada d'émissions combinées de dioxyde de soufre, de sulfates, d'oxydes d'azote, de composés organiques volatiles et de monoxyde de carbone. Ces émissions sont plus concentrées dans les zones densément peuplées.

Le 8 novembre 1994, le Conseil canadien des ministres de l'environnement (CCME) a donc mis sur pied un groupe d'étude sur les véhicules et les carburants moins polluants. Ce groupe était chargé d'élaborer des options et des recommandations pour une approche nationale relative à des normes d'émissions et de rendement des nouveaux véhicules et la formulation des carburants au Canada.

En octobre 1995, une des recommandations se lisait comme suit : *Il est recommandé qu'Environnement Canada, en consultation avec les provinces et les intervenants, prenne l'initiative d'élaborer et de mettre en application une norme nationale réglementée pour l'essence.*

Les industries automobiles et pétrolières ont entrepris de leur côté des études en vue de déterminer quelle teneur en soufre dans l'essence permettrait de rendre les carburants compatibles avec les technologies utilisées dans les véhicules produisant peu d'émissions.

Environnement Canada a procédé à des évaluations en vue d'établir une limite de soufre dans l'essence qui serait efficace par rapport aux coûts et qui tiendrait compte des avantages qui en résulteraient pour la santé et l'environnement.

L'ensemble de ces études, recommandations et évaluations a accouché du règlement suivant :

Règlement sur la teneur en soufre :

Le règlement limite la teneur en soufre de l'essence à une moyenne de 30 parties par million (ppm) et à un maximum à ne jamais dépasser de 80 ppm. L'introduction de l'essence à faible teneur en soufre au Canada s'est faite en 2 étapes : à compter du premier juillet 2002, la teneur en soufre de l'essence a été limitée à 150 ppm en moyenne ; à compter du 1er janvier 2005, à 30 ppm.

L'approche par étape intérimaire de 150 ppm a procuré des avantages à court terme. Elle a donné à l'industrie pétrolière l'occasion de répartir les dépenses sur plusieurs années et de prendre avantage des technologies de réduction moins coûteuses qui allaient venir.

Cette exigence d'une teneur en soufre de 30 ppm aura des incidences variables sur la compétitivité des raffineries canadiennes. Le rapport sur la compétitivité, préparé par un consultant pour le groupe d'experts sur les coûts et la compétitivité, estime que trois à quatre raffineries pourraient voir leur viabilité économique menacée si l'essence à 30 ppm de soufre est exigée au Canada. Cependant, le même rapport indique que certaines raffineries vont, en fait, augmenter leur marge de profit dans les mêmes circonstances.

Dans ses commentaires sur l'ébauche du règlement sur le soufre, l'ICPP a inclus le résumé d'une ébauche de rapport d'un consultant évoquant les effets du règlement sur la compétitivité. Cette ébauche suggérait que de deux à six raffineries seraient mises à risque par le règlement. Le consultant exprimait l'opinion que ... *les risques de fermeture de raffineries et de pertes d'emplois seraient grandement réduits par l'harmonisation des règlements canadien et américain concernant le souffre dans l'essence.*

La comparaison des exigences environnementales du Canada sur l'essence avec celles en vigueur aux États-Unis constitue un aspect important de la compétitivité. Les États-Unis affichent présentement une variété régionale de normes traitant diverses questions environnementales, telles que les produits oxygénés, la tension de vapeur, les substances toxiques et les émissions d'hydrocarbures et d'oxyde d'azote. Ces exigences entraînent des restrictions sur la qualité environnementale de l'essence exportée du Canada vers les États-Unis.

L'équilibre entre l'offre et la demande de l'essence sera moins perturbé si les autres intervenants adoptent des exigences semblables en ce qui a trait à la teneur en soufre de l'essence. Le Canada a développé un règlement et un échéancier assez harmonisé avec l'Europe, qui est sa principale source d'essence importée.

Prenant en considération les préoccupations des raffineurs et des importateurs d'essence canadiens, le Canada entend encourager l'EPA (Environment Protection Agency) des États-Unis à adopter des exigences limitant la teneur en soufre de l'essence selon un échéancier comparable au sien.

Enfin, le groupe de travail gouvernemental, présidé par Environnement Canada, regroupait des représentants de quatre ministères fédéraux soit : Santé Canada, Industrie Canada, Transport Canada et Ressources Naturelles Canada.

Ces paragraphes qui précèdent résument donc certains éléments principaux du document du ministère de l'environnement. Dans ce qui suit, j'expose les conséquences.

En ce début d'année 2003, on pouvait appréhender la ou les éventuelles annonces de fermeture de raffinerie. Or le document du ministère nous apprend que quatre ministères fédéraux le savaient déjà depuis au moins le mois de juin 1999. De plus, le président de Valero Energy (le nouveau propriétaire d'Ultramar depuis avril 2001) monsieur Bill Grehey, ne s'était pas caché pour déclarer dans son rapport annuel de 2002 [1]:

Depuis 1981, le nombre de raffineries américaines a diminué de moitié. Et aucune nouvelle capacité importante ne pointe à l'horizon. En réalité, les spécifications à l'égard de l'essence et du carburant diesel à faible teneur en soufre imposées par le gouvernement fédéral qui prendront effet dans les prochaines années, devraient réduire les volumes d'essence de 100 000 b / j, et les volumes de distillats de 320 000 b/ j aux États-Unis. De plus, ces modifications coûteuses, causeront la fermeture d'un certain nombre de petites raffineries, et le resserrement des spécifications du carburant, se traduira par une diminution des importations de produits raffinés aux États-Unis. Par conséquent, la croissance de la demande américaine devrait surpasser l'augmentation de la capacité de production au cours des prochaines

---

[1] www.valero.com/investor relations/financial reports/2002 annual report french).

années. Il devrait donc en résulter un contexte où les marges dépasseront la moyenne.

Bill Grehey, président Valero Energy, San Antonio, Texas.

Cette déclaration était donc connue publiquement en mars 2003. Continuons…

Quel milliard est vrai ?

Pour ce qui est de la situation des raffineries situées au Canada, un communiqué de l'ICPP,[2] émis le 10 mai 2002, a rapporté les propos suivants de la part de son président : *Je peux vous annoncer avec plaisir que tous les membres de l'ICPP sont clairement engagés dans la réduction de la teneur en soufre de l'essence. Les plans soumis par les compagnies représentent un immense projet qui exigera une dépense totale de 1,8 milliard de dollars de la part de nos membres.* C'étaient des paroles prononcées lors d'une séance d'information organisée à l'intention du ministre fédéral de l'environnement, l'honorable David Anderson échappa. Au cours de cette même réunion, le ministre Anderson s'est même laissé aller à formuler le commentaire suivant : *Je suis convaincu que tous les Canadiens sont reconnaissants à l'Institut canadien des produits pétroliers de passer à l'action.*

Et pourquoi pas ! Nous également, exprimons-nous avec enthousiasme : *Nous sommes convaincus que tous les Canadiens sont reconnaissants à l'ICPP de passer à la caisse. Nous sommes convaincus que tous les Canadiens sont reconnaissants au gouvernement libéral fédéral de passer à l'inaction.*

Lorsqu'est venu le temps de commenter les profits records de 2003 et de 2004, les représentants de l'industrie pétrolière ne parlaient plus d'un investissement de 1,8 milliard de dollars pour se conformer aux normes du règlement sur le soufre, mais de quatre, cinq et même six milliards de dollars. Est-ce que le président de l'ICPP se serait trompé ? Non. Quand on fait le calcul des dépenses effectuées par les compagnies pétrolières au Canada, on arrive plus près de 1,8 milliard que de six milliards.

Encore le 19 octobre 2004, à l'émission de télévision « Dans la mire » avec l'animatrice Jocelyne Cazin, un porte-parole de l'ICPP a repris les même propos : *… présentement, on est en train d'investir 6 milliards de dollars pour des essences plus vertes, du diesel plus vert. Juste au Québec,*

---

[2] www.icpp.ca / communiqué de presse 2002.

les trois raffineries québécoises, 2 milliards de dollars depuis deux ans et pour les deux prochaines années. Donc ces investissements-là, très importants, nécessitent que les pétrolières soient profitables.

Voici maintenant les vrais montants dépensés, et ce, à partir des communiqués émis par les compagnies pétrolières elles-mêmes :

- Le 9 mai 2003, Pétro-Canada et Shell investiront près de 300 $ millions à leur raffinerie de Montréal pour se conformer aux nouvelles normes sur le soufre. Chez Shell, cet investissement s'ajoute à un autre d'environ 75 $ millions effectué au cours de la dernière année.[3]

- Le 17 juin 2003, Pétro-Canada annonce un investissement de 100 $ millions à sa raffinerie de Montréal pour se conformer à la réglementation sur la réduction du soufre dans l'essence. Ici ce 100 $ millions fait partie du montant conjoint de 300 $ millions annoncé dans le communiqué précédent. On ne le considère donc pas.

- Le 1 décembre 2004, Ultramar annonce un investissement de 350 $ millions afin de produire le diesel à faible teneur en soufre, pendant que les travaux de 300 $ millions pour produire l'essence à faible teneur en soufre sont sur le point d'être complétés.[4]

On additionne 350 + 300 + 300 + 75 = 1,025 milliards ! C'est juste la moitié de deux milliards. Tirez vos conclusions.

Ah oui. Dans cette même émission, le porte-parole de l'ICPP a répété (encore !) pour la xième fois, que parmi les pays du G8, c'est au Canada que l'essence avant taxe coûte le moins cher.

Dans le rapport de l'Agence Internationale de l'Énergie (sur lequel il se base) qui compare les prix de l'essence avant taxe, on remarque, au tableau 9, qu'effectivement, le coût du litre d'essence au Canada est plus bas que celui de la France, de l'Allemagne, de l'Italie, de l'Espagne, du Royaume-Uni, mais plus élevé qu'aux États-Unis. Mais si on regarde de plus près, on se rend compte que les données relatives aux pays d'Europe portent sur l'essence super et non ordinaire. C'est écrit en petit caractère dans le bas du tableau. Tirez vos conclusions.

Un autre point en terminant : Les dépenses engagées pour la conversion des raffineries sur la teneur en soufre ont été pour la plupart effectuées en 2003 et 2004. Or les compagnies ont comptabilisé des profits records ces années-là.

---

[3] Journal Le Soleil, 9 mai 2003, « *Pétro-Canada et Shell investiront 300 $ millions.* »
[4] Journal La Presse, 1er décembre 2004, « *Ultramar investira 350 $ millions à Lévis.* »

Pétro-Canada ferme une raffinerie :

Le 3 septembre 2003, Pétro-Canada annonçait la fermeture de sa raffinerie d'Oakville, en Ontario :

Ce mercredi 3 septembre 2003, je me rendais au restaurant lorsqu'on annonça à la radio la fermeture de la raffinerie Pétro-Canada à Oakville (Ontario). Le risque que des raffineries ferment par suite des nouvelles normes sur la teneur sur le soufre se concrétisait. Cette nouvelle m'absorba tellement que j'écourtai ma sortie. Il fallait en savoir plus sur cette décision de Pétro-Canada. Quelles raisons se cachaient derrière cette fermeture, quelles considérations financières ? S'il y avait une faille, il fallait dénoncer cette décision de Pétro-Canada.

Grâce à un contact, je me procurai une copie de la lettre que la direction avait envoyée au syndicat des employés de la raffinerie d'Oakville pour leur annoncer cette décision : ... *the timing of the shutdown will be consistent with the need to comply with 30 ppm sulphur gasoline legislation effective January 1, 2005.* À l'exemple de Valero Energy, Pétro-Canada invoquait l'obligation de se conformer à une règle environnementale trop coûteuse.

C'était plutôt une mauvaise nouvelle, puisqu'elle signifiait la perte d'emplois et le démantèlement des installations d'Oakville. Aussi Pétro-Canada avait-elle soigneusement choisi sa journée pour annoncer cette fermeture. Il va de soi que la décision avait été prise bien avant le 3 septembre. Mais en Ontario ce 3 septembre 2003 marquait le lancement de la campagne du Parti Conservateur provincial et de son chef Ernie Eves. Dans son dernier budget de 2003, il avait fait hausser, ou disons majorer le taux ontarien d'imposition des entreprises. Certaines personnes pourraient avoir été portées à penser qu'il n'y avait rien de mieux que d'agrémenter le début de sa campagne électorale avec l'annonce de la perte de quatre cents emplois ainsi que le démantèlement d'une raffinerie à Oakville.

La pire nouvelle qui nous soit venue de l'industrie pétrolière était sortie plus ou moins en catimini. Certains médias avaient fait leur travail, comme le Journal de Montréal qui lui consacra deux pages dans la section affaires ainsi que l'éditorial du jour par Jean-Philippe Décarie. Il avait intitulé son papier : *Montréal gagne mais le consommateur perd ».*[5]

Au même moment, le prix de gros de l'essence raffiné sur le Nymex (B) était passé de 1,14 $ US le gallon à 0,90 $ US. Une vérification rapide auprès

---

[5] Je Journal de Montréal, 4 septembre 2003, « *Montréal gagne, le consommateur perd.* »

d'un contact me permit de constater que le prix à la baisse du Nymex tardait à se concrétiser dans les raffineries du Québec. Pourtant, les mêmes raffineries n'avaient mis que vingt-quatre heures pour répercuter le dernier prix record à la hausse, le 21 août 2003. Bizarre qu'elles soient rapides pour répercuter à la hausse, mais lentes, beaucoup plus lentes pour le faire quand le prix baisse ! Je me suis dit qu'il fallait remettre sur la sellette l'événement de Pétro-Canada et du Nymex. Ça ferait du bon matériel qui justifierait une conférence de presse.

Je passai à l'action le dimanche 14 septembre 2003. Une heure après la publication du communiqué, RDI m'invitait pour le lendemain à l'émission Le Québec en direct, à 13h00. Ça augurait bien pour le lendemain dans les média.

Voici le document d'information remis aux journalistes :

Document de presse de l'essence à juste prix

Pétro-Canada ne doit pas fermer Oakville :

http://www.petro-canada.ca/fr/press/newsreleases/7210_8938.htm

Le 3 septembre dernier, Pétro-Canada a annoncé la fermeture de sa raffinerie d'Oakville en Ontario (83 000 barils/jour). Malgré l'accroissement de la capacité de production à ses installations de Montréal (20 000 barils/jour) il demeurera un déficit de 63 000 barils/jour. Par cette décision, Pétro-Canada pourrait donner l'impression de confirmer sa participation au resserrement de la capacité de raffinage nord-américaine, capacité qui ne répond plus adéquatement à la demande.

La décision de Pétro-Canada est basée sur l'obligation de se conformer à ce qu'eux appellent une loi et ce que moi j'appelle une réglementation environnementale sur la teneur en soufre de 30 ppm pour janvier 2005.

Pétro-Canada préfère démanteler sa raffinerie d'Oakville plutôt que d'y investir entre 250 et 300 millions de dollars. Elle a pourtant investi en 2002 dans cette même raffinerie pour amener la teneur en soufre à 150 ppm. On ne part pas de 1 000 ppm ou même 300 ppm, on est plutôt près de la nouvelle norme.

Elle investira par contre 150 millions de dollars à Montréal, 85 $ millions dans l'agrandissement du pipeline Montréal-Farran Point (Cornwall).

Dans leur communiqué, il leur en coûtera 200 $ millions après impôt pour cette opération de consolidation des activités de raffinage alors que les investissements nécessaires se chiffrent à 250-300 $ millions.

Si l'argument est la petite capacité de la raffinerie d'Oakville (83 000 b/j), Shell Canada a pourtant effectué l'investissement à sa raffinerie de Sarnia (72 000 b/j).

Ils sont prêts à investir 150 $ millions à Montréal pour 20 000 b/j, mais pas 300 $ millions pour conserver 83 000 barils/jour.

Une autre façon de voir le tableau est qu'il diminue leur capacité de 63 000 b/j au coût de 100 $ million, mais ils investissent 150 $ millions pour 20 000 b/j à Montréal !

	Oakville en activité	*Oakville fermé*
Capacité de raffinage	*83 000 b/j*	*+20 000 b/j Montréal*
Coût pour ajuster Oakville	*250-300 $ millions*	
Consolider Montréal		*200 $ millions*

Dans le Globe and Mail, Pétro-Canada dit : ...the decison will help it by allowing it to exit from an uncompetitive business. Cette décision nous permettra de sortir d'un secteur d'affaires pas si rentable. Voici donc un tableau sur la uncompetitive business :

Les bénéfices au raffinage sont les suivants :

1999   106 $ millions
2000   272 $ millions
2001   301 $ millions
2002   257 $ millions
2003   181 $ millions (6 mois)

Pétro-Canada se prive donc de 63 000 b/j sur un total de 308 000 b/j (Montréal : 105 000, Edmonton : 120 000, Oakville : 83 000), alors que l'année 2003 s'avèrera un nouveau record dans les bénéfices liés au raffinage et alors qu'on a battu un nouveau record le 22 août avec une marge de 18 cents le litre et alors que le resserrement de la capacité de raffinage nord américaine fera davantage bondir la marge. Je m'excuse auprès de monsieur Andrew Stephens, vice-président raffinage et approvisionnement, mais je lui suggère de ne pas mentionner cette décision à l'intérieur de son curriculum vitae.

Finalement, la capacité de raffinage des 3 raffineries de Pétro-Canada a obtenu une performance d'utilisation de 101 % en 2000, de 96 % en 2001, de 101 % en 2002, de 101 % et 99 % au 1er et 2e trimestre de 2003. Toute une démonstration de la qualité et de la fierté des travailleurs de ces 3 raffineries. L'industrie considère un taux de 85 % comme le seuil de viabilité et un taux de 93 % comme un taux maximal.[6]

De plus, le 23 juin 1999, dans ses commentaires sur l'ébauche du règlement sur le soufre dans l'essence, l'ICPP a inclus le résumé d'une ébauche de rapport produit par un consultant qui adresse les incidences potentielles du règlement sur la compétitivité. Cette ébauche suggérait que de 2 à 6 raffineries seraient mises à risque par le règlement. Le consultant exprimait l'opinion que «... les risques de fermeture de raffineries et de pertes d'emplois seraient grandement réduits par l'harmonisation des règlements canadiens et américains concernant le soufre dans l'essence ».

Comme l'essence produite est déjà à 150 ppm, il est possible de demander un délai pour la fermeture et d'attendre les résultats de 2005 sur la marge de raffinage qui permettraient fort possiblement de générer le manque à investir de 100 $ millions pour ajuster la raffinerie d'Oakville.

J'apprécie que le ministre Martin Cauchon réagisse à l'intérieur d'une semaine pour participer à une activité de sauvetage du Grand Prix du Canada, activité d'une durée de 3 jours et qui génère des retombées de 75 $ millions si ma mémoire est bonne. Est-ce que le ministre de l'industrie pourrait reconnaître la problématique du Grand Prix de l'essence, qui par son absence d'intervention depuis février 2001, soit environ 130 semaines, permet à l'industrie de pomper environ 4 milliard de dollars de trop par année dans les poches des contribuables canadiens (environ une moyenne annuelle de 40 milliard de litres vendus au Canada).

Dans le but d'inciter le ministre de l'industrie, l'honorable Allan Rock de remarquer que la population est sensibilisée face à cette situation, j'invite la population à démontrer son soucis au ministre par un boycotte des stations services Pétro-Canada pour une durée symbolique d'une semaine et de remettre sa carte Pétro-points par la poste.

---

[6] Assemblée nationale du Québec, débat de la commission des transports et de l'environnement, 19 février 2003, 15h00, page 2.

Boycotte :	*15 au 21 septembre 2003.*
Carte Pétro-Points :	*L'essence à juste prix C.P. 55008 11, Notre-Dame Ouest Montréal, Québec H2Y 4A7*
Ministre Allan Rock :	*Rock.a@parl.gc.ca*
	Fax : (613) 947-4276

L'objectif de cette initiative n'est pas de faire un ultimatum au ministre, mais de permettre à la population de démontrer une opinion publique significative, si ça existe encore en 2003. La réponse de la population à cette activité facile et accessible de mobilisation sera critique parce qu'après il sera trop tard.

En tout, six médias se sont présentés et onze autres ont accordé des entrevues par téléphone. Encore une fois, je me suis fait prendre à mon propre jeu. Voulant m'assurer d'attirer l'attention des médias, j'inclus deux sujets à l'ordre du jour :

a) La démonstration comptable que la fermeture de la raffinerie d'Oakville était douteuse.

b) Une demande au Bureau de la concurrence d'enquêter sur les raffineries québécoises qui tardaient à répercuter le cours à la baisse de l'essence du Nymex. C'était trop.

Les journaux, via la Presse Canadienne, mirent l'accent sur la demande d'enquête au Bureau de la concurrence.

Proposition d'achat de la raffinerie d'Oakville :

Quelques semaines plus tard, en novembre, il me vint à l'esprit de tester auprès de Pétro-Canada, une proposition d'achat de la raffinerie d'Oakville dont la fermeture annoncée allait lui coûter 200 millions de dollars. Et pour donner une apparence de sérieux à la démarche pourquoi ne pas l'associer à un partenaire financier aux reins solides ? Je songeai à la Caisse de dépôt et placement du Québec. J'adressai à un responsable des investissements industriels à la Caisse la proposition suivante :

Proposition d'achat de la raffinerie de Pétro-Canada à Oakville :

Tant qu'à dépenser 200 $ millions pour démanteler leurs installations de raffinage et transformer le site en terminal, nous démontrons une démarche *sérieuse pour investir dans les modifications nécessaires pour se conformer à la réglementation environnementale sur la teneur en soufre, maintenir les emplois et même proposer un prix pour l'acquisition. Autrement dit, nous proposons à Pétro-Canada de faire de* l'argent avec cette raffinerie au lieu d'inscrire une dépense pour la fermer et la démanteler. Il serait alors peut-être possible que les actionnaires incitent la compagnie à considérer une solution qui permettrait d'éviter une dépense de 200 $ millions de dollars.

Approvisionnement en pétrole brut :

* Par le pipeline de l'ouest.
* Par le pipeline Portland-Montréal et Montréal-Sarnia.

Discussion avec les clients de cette raffinerie :

* Le réseau actuel de Pétro-Canada.
* Le réseau d'Olco et voir une possibilité de partenariat avec eux.
* Le réseau de dépanneur et poste d'essence de Couche-tard en Ontario par la chaîne Silcorp.

Les bénéfices au raffinage sont les suivants :

1999	106 $ millions.
2000	272 $ millions.
2001	301 $ millions.
2002	257 $ millions.
2003	181 $ millions.

Montréal :	105 000
Edmonton :	120 000
Oakville :	83 000
	———
Total :	308 000 b/j

Finalement, la capacité de raffinage des 3 raffineries de Pétro-Canada a obtenu une performance d'utilisation de 101 % en 2000, de 96 % en 2001, de 101 % en 2002 et de 101 % et 99 % au 1er et 2e trimestre de 2003. Toute une démonstration de la qualité et de la fierté des travailleurs de ces 3 raffineries.

L'industrie considère un taux de 85 % comme le seuil de viabilité et un taux de 93 % comme un seuil maximal.

Projection des revenus pour la raffinerie d'Oakville :

La capacité est de 83 000 barils par jour, soit 27 % des profits de 2003 au secteur raffinage, soit une projection de 97 $ millions de bénéfice net au raffinage pour la raffinerie d'Oakville. Considérant que la réglementation environnementale sur le taux de soufre resserrera la capacité de raffinage en Amérique du nord et exercera une pression sur la marge de raffinage, on peut projeter une marge moyenne de 14 cents le litre pour l'année 2005 et à venir. L'année 2003 s'enligne sur une marge moyenne de 10 cents le litre.

Les emplois :

Les employés de la raffinerie d'Oakville sont affiliés au syndicat des communications, de l'énergie et du papier, 475 emplois seront en causes au moment de la fermeture.

Les prochaines étapes :

Considérer l'opportunité. Tout comme le cas de la Gaspésia et de Repap, ces deux usines ont fermé pour cause de resserrement de l'offre. Il s'agit du même phénomène dans le secteur du raffinage.

Rencontrer les autorités de Pétro-Canada :

Leur faire changer cette décision pour qu'ils puissent considérer l'opportunité d'affaires de vendre. Évaluer les données soit les résultats financiers détaillés, les infrastructures, la structure des dépenses, l'approvisionnement de matière première et le réseau d'écoulement des produits raffinés.

Les attentes de L'essence à juste prix :

Espérer limiter le resserrement de la capacité de raffinage en créant un précédent et ainsi diminuer l'impact brutal potentiel sur les prix pour les consommateurs à partir de janvier 2005.

La proposition a été prise au sérieux par la personne contactée à la caisse de dépôt. Le projet avait du sens. Mais la question fatidique surgit : *Croyez-vous, monsieur Quintal, que l'industrie pétrolière va permettre à un joueur de l'extérieur de jouer dans son territoire ?* Je répondis qu'avec son actif de 115 milliards de dollars, la Caisse devrait continuer d'avoir les reins solides si ça tournait mal. Mais ça voulait tout dire en même temps. Les grands secteurs industriels sont souvent des cercles fermés.

Je ne me faisais pas d'illusion en contactant la Caisse de dépôt. Mais ça ne coûtait rien de tenter l'approche. Mon interlocuteur avait tout de même pris le temps de regarder la proposition. C'est juste que j'avais voulu donner du poids à la prochaine étape, celle de faire l'offre à Pétro-Canada.

J'abordai par la suite un représentant de Pétro-Canada à Montréal et lui demandai si la compagnie avait exploré la possibilité de vendre la raffinerie d'Oakville avant de choisir l'option de la fermeture. Il me fit cette réponse :

Pétro-Can. : *Ce n'est pas une option. Une fois les installations démantelées, le site est nécessaire pour convertir le tout en immense terminal.*

F.Q. : *Oui, mais les actionnaires seraient peut-être intéressés à économiser les 200 $ millions nécessaires à cette décision de fermeture d'Oakville et de l'agrandissement de la raffinerie de Montréal.*

Pétro-Can. : *Qui voudrait acheter cette raffinerie ? Toi ?*

F.Q. : *Oui et je suis en pourparler avec un partenaire financier assez solide.*

Pétro-Can : *Qui ?*

F.Q. : *La Caisse de dépôt et placement du Québec. Tu sais, ils ont 115 $ milliards d'actifs. Si vous êtes d'accord pour considérer l'option de la vente, on aimerait voir les données financières et une situation précise de l'état des infrastructures d'Oakville. L'offre tiendrait compte des investissements nécessaires pour convertir la raffinerie à la règle sur la teneur en soufre.*

Tout ceci avait été dit d'un trait sur le ton le plus sérieux du monde. Je savais que la Caisse de dépôt n'avait aucune intention d'aller de l'avant, mais Pétro-Canada ne le savait pas. Je voulais l'entendre me dire que le plan était de fermer Oakville.

Pétro-Can. : *Et si vous prenez possession de la raffinerie d'Oakville, qui va écouler votre production de produits raffinés ?*

F.Q. : *La Caisse est actionnaire de Couche-tard, qui elle possède le réseau de dépanneur Silcorp en Ontario. C'est le plan B pour écouler les* *produits raffinés d'Oakville si on ne peut approvisionner vos stations Pétro-Canada en Ontario.*

Pétro-Can. : *Non. La décision est prise. Les installations d'Oakville sont très désuètes. C'est un site avec trop de contraintes.*

F.Q. : *Oui, mais l'accroissement de la capacité de la production de 20 000 b/j de Montréal ne couvre pas les besoins de 83 000 b/j d'Oakville. D'où allez-vous obtenir les 63 000 b/j manquants pour approvisionner vos clients actuels ?*

Pétro-Can. : *On a déjà fait des ententes avec des fournisseurs sur le marché des produits importés d'Amsterdam.*

Donc, rien à faire, la raffinerie n'était pas à vendre.

La fermeture est retardée :

Presqu'un an plus tard, un changement survint dans le projet de la fermeture de la raffinerie d'Oakville. Le 31 août 2004, le vice-président raffinage et approvisionnement de Pétro-Canada, monsieur Dan Socoran, faisait circuler la lettre suivante :

En septembre 2003, nous avons annoncé la fermeture de la raffinerie d'Oakville et l'agrandissement du terminal existant selon un échéancier qui tient compte de l'obligation de se conformer à la nouvelle règlementation fédérale limitant la teneur en soufre dans l'essence qui entrera en vigueur le 1ᵉʳ janvier 2005. Bien que nous ayons toujours l'intention d'aller de l'avant avec ce projet, nous avons décidé d'accroître la souplesse de notre approvisionnement au cours de la période de transition prévue en continuant d'exploiter la raffinerie jusqu'en 2005, tout en réduisant sa capacité. Un craqueur catalytique et une unité de brut seront fermés en novembre comme prévu, mais le reste des unités de traitement seront en service jusqu'à ce que la période de transition prenne fin.

Les activités de production de bitume à Oakville et à Mississauga cesseront comme prévu plus tard cette année.

Bien que nous gardions le cap sur la plupart des résultats livrables du projet, il est extrêmement important pour nous d'assurer un approvisionnement fiable à nos clients durant la période de transition, surtout que cette transition s'effectuera durant les mois critiques d'hiver, alors que la voie maritime est fermée et que les possibilités d'approvisionnement sont limitées. Pour y parvenir, nous avons élaboré une solution maison qui nous permettra de produire de l'essence à basse teneur en soufre à Oakville.

À la suite de l'annonce faite l'an dernier, un groupe de travail s'est vu confier le mandat d'élaborer une solution provisoire visant à répondre à la nouvelle réglementation. Le groupe a conclu qu'avec une charge d'alimentation modifiée, certains changements opérationnels et l'importation d'additifs entrant dans la composition de mélange de basse teneur en soufre, nous pourrions produire de l'essence à basse teneur en soufre sur une base temporaire à la raffinerie d'Oakville. La décision d'aujourd'hui nous accordera ainsi la souplesse nécessaire pour répondre à la demande de nos clients à mesure que nous mettrons notre projet à exécution.

Bien que ce mode de fonctionnement soit possible à court terme cette option n'est ni économique ni intéressante sur le plan opérationnel à long terme pour assurer l'approvisionnement de l'Est du Canada.

Ce qui soulève une interrogation ici, c'est qu'en 2006-07-08, etc., il va continuer d'y avoir un hiver ! La voie maritime du St-Laurent va geler comme maintenant. Comment les approvisionnements de produits raffinés importés vont-ils être acheminés à Oakville ?

La raffinerie a finalement cessé de produire le 20 mai 2005. Ce jour-là, le secteur du raffinage en Amérique du nord a perdu une capacité de 83 000 b/j alors que le marché exigeait un accroissement. L'exemple du règlement sur la teneur en soufre pourrait être la démonstration que lorsqu'un secteur industriel se conforme à une règle environnementale, c'est parce que ceci sera rentable. Il existe d'autres exemples à l'appui de cette thèse.

La prolifération des essences :

Depuis le milieu des années 1990, le nombre de recettes de raffinage a proliféré sur la planète. En 1996, la Californie a opté pour une essence plus propre pour faire face aux fortes périodes de smog. En 2004, les États du Connecticut et de New York ont opté pour une essence estivale. C'est une formulation de raffinage qui fait varier le pourcentage d'éthanol dans l'essence afin de diminuer son taux de volatilité. La région du Midwest américain (Illinois) a une formulation différente en fonction du pourcentage d'éthanol. Le dernier rapport du Bureau de la concurrence du Canada a relevé dix-huit essences différentes sur le marché nord-américain. Le manque d'harmonisation et la prolifération risquent de compliquer la gestion des inventaires, et donc d'influencer les prix à la hausse.

Être vert, c'est payant pour qui ?

À trois occasions ces vingt dernières années, les environnementalistes ont réussi à imposer leur position. Et dans chacun de ces cas, l'industrie pétrolière est sortie gagnante.

En 1985, le premier ministre du Québec, monsieur Robert Bourassa, a beaucoup misé sur l'expansion du potentiel hydro-électrique pour développer l'économie du Québec et se faire réélire. Il venait de publier un livre sur « L'énergie du nord » qui faisait pour une part la promotion de cette phase II de l'après Baie de James. L'objectif était de développer ce gigantesque projet hydro-électrique sur la rivière Grande Baleine et de tenter d'obtenir des garanties d'achat à long terme de la part des États du nord-est américain. Le livre contenait des données précises sur les formes d'énergie utilisées par les Américains pour faire tourner leur centrale électrique, soit le charbon, l'anthracite, le mazout, le gaz naturel et l'énergie nucléaire. Environ 90 % de l'énergie utilisée pour produire de l'électricité aux États-Unis provient d'une matière première inscrite et négociée à la bourse et de nature plutôt polluante. Monsieur Bourassa capitalisait sur l'argument d'une énergie propre et à prix stable pour valoriser son projet d'exportation chez les voisins Américains.

Malheureusement, les Américains étaient déjà très dépendants de l'importation pour leur approvisionnement en pétrole. Ils étaient réticents à devenir tout aussi dépendants pour leurs besoins en énergie électrique. Ça semble un peu paradoxal, car ils doivent de toute façon utiliser du pétrole et du gaz naturel pour produire leur courant électrique.

En 1986, un groupe de protection de l'environnement, mené par un membre de la famille Kennedy, a entrepris une grande bataille juridique et politique pour que certains États de la Nouvelle-Angleterre rejettent tout genre d'entente d'achat d'électricité issue du projet de Grande Baleine. L'argument principal invoqué pour refuser cette électricité du nord du Québec était que le développement du projet de la rivière Grande Baleine allait détruire les aires de nidification des oies blanches. Le groupe a gagné sa bataille.

Mais ce refus de s'approvisionner à même l'énergie hydro-électrique du grand nord est compensé par le recours à des centrales alimentées au charbon, au mazout et au gaz naturel qui tournent 24 heures sur 24. Simple réflexion. Les environnementalistes ont-ils vraiment gagné ? Peut-on simplement analyser quelques minutes l'hypothèse qu'un certain lobby non hydro-électrique ait pu seconder dans les coulisses ce lobby pro-environnement pour empêcher l'arrivée d'une certaine forme de compétition non équitable entre de l'électricité produite à partir de l'eau et une autre produite à partir de matières premières dont les prix fluctuent sur les humeurs de la bourse ?

L'essence reformulée de la Californie :

En 1996, la Californie a opté pour une essence plus propre en vue de faire face aux fortes périodes de smog de l'été. Cette recette de raffinage se nomme « CARB Gasoline ». CARB vient de California Air Resources Board phase II regulations.

Il faut dire ici que l'essence contient des pourcentages de benzène, d'azote, de soufre et d'autres composantes. Dans le procédé de raffinage, on peut modifier ces pourcentages en fonction des exigences environnementales requises sur un territoire donné. On peut y introduire de l'éthanol tout comme on peut modifier le pourcentage de volatilité.

La Californie a promulgué des exigences de raffinage visant à réduire de 15 % les émissions de smog provenant des véhicules moteurs et ainsi réduire les risques de cancer face à l'exposition à ces toxines de l'ordre de 40 %.

Le kilowatt double de prix :

Dans la période 1997-2000, les pressions environnementalistes ont bloqué tout projet de développement de centrales électriques dans l'ouest des États-Unis. Résultat ? L'ouest américain s'est retrouvé à l'hiver 2001 aux prises avec une crise énergétique sans précédent. Plus assez de courant électrique pour répondre à la demande. Le prix du kilowatt a subi une hausse sans précédent qui a abouti à l'adoption d'un plan d'urgence. Les dirigeants politiques ont négocié avec des alumineries (des gros consommateurs d'électricité) pour acheter leur production électrique en échange de fermer leurs installations. Il était plus rentable pour ces alumineries de vendre leur électricité que de produire de l'aluminium, même si ces arrêts de production diminuaient l'offre d'aluminium sur le marché. Et des incitatifs ont été proposés à bien des entreprises pour fonctionner en dehors des heures de pointes de consommation d'électricité.

Quand un secteur industriel tombe d'accord avec des exigences environnementales, est-ce parce que ça devient rentable ? Il faut se poser la question.

Le Bureau de la concurrence

Première demande de vérification (12 janvier 2001) :

Dans la majorité des commentaires publiés sur le babillard du site Internet L'essence c'est essentiel, la proposition de demander au Bureau de la concurrence d'intervenir face à la hausse du prix de l'essence arrivait en tête de liste. Je n'avais pas d'idée précise sur le fonctionnement de cet organisme. Le fait d'établir un premier contact par une demande d'enquête permettrait peut-être de comprendre comment il pourrait éventuellement être utile. Cette demande au Bureau de la concurrence aura donc été une première occasion de tenir une conférence de presse.

Les prix bougèrent à la hausse dans la journée du 3 janvier 2001. En soirée, j'effectuai un relevé des prix affichés dans 50 stations-service de la région de Montréal. Trente-sept stations affichaient 76,5 cents le litre et treize autres 76,9 cents. Ce relevé de prix illustrait la pratique d'un comportement similaire. L'occasion se présentait de vérifier si un tel comportement respectait les règles de la concurrence en vigueur au Canada. Je demandai également au Bureau quelles informations on devait lui fournir pour lui permettre d'identifier un comportement anti-concurrentiel.

Tel fut le sujet de mon premier exercice médiatique qui me permit de réunir dix médias.

Le Bureau de la concurrence me fit parvenir la réponse suivante :

Monsieur,

Je vous remercie de votre lettre du 12 janvier 2001 au sujet d'une augmentation des prix de l'essence qui s'est produite dans la région de Montréal le 4 janvier dernier. Je crois comprendre que vous avez déjà eu l'occasion de discuter avec un représentant du Bureau de la concurrence.

Sauf en cas d'urgence nationale, le gouvernement fédéral n'est pas habilité à réglementer de façon directe les prix de vente au détail des produits pétroliers ou les profits des sociétés pétrolières. Seules les provinces ont l'autorité constitutionnelle de réglementer les prix, mais la majorité choisissent de ne pas le faire, se fiant plutôt aux forces du marché.

Le Bureau de la concurrence est l'organisme fédéral qui veille à ce que tous les prix dans tous les secteurs de l'économie (sauf les secteurs réglementés) soient fixés par les forces du marché et échappent à toutes pratiques anticoncurrentielles. Conformément à la loi sur la concurrence (la Loi), le Bureau est tenu de mener une enquête lorsqu'il existe des motifs raisonnables de croire qu'une infraction à la Loi a été perpétrée ou est sur le point de l'être, ou qu'il existe des motifs justifiant l'émission d'une ordonnance par le Tribunal de la concurrence.

C'est ce qu'on peut appeler Bureau de la concurrence 101.

Le Bureau de la concurrence prend ses responsabilités au sérieux et il a le pouvoir de prendre les mesures nécessaires à l'égard des agissements illégaux touchant la concurrence. Depuis plusieurs années, le Bureau est impliqué dans plusieurs activités relatives à l'essence et aux produits pétroliers, incluant des poursuites judiciaires, des examens de fusionnement et des interventions devant des organismes de réglementation.

Toutefois, des prix similaires de l'essence ou des changements similaires dans le prix de l'essence n'indiquent pas nécessairement une pratique anticoncurrentielle. De nombreux automobilistes au Canada basent leur choix de l'essence uniquement sur le prix. Par conséquent, les détaillants d'essence ne peuvent pas, dans les faits, vendre à des prix plus élevés que leurs concurrents à proximité immédiate sans voir rapidement leur chiffre d'affaires diminuer considérablement. Si un détaillant augmente son prix, et si les autres détaillants décident indépendamment de suivre cette augmentation, aucune infraction n'est alors commise.

Sauf s'il existe des faits indiquant que les changements des prix des produits pétroliers sont le résultats d'une entente entre les concurrents, ou qu'ils sont liés à d'autres types d'agissements anticoncurrentiels couverts par la loi sur la concurrence, le Bureau examinera toute information ou preuve qui laisse entendre un comportement anticoncurrentiel relatif aux prix des produits pétroliers et prendra les mesures appropriées. À cet égard, on peut noter que, depuis 1972, huit des onze dossiers portés devant les tribunaux ont donné lieu à des condamnations et qu'une autre cause est présentement en instance.

Si vous possédez des renseignements précis démontrant que les prix dans votre région résultent d'une entente intervenue entre des concurrents, ou tout autre genre de pratique anticoncurrentielle, je vous invite à nous les communiquer.

Sous-commissaire adjoint (affaires criminelles).

Deuxième demande de vérification (24 janvier 2001) :

Au travail, un collègue me raconta un jour qu'à l'hiver 1997, il avait travaillé sur un projet spécial pour Pétro-Canada dans la région du Bas St-Laurent et en Gaspésie. Quatre-vingt-deux stations-service de la bannière Shell sont alors passées sous la bannière Pétro-Canada. Et il me remit les documents à l'appui.

Ce cas était intéressant et méritait d'être vérifié auprès du Bureau de la concurrence. Une demande fut transmise fin janvier 2001.

Voici la réponse du Bureau de la concurrence :

En ce qui concerne votre lettre du 24 janvier dernier, relativement à une transaction complétée en janvier 1997 entre Pétro-Canada et la compagnie distributrice du St-Laurent, un détaillant indépendant de produits pétroliers qui faisait auparavant affaires sous la bannière Shell, je tiens à vous préciser que la situation que vous décrivez ne révèle aucune infraction aux dispositions criminelles de la Loi sur la concurrence. Il s'agit plutôt d'un fusionnement susceptible de faire l'objet d'un examen en vertu des dispositions relatives aux fusionnements de la Loi. Cependant, dans le cas présent il est important de noter que le Commissaire de la concurrence ne peut présenter une demande pour instituer des procédures auprès du Tribunal de la concurrence en application de l'article 92 de la Loi lorsque le fusionnement a été en substance complétée depuis plus de 3 ans, et ce, en vertu de l'article 97.

Je vous prie d'agréer mes salutations.

Sous-commissaire adjoint (affaires criminelles).

En lisant la réponse que nous valut cette deuxième demande de vérification, nous commençâmes à nous rendre compte qu'il y avait des limites au rôle d'intervention de cet organisme, que ce soit au sujet de la fluctuation des prix de l'essence ou des fusionnements de bannières.

Troisième demande de vérification (15 septembre 2003) :

Durant la première semaine de septembre 2003, le prix de l'essence raffinée sur la bourse Nymex (B) enregistra le niveau record de 1,14 $ US le gallon. Mais il chuta rapidement après le congé de la fête du travail. En vérifiant auprès d'un contact, on s'aperçut que le prix facturé par les raffineries du Québec tardait à refléter cette baisse du Nymex. Pourtant, le 21 août 2003, il avait suffit d'un délai de 24 heures aux mêmes raffineries pour répercuter à la hausse le cours du Nymex ! Cette situation justifiait une demande d'éclaircissement. Une troisième demande de vérification fut donc soumise au sympathique organisme de surveillance.

De :   L'essence à juste prix.

Date :   10 septembre 2003.

Objet :   Vérification sur le suivi des prix du Nymex 1er au 8 septembre 2003.

Madame, monsieur,

Dans les négociations sur l'accord de libre-échange 1988 Canada/ États-Unis, les raffineurs canadiens et américains ont convenu de fixer le prix à la rampe de chargement au Canada en se basant sur le cours du Nymex à New York. Cette façon de faire est confirmée dans l'étude du Conference Board de février 2001. Le 21 août dernier le prix de la gazoline sur le Nymex a grimpé de 0,98 $ le gallon en dollar US à 1,12 $ le gallon à 15h00. Cette hausse a été répercutée sur le prix à la rampe de Montréal à 8h00 am le lendemain matin 22 août.

Le vendredi 29 août 2003 à 15h00, le cours du Nymex indiquait 1,08 $ le gallon et a descendu à 0,92 $ en fin de journée. Le lundi fête du travail, le cours est demeuré le même et a poursuivi sa descente à 0,85 $ le mardi 2 septembre à midi et le reste de la semaine.

Autrement dit le mardi 2 septembre à midi, les raffineurs de Montréal qui suivent à la lettre le cours du Nymex, un des 3 (Shell, Pétro-Canada et Ultramar) avait la possibilité d'offrir à ses clients détaillants un prix coûtant de 68 cents le litre et ainsi permettre aux dits détaillants de pouvoir descendre son prix de détail à 75 cents le litre.

La réalité fut que le prix à la rampe était de 77,3 cents mercredi le 3 septembre et 74,7 cents le litre jeudi le 4 septembre.

Pouvez-vous vérifier pourquoi aucun des 3 raffineurs n'a profité de l'avantage concurrentiel que pouvait offrir le suivi du cours du Nymex. Il semble que ça pourrait mettre en doute la qualité de la concurrence pourtant constamment citée par l'industrie.

Je tiens à préciser que je ne porte aucune conclusion, mais qu'il me semble que le délai de répercussion du cours fixé sur le Nymex ne semble pas aussi rapide quand il est à la baisse que quand il hausse.

Tableau

| Date | Heure | $ US | En $ can. = 0,71 $ US et 1 gal = 3,78 litres | | |
		Nymex	Montréal	Détaillant	Consommateur
21 août	10h00	0,98 $	0,372 $	0,735 $	0,839 $
21 août	15h00	1,08 $	0,413 $	0,782 $	0,899 $
29 août	15h00	1,08 $	0,413 $	0,782 $	0,859 $
29 août	18h00	0,92 $	0,413 $	0,782 $	0,859 $
Fin de semaine de la fête du travail (31 aout, 1er et 2 septembre).					
2 sept.	Midi	0,85 $	0,413 $	0,782 $	0,839 $
3 sept.	Midi	0,85 $	0,413 $	0,773 $	0,819 $
4 sept.	Midi	0,83 $	0,413 $	0,747 $	0,799 $
5 sept.	Midi	0,84 $	0,413 $	0,747 $	0,799 $

Donc mardi midi le 3 septembre, le coûtant à la rampe pour les détaillants aurait pu être de 32 cents le litre au lieu de 41 cents.

Serait-il possible de vérifier si tout est conforme ou si le délai de répercussion n'est pas le même à la hausse et à la baisse. Et pourquoi, si c'est bien le cas, ni l'un ou l'autre des 3 raffineurs n'aurait profité de cet avantage par rapport à ses concurrents ?

Merci de faire le suivi et en vous remerciant de l'attention que vous porterez à cette démarche.

Bien à vous,

Frédéric Quintal

Porte-parole l'essence à juste prix.com

Cette fois, le Bureau de la concurrence mit un certain temps avant de répondre. Sa lettre nous parvint plus de deux mois et demie plus tard, soit le 28 novembre 2003. Elle était également rédigée dans un langage plus complexe. Encore aujourd'hui nous avons du mal à la comprendre.

Je vous remercie de votre lettre du 10 septembre 2003 au sujet des prix de l'essence. Veuillez excuser ma réponse tardive.

Bien que nous suivions de près l'évolution du secteur pétrolier aux fins de l'application de la Loi, il importe de rappeler que le Bureau de la concurrence n'est pas une agence de surveillance ou d'analyse des prix de l'essence.

Dans votre lettre, vous soulevez l'hypothèse que les prix à la rampe à Montréal semblent augmenter de façon plus rapide lorsque le prix spot de l'essence à New York augmente qu'ils ne baissent lorsque le prix spot de l'essence à New York diminue. Il est important de noter que même si cette hypothèse était confirmée, ceci ne constituerait pas en soi une preuve d'infraction à la Loi. Nous avons néanmoins effectué divers tests statistiques afin de déterminer la validité de cette hypothèse.

Nous avons tout d'abord calculé la corrélation de prix entre le prix à la rampe à Montréal et le prix spot de l'essence à New York pour 2001, 2002 et 2003. La corrélation entre deux variables mesure le degré d'interdépendance contemporaine entre elles. Nos résultats indiquent que le prix spot de l'essence à New York et le prix à la rampe à Montréal sont fortement corrélés. Ces résultats suggèrent qu'à la suite d'une augmentation (diminution) du prix spot de l'essence à New York, le prix de la rampe à Montréal devrait augmenter (diminuer) dans des proportions équivalentes.

Nous avons également effectué un test de cointégration pour déterminer si le prix spot de l'essence à New York et le prix à la rampe à Montréal étaient cointégrés. La cointégration signifie que deux variables peuvent diverger à court terme, mais converger à un équilibre à long terme. Nos résultats confirment que le prix spot de l'essence à New York et le prix à la rampe à Montréal sont cointégrés. Il est donc possible d'observer des variations à court terme sans que cela n'affecte la relation à long terme entre ces deux séries.

Finalement, pour vérifier l'hypothèse d'asymétrie, c'est-à-dire que les prix à la rampe augmentent plus rapidement suite à une augmentation du prix spot de l'essence à New York qu'ils ne baissent suite à une diminution, nous avons utilisé la même technique que celle élaborée dans l'étude du Conference Board de février 2001. Les résultats que nous avons obtenus rejettent l'hypothèse d'asymétrie des prix. Ainsi, le prix à la rampe à Montréal varie de la même façon suite à une augmentation ou à une diminution du prix spot de l'essence à New York.

En somme, à l'aide de différents tests statistiques, les résultats que nous avons obtenus réfutent l'hypothèse à l'effet que les prix à la rampe à Montréal augmentent plus rapidement suite à une hausse du prix spot de l'essence à New York, qu'ils diminuent suite à une chute du prix spot de l'essence à New York.

J'espère que ces renseignements vous seront utiles.

Salutations.

Agent principal du droit de la concurrence.

Direction générale des affaires criminelles.

La lecture de cette missive me fit comprendre que la recherche des causes des fluctuations des prix de l'essence ne fait pas partie des tâches du Bureau de la concurrence.

Quatrième demande de vérification (13 décembre 2004) :

Début mai 2004, le prix de l'essence ordinaire atteint un nouveau sommet à Montréal, soit 90 cents le litre et plus. Dare-dare, le premier ministre Paul Martin commanda une enquête au Bureau de la concurrence. Au départ, lorsqu'un politicien demande une étude ou une enquête, ça signifie généralement qu'il n'a pas l'intention d'intervenir. On savait donc qu'il cherchait à apaiser l'opinion publique. On savait également que la cause de ces récentes fluctuations records de mai 2004 résultait d'une annonce de l'agence américaine de protection de l'environnement, datant du 22 avril 2004,[1] qui a stimulé les ardeurs boursières des spéculateurs sur le gallon d'essence inscrit sur la bourse Nymex à New York. On aurait pu le dire au premier ministre. Mais il a préféré faire appel à un organisme dont ce n'est pas réellement le mandat de répondre à ce genre de question.

L'agence américaine de protection de l'environnement a dit qu'elle n'apporterait aucun changement au programme de réduction du soufre dans l'essence. Plusieurs importateurs d'essence avaient demandé à l'agence une

---

[1] www.platts.com, 22 avril 2004, EPA rejects casing us low sulfur gasoline regulations.

permission de prolonger le délai d'application pour le standard de l'industrie pour 2004 dont le taux est de 120 parties par millions parce que ceux-ci ne seraient pas en mesure d'obtenir les crédits des compagnies qui produisent déjà l'essence à faible teneur en soufre.

... L'agence américaine de protection de l'environnement mentionne aussi que l'implantation du programme de l'essence à faible teneur en soufre n'aura pas d'impact sur les approvisionnements et sur les prix.

L'agence américaine de protection de l'environnement avait déclaré que ça n'aurait pas d'impact sur les prix ! Quand on y pense, c'est à cette agence que notre premier ministre Paul Martin aurait dû envoyer la facture de ce que les consommateurs ont dû payer en conséquence de cette décision. Pensez-vous ? Il a demandé une enquête au Bureau de la concurrence ! Ou bien c'est un certain manque de compétence, ou la volonté de ne pas reconnaître ce qui se passe vraiment. Tirez vos conclusions.

Dans le cadre du mandat d'enquête qui lui avait été confié, le Bureau de la concurrence a établi comme procédure de rencontrer différents intervenants du milieu pétrolier en vue d'entendre leurs explications sur les causes des prix élevés de mai 2004. J'ai aussitôt signifié mon intention d'exposer ce qui m'apparaissait être la bonne explication. Ce sera l'objet de la quatrième demande présentée au Bureau. Ils acceptèrent même de me rencontrer en personne au bureau d'Hull. Voici le texte que j'y ai présenté :

Examen du marché pétrolier Canadien (mai 2004)

Présenté par

Frédéric Quintal

Porte-parole de L'essence à juste prix.com

Audience du 13 décembre 2004

Bureau de la Concurrence du Canada, Gatineau

Demande d'enquête du gouvernement fédéral.

Le gouvernement fédéral a tendance à se décharger sur le Bureau de la concurrence lorsque les prix des produits pétroliers raffinés fluctuent à la hausse. Or la situation relève d'autres juridictions fédérales.

Structure de fixations des prix de gros des produits pétroliers raffinés.

Les prix de gros des produits pétroliers raffinés sont référés sur la bourse Nymex (B).

Cette procédure est en vigueur depuis la signature de l'accord de libre-échange Canada-États-Unis et elle a été reconduite dans l'accord de libre-échange nord américain (ALENA).

L'étude du Conference Board de février 2001 donne sa bénédiction à ce système de marché continental, comme on peut le lire à la page 12 de son rapport :

Les prix de gros américains sont le plus important facteur qui détermine les prix de gros canadiens. L'aspect positif de cette concurrence continentale, du point de vue du consommateur, est que les prix sont influencés par les raffineries américaines qui sont plus importantes et beaucoup plus efficaces ainsi que par les conditions favorables qui prévalent aux États-Unis.

Cet argument ne se tient pas du tout. Des cas isolés de manque de production,[2] de raretés des inventaires,[3] de recettes de raffinage trop localisées (Connecticut et New York juin 2004, Midwest et Californie essence reformulée depuis 1996) et insuffisamment uniformisées à l'échelle du marché, font que le cours de l'essence sur le Nymex est volatile et sursaute à la moindre rumeur, ce dont tirent parti les spéculateurs financiers qui déclenchent souvent une frénésie profitable à leurs intérêts sur le dos des consommateurs.

N'oublions pas que l'objectivité de l'étude du Conference Board est douteuse en raison de la présence du président d'Esso sur la liste des membres administrateurs.

---

[2] Le 17 avril 2001, la raffinerie d'Aruba, dans les Caraïbes, avait subit une avarie et les conséquences de cet arrêt de production se sont fait sentir sur tout le continent nord-américain.

[3] À l'automne 2000, le consultant en industrie pétrolière Tim Hamilton présentait une étude confirmant le faible niveau des inventaires de produits raffinés et la pratique d'une gestion douteuse des inventaires.

Les événements à l'origine des fluctuations des prix de gros en mai 2004 :

Le 22 avril 2004, l'Agence américaine de protection de l'environnement fit savoir qu'elle n'apporterait aucun changement à la mise en application du programme d'essence à bas taux de soufre.

Également, pour le 1er juin 2004, les États du Connecticut et de New York ont mis en oeuvre une réglementation sur le pourcentage d'éthanol contenu dans l'essence sur leur territoire, afin de diminuer l'évaporation durant la période estivale.

Il est important de spécifier que ces deux événements n'ont pas entraîné de pénurie des produits raffinés. Par contre, pour des spéculateurs financiers, ces éléments suffirent pour énerver les cours de la bourse Nymex. De sorte que le 18 avril 2004, le cours de l'essence (Nymex gasoline) est passé de 1,16 $ US le gallon à plus de 1,45 $ US le gallon, vingt-cinq jours plus tard. Pendant vingt-cinq jours consécutifs donc, le cours de l'essence raffinée a battu un record.

Que peut faire le Bureau de la concurrence ?

Le gouvernement fédéral actuel sait que le public ne comprend pas le système de fixation des prix. Moi-même, avant de commencer à défendre ce dossier, en septembre 2000, je gobais tous les arguments servis par l'industrie ou le gouvernement. Je sais aujourd'hui que les fluctuations sur la marge de raffinage sont la conséquence d'une clause discrète insérée dans l'accord de libre-échange de 1988, laquelle a permis la création d'un marché continental des produits raffinés sur un prix de référence commun fixé à partir de la bourse des produits de commodités, le Nymex. D'ailleurs, en décembre 2004, je n'avais toujours pas mis la main sur le document O'Farrell faisant mention du système de prix rampe de chargement de juin 1985.

Ce gouvernement renvoie également la balle aux provinces qui ont juridiction sur les prix de l'essence. Une fois pour toute, mettons les choses claires.

Le prix du pétrole brut (A).

Ce prix est négocié sur une bourse et est influencé par un groupe de pays producteurs appelé OPEP.

Prix du produit raffiné, transformé, sorti de la raffinerie (B).

Le prix du produit rendu à cette étape est également inscrit sur une bourse et sert de prix de référence commun à tous les raffineurs. N'importe quel organisme de surveillance de la concurrence dénoncerait l'absence d'esprit de compétition sur un même produit et cette spéculation à un deuxième niveau dont il est l'objet. Mais l'industrie s'est dotée d'un cadre juridique qui a permis l'établissement de ce système de fixation des prix et le Canada a avalisé cette façon de faire en l'inscrivant dans les deux accords de libre-échange (1988 et 1992).

Prix minimum (G).

Prix minimal à la rampe de chargement + taxe fédérale d'accise + taxe provinciale + taxe de transport en commun + frais de transport + TPS + TVQ. Ce qui donne le prix coûtant minimum livré à la station-service. Ce qui entre sous la juridiction provinciale est donc ce prix minimum. De plus, si un commissaire ou une régie le décide, il y sera additionné un frais d'inclusion, c'est-à-dire le coût estimé des frais d'opération d'une essencerie efficace.

Prix plafond (F).

Le prix plafond est la limite de profit au détail qu'on ne doit pas dépasser. Une province peut décréter un prix plafond si elle dispose d'une loi l'autorisant à le faire. Terre-neuve s'est dotée d'une telle loi.

Le prix du pétrole brut et la marge de raffinage, qui ont causé les fluctuations excessives de mai 2004, se situent l'échelle continentale et mondiale. Elles tombent dès lors sous la juridiction fédérale.

Allons même plus loin dans notre histoire. Durant treize ans, la commission Borden créée en 1957-58, a fixé le prix de vente du pétrole brut de l'Alberta à l'ouest de la rivière des Outaouais. Le premier ministre Trudeau a pour sa part gelé le prix du pétrole sur une durée de douze à quinze mois à partir de mars 1974. Et par la suite, ce prix a été établi sur la base d'un pourcentage du prix mondial.

Recommandations :

Ce qu'on demande aux responsables de cette enquête, c'est de clarifier la situation pour de bon concernant les juridictions et les descriptions de tâches.

1- Est-ce que le Bureau de la concurrence, via son rapport d'enquête, peut informer le gouvernement que la situation des prix de mai 2004 ne correspond pas à la description de tâches du Bureau de la concurrence, mais relève plutôt d'un organisme de juridiction fédérale qui n'existe pas encore et qui a déjà existé dans le passé, soit la commission nationale de l'énergie. D'ailleurs, un comité des Communes a déjà recommandé au gouvernement de créer un office de surveillance de l'industrie pétrolière. Est-ce que le Bureau de la concurrence peut inviter le gouvernement à reconsidérer la création de cette agence ? Et avec une description de tâche élargie et plus intervenante que de simplement compiler des données du marché ? Cette dite agence de surveillance devrait avoir le pouvoir de régir, entre autres, les éléments qui influencent la marge de raffinage.

2- Est-ce que le Bureau de la concurrence peut expliquer correctement le champ d'application respectif des juridictions fédérales et provinciales derrières les composantes du prix de l'essence ?

3- Pourquoi le gouvernement fédéral n'ordonne-t-il pas la tenue d'une enquête sur le prix record atteint fin octobre sur l'essence diesel qui a connu une fluctuation de plus de 63 % sur le prix minimum à la rampe de chargement entre mars et octobre 2004 ?

4- Est-ce que le Bureau de la concurrence peut envisager de recommander au gouvernement fédéral d'identifier clairement, de concert avec le gouvernement américain, les types de spéculateurs financiers qui quelquefois créent sans justification une atmosphère de frénésie autour du prix des produits raffinés négociés à la bourse. Ceci pourrait mettre en lumière que la spéculation sur la marge de raffinage sur l'essence raffinée est née en mai 2004 du refus de l'Agence de protection de l'environnement américaine de prolonger le délai pour la production de l'essence à faible teneur en souffre.

Nous remercions les responsables du processus d'enquête de bien avoir voulu m'accorder cette séance afin d'apporter un point de vue sur ce mandat.

Frédéric Quintal
Porte-parole de L'essence à juste prix.

Le rapport d'enquête (30 mars 2005) :

Le rapport qui a suivi leur enquête a été déposé le 30 mars 2005. C'est une étude qui explique de long en large le fonctionnement du marché pétrolier pour qui veut la consulter (www.competitionbureau.ca).

Cette démarche n'a pas influencé leur réponse au premier ministre. Comme d'habitude, le Bureau de la concurrence a jugé que tout marchait sur des roulettes dans l'industrie pétrolière. Pourtant, la relecture du chapitre sur les échanges de produits fait germer des doutes sur le terme « pleinement concurrentiel », à l'heure où des compagnies pétrolières concluent des ententes d'échanges de produits entre elles. À vous de juger.

L'extrait intégral qui suit est de nature plutôt technique et demande une attention particulière.

ÉCHANGES DE PRODUITS ET ENTENTES DE MOUVEMENT DES STOCKS AUX TERMINAUX

Comme les raffineries, les terminaux sont dotés de rampes pour le chargement des camions citernes des raffineurs ou des grossistes, en vue de la livraison aux détaillants, dans le cas de l'essence et du carburant pour diesel, et aux maisons ou aux établissements commerciaux, dans le cas du mazout. Comme leur nom l'indique, les terminaux sont habituellement reliés à un important mode de transport, généralement un pipeline et parfois un chemin de fer. Dans les provinces de l'Atlantique, le navire est le principal mode de transport. Selon Ressources naturelles Canada, les vingt dernières années ont été marquées par une grande rationalisation, au point tel que, dans certains endroits, un seul terminal approvisionne nombre de fournisseurs. Il y a également eu de nombreuses fermetures de terminaux aux États-Unis, leur nombre total étant tombé de 2 293 en 1982 à 1 225 en 1997. Dans les deux pays, les fermetures ont pu être réalisées en raison d'ententes conclues entre les raffineries en vue du partage des installations.

Comme nous l'avons vu dans l'analyse de l'inversion du sens de l'écoulement effectué par Pipelines Trans-Nord, les raffineurs qui concluent des ententes d'échange de produits peuvent desservir un grand territoire sans devoir nécessairement supporter le coût de transport depuis leurs raffineries. Cependant, comme les marchés ne sont pas situés à une même distance d'une raffinerie, une prime d'éloignement doit souvent être versée. Par exemple, il faudrait verser une prime d'éloignement pour les produits fournis à Rimouski, comparativement aux produits fournis à Toronto. Les ententes d'échange de produits et de services de terminaux permettent souvent aux fournisseurs de vendre leurs produits sur un plus grand marché qu'ils ne pourraient se le permettre; du moins, les ententes leur permettent certainement de le faire à moindre coût. Les ententes favorisent la concentration de la capacité de raffinage et elles concourent donc à la construction de raffineries plus grandes.

Un autre type d'ententes vise les services de terminaux. Les contrats de services de terminaux peuvent prendre plusieurs formes. Parfois, les utilisateurs paient simplement pour les services en fonction du volume stocké et de la durée de stockage. Souvent, cependant, les ententes prévoient des mouvements en volumes égaux durant une période donnée, de sorte qu'aucune des parties n'a à faire de paiement. Parfois aussi, un terminal est exploité conjointement par les parties à l'entente. Ces différentes ententes de partage de terminaux entre des fournisseurs permettent d'éviter le double emploi. Lorsque les installations existent (comme c'est généralement le cas au Canada et aux États-Unis), les principales économies réalisées sont les dépenses liées à l'exploitation, incluant les dépenses pour l'entretien. Les raffineurs réalisent aussi des économies du fait qu'ils n'ont pas à stocker des volumes aussi importants en raison du mouvement plus rapide des stocks.

Parenthèse importante, l'instabilité des prix aux États-Unis a été attribuée en partie au fait que les raffineurs ont appris à fonctionner avec des stocks moins grands. Les stocks réduits offrent une moins bonne protection contre les hausses imprévues de la demande ou les diminutions non anticipées de l'offre. À mon avis, la diminution des stocks est partiellement liée à la fermeture de terminaux en conséquence des ententes de partage des terminaux. Si cette interprétation est juste, cette diminution des stocks représente un coût caché des ententes qui ne semble pas être reconnu. Cette question a moins d'incidence au Canada où le marché est plus petit qu'aux États-Unis, parce qu'il est relativement plus facile de remédier à l'insuffisance de l'offre par le recours à l'importation.

Comme les terminaux établis dans une région appartiennent souvent au raffineur situé le plus près d'eux, ils sont parfois un élément nécessaire à la conclusion d'une entente d'échange de produits. Les installations de mélange aux terminaux permettent à chaque distributeur, s'il y a lieu, d'incorporer les additifs à l'essence fournie par les raffineurs aux terminaux. Certes, les ententes d'échange de produits et de services de terminaux ne répondent pas à tous les besoins, comme l'a révélé l'analyse du terminal d'Ultramar à Maitland qui est approvisionné par train.

Bien que les ententes en question aient généralement pour effet d'abaisser les coûts et d'accroître la concurrence, il y a lieu d'examiner de plus près le fait que des concurrents se réunissent pour étudier une question quelle qu'elle soit. À tout le moins, les ententes fournissent aux raffineurs et à d'autres fournisseurs l'occasion de se rencontrer pour étudier l'approvision-nement. Il y a donc lieu de tenter de déterminer si les réunions peuvent offrir l'occasion d'agissements illicites ou autrement anticoncurrentiels.

Suivant les dispositions de la Loi sur la concurrence visant les com-plots, commet un acte criminel quiconque conclut avec une autre personne un accord ou un arrangement de fixation des prix ou de partage du marché ayant pour effet d'empêcher ou de réduire indûment la concurrence dans la vente ou la fourniture d'un produit. En ce qui concerne la possibilité d'accord sur la fixation des prix, il faut dire que les ententes visant les installations ou l'approvisionnement sont conclues périodiquement et à différents moments entre les parties, et que les variations de prix sont fréquentes et très rapides. Il est donc presque impossible pour des parties se réunissant périodiquement de conclure une entente sur les prix. Toutefois, on ne peut en dire autant de la possibilité d'ententes sur les écarts de prix. La possibilité qu'une réunion ayant pour but la négociation d'ententes d'échan-ge de produits ou de partage d'installations offre l'occasion de convenir de quoi que ce soit est exclue par un fait important : il s'agit toujours d'ententes bilatérales. Si les sociétés devaient courir le risque de conclure une entente pouvant entraîner une amende ou un emprisonnement, il serait bien plus facile de procéder directement plutôt que par la voie compliquée d'une série d'ententes bilatérales. Donc, non seulement n'y a-t-il aucune preuve que les réunions sur l'approvisionnement sont l'occasion de fixer les prix, mais il serait contraire au bon sens de procéder de la sorte.

Qu'en est-il de la teneur des ententes ? La réponse est différente selon que les ententes prévoient ou non la fermeture réciproque de terminaux. Seulement lorsqu'il y a fermeture est-il possible de limiter l'offre sur le marché. Supposons, par exemple, que deux sociétés aient chacune deux terminaux dans deux emplacements et que chacune convienne de fermer un terminal pour qu'il n'en reste qu'un seul dans chaque emplacement. S'il s'agit de terminaux dits « publics », c'est-à-dire accessibles à tous les intervenants sur le marché, la fermeture aurait dont pour effet de réduire l'accès général à des terminaux. Outre les terminaux liés à des pipelines, il n'y a pas, à ma connaissance, de terminaux publics ; les services de terminaux sont habituel-lement acquis par un échange de ces services. Il reste à examiner le volume que représentent les mouvements de produits dans les terminaux. Si elle lie seulement deux sociétés, l'entente sur les volumes peut être considérée comme un accord de partage de deux marchés dont les parts seraient déter-minées par les flux de produits dans les deux terminaux. Toutefois, il s'agit d'un scénario limité et hypothétique visant à illustrer les conditions dans lesquelles un examen s'impose. En fait, le nombre de fournisseurs utilisant un terminal dépendra du nombre de distributeurs n'ayant pas leur propre terminal dans la région, et chacun devra négocier le mouvement d'un volume de produits correspondant à l'approvisionnement dont il a besoin. Par conséquent, il est très peu probable que les ententes de partage de terminaux aient des effets anticoncurrentiels qui neutralisent la réduction des coûts favorable à l'élargissement du marché desservi par des sociétés et à la concurrence.

Dans une étude de la flambée des prix qui s'est amorcée en avril 2004 (la troisième en un peu plus d'un an), le phénomène a été attribué aux facteurs suivants liés au raffinage :

Une capacité de raffinage insuffisante attribuable à l'absence de construction de nouvelles installations, ce qui oblige le pays à importer environ un million de barils par jour de charges à mélanger et d'essence produites dans des raffineries étrangères ; des prescriptions de plus en plus difficiles à respecter concernant l'essence – dont l'interdiction d'utiliser du MTBE par plusieurs États (Californie, New York et Connecticut) – et les normes de 2004 visant la réduction de la teneur en soufre qui compliquent le raffinage et la distribution ; la croissance constante de la demande d'essence, qui a augmenté de 500 000 barils par jour depuis 1999, ce qui explique presque entièrement la hausse de la consommation nationale de pétrole ; la faiblesse des stocks d'essence qui, dès avril, correspondaient à une offre d'une durée de moins de deux jours à l'échelle du système ; des stocks de pétrole brut inférieurs aux niveaux saisonniers habituels, qui avaient tout récemment augmenter après avoir été inférieurs aux niveaux opérationnels minimaux. Il n'existe guère de capacité de raffinage pour accroître la production d'essence et les stocks de brut peuvent être insuffisants (en raison des faibles réserves dans les raffineries) pour permettre ce faible accroissement.

Manifestement, la hausse soutenue des marges de raffinage n'était pas attribuable à un facteur unique. Cependant, ces facteurs peuvent être classés suivant un certain ordre d'importance. Le facteur le plus important et celui dont l'effet a été le plus durable a été celui de la capacité. Selon l'information fournie, le taux d'utilisation de la capacité était d'environ 95 % dans les raffineries, si bien qu'il y avait peu de marge de manoeuvre pour affronter toute hausse imprévue de la demande ou toute diminution non anticipée de l'offre. Il est peu probable que ces conditions ne changent dans un avenir prévisible.

Comme nous l'avons vu précédemment, étant donné les obstacles habituellement énormes à l'entrée dans le raffinage, les prescriptions rigoureuses en matière de lutte contre la pollution et l'évolution incertaine de la demande future, il est très peu probable que la capacité de raffinage soit fortement accrue par la construction d'installations dans un avenir *prévisible. Comme ce fut le cas durant une partie des années 1990 et depuis, l'augmentation de la capacité s'opérera fort probablement par la modification des raffineries existantes, ce qui signifie que les États-Unis – et surtout les états de la côte est formant le PADD 1 (Petroleum Administration Defense District ou district d'administration du pétrole) – resteront tributaires des importations pour compléter l'offre insuffisante. À ma connaissance, il n'y a pas d'étude sur la capacité excédentaire de production d'essence dans le bassin de l'Atlantique. Il est généralement reconnu qu'il se produit un remplacement progressif de l'essence par le carburant pour diesel, mais l'importance de la capacité d'exportation européenne n'est pas bien connue. Partant, il est difficile d'évaluer la protection que les importations peuvent offrir contre la pression à la hausse qui s'exercera sur les prix si la demande continue de croître. Quoi qu'il en soit, seule une souplesse suffisante du système national peut prévenir une flambée occasionnelle des prix.*

En raison des faibles stocks d'essence et de pétrole brut, l'offre n'a pu être rajustée en fonction de la demande accrue de manière à éviter une montée des prix. De l'avis de certains, la faiblesse des stocks d'essence et de pétrole brut était attribuable à la situation de déport sur le marché à terme, c'est-à-dire au fait que les prix à terme étaient inférieurs aux prix au comptant parce qu'on ne prévoyait généralement pas un maintien de ces prix. Cela devait avoir pour effet de limiter la capacité des raffineurs de se protéger contre une chute des prix. Pour cette raison, la capacité disponible n'a pas été utilisée afin d'accroître les stocks d'essence et les raffineurs n'étaient pas disposés à garder en réserve plus que des quantités minimales de pétrole brut. Quelle que soit la valeur de cette explication de la faiblesse des stocks, elle ne peut tenir qu'un certain temps parce qu'il y aura enfin un rajustement des attentes. Toutefois, de fortes variations des prix du brut pourraient rétablir les conditions dans lesquelles cette explication de la faiblesse des stocks de brut et de produits pourrait à nouveau être valable.

L'existence de 18 types d'essence différents (excluant les différences attribuables à l'indice d'octane) est un autre facteur invoqué pour expliquer pourquoi l'offre pouvait difficilement être adaptée, parce qu'il en résulte une plus grande fragmentation sur le plan géographique. Bien qu'il ait souvent été question des préoccupations des législateurs à ce sujet, il semble peu probable que des mesures soient prises bientôt pour limiter les types d'essence.

Il se peut donc que les conditions ayant mené à l'augmentation des marges des raffineurs se maintiennent et qu'il y ait des périodes de flambée des prix de l'essence et d'autres produits raffinés. Si les prix du brut restent élevés, cependant, il se peut que les solutions au problème de la capacité de raffinage limitée se trouvent du côté de la demande.

Dans son rapport publié en mars 2005, le Bureau de la concurrence a ciblé le problème de la capacité de raffinage, de la prolifération des essences et des règles environnementales. Le gouvernement a en main ce rapport qui a bien cerné les causes. Donc il les connaît. Va-t-il intervenir pour changer tout ça ? Non. La sortie du rapport a eu lieu le 30 mars 2005, au beau milieu du téléroman de la commission Gomery. Pourtant, dès la fin du mois de janvier 2005, une source interne au Bureau de la concurrence a dévoilé qu'il était traduit et prêt à être rendu public au milieu du mois de février. Retard volontaire ou simple hasard ? Vous voulez qu'il y ait le moins de monde possible à votre mariage ? Faites ça un mercredi matin au lieu d'un samedi.

Le pétrole et le Canada (1947-2005)

En février 1947, la compagnie Imperial Oil (Esso) faisait la découverte du gisement de Leduc, une ville de l'Alberta située au sud d'Edmonton.[1] Par la suite, il s'est révélé que les investisseurs les plus intéressés à y investir furent les compagnies américaines plutôt que les compagnies canadiennes.

Néanmoins, à côté des grandes compagnies américaines comme Mobil, Chevron, Superior et autres, des petits producteurs canadiens se sont glissés et ont risqué l'aventure de l'exploitation du pétrole de l'Alberta. Le prix du baril sur le marché était alors plutôt bas, de sorte qu'il a été difficile pour les producteurs canadiens de grandir convenablement à travers les géants étrangers.

En 1957, le gouvernement fédéral de John Diefenbaker a créé la Commission Royale d'enquête sur l'énergie, connue sous le nom de Commission Borden, en référence à son président Henry Borden.[2] Cette commission a enfanté la Politique pétrolière nationale, qui a décrété que tout le territoire canadien situé à l'ouest de la rivière des Outaouais s'approvisionnerait en pétrole domestique de l'Alberta. C'est ce qu'on a appelé la ligne Borden. De plus, le prix du pétrole de l'Alberta y serait vendu environ 1 dollar le baril de plus que le prix du marché mondial. Ces décisions visaient essentiellement à assurer le développement de l'industrie pétrolière canadienne et la prospérité de l'économie du Canada. Cette politique a duré treize ans.

Au cours du deuxième semestre de 1973, les prix du pétrole pratiqués par l'OPEP ont commencé à s'envoler. Le gouvernement canadien et celui des États-Unis ont alors décidé de bloquer les prix du brut d'origine intérieure afin de protéger les consommateurs et d'empêcher les pétrolières de bénéficier des gains par suite de la hausse des prix du pétrole intérieur. En septembre 1973, Ottawa gelait pour une période de 5 mois, le prix du baril de brut à 3,80 $. Le contrôle des prix passait de l'industrie à l'État. Les

---

[1] Revue l'Actualité, 1er juin 2005, page 72.
[2] Commission Royale d'enquête sur l'énergie 1957-1958.

majorations de prix furent fixées dans le cadre d'un accord intergouvernemental, en mars 1974, et à des intervalles réguliers par la suite. Cette situation a prévalu jusqu'au printemps de 1985.

Lorsque les prix mondiaux du brut ont amorcé leur ascension spectaculaire en octobre 1973 (le baril est passé de 3,50 $ à 11 $ en quelques semaines), le gouvernement canadien dut se rendre à l'évidence que sa volonté de mettre les consommateurs à l'abri des répercussions de la hausse des prix mondiaux ne donnerait des résultats que dans la partie du Canada en mesure de s'alimenter au pays même. Un écart énorme s'était peu à peu creusé entre les prix contrôlés du brut en vigueur dans l'ouest canadien et les prix en forte augmentation dans les provinces de l'est. Le gouvernement décida donc de subventionner le coût du brut importé, pour éviter que la population du Québec et des Maritimes fasse, à elle seule, les frais de la flambée des prix du brut sur les marchés mondiaux. Le gouvernement fédéral s'est mis à indemniser les importateurs de brut et de produits pétroliers à compter du premier janvier 1974 afin de placer les raffineurs et, par le fait même, les consommateurs de l'ensemble du pays sur un pied d'égalité. Les recettes qu'il tirait de la taxe d'exportation du pétrole de l'Alberta vers les États-Unis permettaient à l'État de financer en partie les indemnités compensatrices versées aux importateurs de brut de l'est.

Pour diminuer la dépendance du Canada envers le pétrole importé, dont le prix fluctuait selon les humeurs des membres de l'OPEP, le gouvernement fédéral de monsieur Trudeau décida de prolonger le pipeline de l'ouest, qui s'arrêtait à Sarnia, en Ontario, jusqu'à Montréal et ainsi approvisionner certaines raffineries de l'Est par du pétrole domestique de l'Alberta. Décision rapide, construction rapide. En 1975, quatre raffineries de Montréal raffinaient le pétrole de l'Alberta.

Retour en arrière : en mars 1974, les prix du baril de brut fluctuaient entre 10,00 $ et 14,00 $. Le gouvernement Trudeau fixa alors le prix du brut à 6,50 $ le baril pour une période de douze à dix-huit mois.[3] Ce gel du prix du baril de pétrole suivait un accord intervenu entre le fédéral et les dix provinces du pays. À ce moment, on croyait que la hausse rapide du prix du baril de pétrole serait temporaire. De plus, comme l'Alberta avait bénéficié pendant 13 ans du programme fédéral d'aide financière en vertu de la Politique pétrolière nationale, elle ne s'offusquait pas trop de ne pas obtenir le prix du marché mondial pour son pétrole domestique. Ça avait été interprété comme un retour du balancier envers les consommateurs canadiens qui avaient permis à l'industrie pétrolière de l'Alberta de se développer convenablement. Voici un extrait d'un article publié le 28 mars 1974 dans le

---

[3] Journal Le Devoir, 28 mars 1974, « *Le pétrole à 6,50 $ le baril.* »

journal Le Devoir par le journaliste Claude Lemelin et traitant de cet accord sur le prix canadien :

Ottawa a d'abord accepté que le prix du pétrole brut à l'ouest de la vallée de l'Outaouais soit porté de 4,00 $ à 6,50 $ dans 4 jours. Le gouvernement Trudeau a aussi accepté de ne pas établir un mécanisme national de mise en marché du pétrole avant de plus amples consultations avec les provinces. Il a accepté que ce soit les provinces pétrolières elles-mêmes qui déterminent quelle sera la part de l'augmentation de prix de 2,50 $ qui irait aux compagnies exploitantes et celle qui serait versée au trésor provincial. Mais les gouvernements Lougheed (Alberta) et Blakeney (Saskatchewan) ont eux aussi fait des concessions de taille, puisqu'ils ont accepté que la totalité des droits fédéraux sur les exportations de pétrole soient versés au Trésor fédéral, pour financer les subventions aux provinces importatrices (quelque 1,3 $ milliard par année) qui assureront la parité des prix ainsi que le fardeau supplémentaire que devra assumer Ottawa au titre de la péréquation. Au surplus, l'Alberta et la Saskatchewan ont accepté un prix du brut moins élevé que celui qu'ils souhaitaient et qui demeurera pendant au moins un an inférieur d'environ 35 % au prix international. Autres concessions : Edmonton et Regina reconnaissent le droit d'Ottawa d'intervenir dans la détermination des prix du pétrole et du gaz. Les provinces productrices ont compris qu'une augmentation trop forte du prix du pétrole aurait des répercussions sérieuses sur l'économie canadienne, a commenté à propos M. Trudeau : et grâce à leur coopération, il sera possible de limiter l'impact de la hausse sur l'indice des prix à la consommation à 1 ou 1,25 %.

Ce climat de collaboration des provinces productrices, mais surtout de l'Alberta, aura tout de même une limite que l'on pourra constater après la présentation du Programme Énergétique National le 28 octobre 1980.

1975, le gouvernement fédéral créa la Société d'État Pétro-Canada pour se donner le pouvoir d'intervenir de l'intérieur dans l'industrie pétrolière canadienne (voir chapitre Pétro-Canada, du début... à la fin).

Une belle utilité de Pétro-Canada :

En février 1979, la révolution iranienne força le Shah d'Iran à fuir son pays. Les autorités iraniennes le soupçonnaient de s'être exilé avec l'aide des Américains en emportant une fortune personnelle estimée à plusieurs dizaines de milliards de dollars. Elles exigeaient en conséquence que les Américains le rapatrient en Iran. Les américains ont refusé. Face à ce refus d'obtempérer, l'Iran augmenta la pression en prenant en otage tous les diplomates de l'ambassade des États-Unis à Téhéran. Les Américains persistèrent dans leur refus. Les Iraniens coupèrent alors les approvisionnements en pétrole destinés aux États-Unis. Les américains ne bougèrent toujours pas.

Par contre, la coupure des approvisionnements du marché américain en pétrole iranien se fit sérieusement sentir. Pour en réduire l'impact, la compagnie américaine Exxon préleva un quota uniforme sur les approvisionnements de toutes ses filiales en dehors des États-Unis. C'est ainsi qu'Esso, sa filiale canadienne, se fit détourner un pétrolier en provenance du Venezuela en route pour approvisionner les raffineries de Montréal, pour prioriser les besoins domestiques de Exxon aux États-Unis. Cet événement vint près de causer une pénurie à la raffinerie de Montréal. Le Premier Ministre Trudeau n'apprécia pas du tout ce comportement. Quelques jours plus tard, en mars 1979, il fut adopté la loi C-42[4] qui confiait à Pétro-Canada l'entière responsabilité des approvisionnements en pétrole importé pour les raffineries canadiennes.

Le Programme Énergétique National :

Le 28 octobre 1980, le gouvernement de monsieur Trudeau fit un pas de plus vers la canadianisation de l'industrie pétrolière au Canada. Il mit en marche le Programme Énergétique National qui prévoyait l'expropriation forcée d'au moins 50 % de tout les intérêts étrangers à la recherche de pétrole ou de gaz sur les terres de juridiction fédérale.[5] Ces « Terres du Canada » (dans les archives c'est ainsi qu'on identifie les territoires nationalisés) englobaient le Yukon, les territoires du Nord-ouest, les îles de l'Arctique et toutes les ressources au large des côtes dans un rayon de 200 milles. Le ministre de l'Énergie, M. Marc Lalonde, annonça du même coup le dépôt d'une nouvelle loi sur les terres du Canada. Cette loi mettait fin à tous les permis d'exploration existants et prévoyait pour leur renouvellement que :

- Pétro-Canada, ou toute autre société d'État désignée par le gouvernement, devenait immédiatement propriétaire de 25 % des intérêts dans tout droit d'exploration.

- Une participation canadienne (privée ou publique) d'un minimum de 50 % au niveau de la propriété, sera exigée dans toute production venant des Terres du Canada.

---

[4] Journal Le Devoir, 21 mars 1979, « *La loi sur le pétrole importé.* »
[5] Journal Le Devoir, 30 octobre 1980, « *Pétrole : Ottawa déclenche le processus d'expropriation des sociétés étrangères.* »

- Le gouvernement vérifiera si tout ceux qui demandent un droit d'exploration ou de production, font suffisamment appel à des sociétés canadiennes pour leurs achats et leur recherches, avant d'accorder le permis.

- Le gouvernement se réservera, en sus d'une rente de base de 10 %, une redevance additionnelle progressive en vertu de laquelle toute société versera 40 % du profit net annuel tiré de la production pétrolière et gazière.

Lorsque ces conditions draconiennes arrivèrent à la connaissance des milieux financiers, les actions des compagnies étrangères enregistrèrent une des pires pertes de leur histoire. Le gouvernement canadien reconnu que certaines compagnies étrangères possédant des permis d'exploration pouvaient trouver ces conditions inacceptables. Elles pourraient si elles le voulaient, renoncer à leur permis. Le ministre de l'Énergie avait promis que, dans ces cas, ces permis seraient redistribués à des sociétés canadiennes aptes à prendre la relève.

Quant aux sociétés qui n'acceptaient pas de se retrouver minoritaires au moment où le puit de pétrole commencerait à produire, elles avaient toujours la ressource de se laisser acheter par Pétro-Canada ou par tout autre acheteur canadien. Le ministre de l'Énergie, M. Marc Lalonde, fournit deux raisons pour expliquer cette précipitation du gouvernement canadien à reprendre le contrôle de la production d'au moins 50 % du pétrole et du gaz dans les régions pionnières. Premièrement, le ministre Marc Lalonde avait exprimé l'avis que si les Canadiens attendaient encore une décennie avant de procéder aux achats des actifs étrangers dans le secteur énergétique, ceux ci auraient tellement augmenté en valeur qu'ils seraient hors de leur portée financière, à moins de se résoudre à les nationaliser.

En second lieu, certains gisements en exploration, dans la mer de Beaufort et au large des côtes de Terre-Neuve (comme le gisement Hibernia), approchaient du point où ils deviendraient exploitables. Le gouvernement canadien craignait de voir les sociétés étrangères qui les possédaient les exploiter à leur seul profit.

La confiscation pure et simple de 25 % des intérêts de toutes les compagnies pétrolières en exploration sur les Terres du Canada n'était pas un précédent dans le monde. Le gouvernement de la Norvège avait mis la main sur 50 % de tous les intérêts pétroliers en mer du Nord. Et la plupart des pays, à l'exception des États-Unis, possèdent tout ou en partie leur industrie des hydrocarbures. C'est le cas de la France, de la Grande-Bretagne, du Mexique, du Venezuela, etc.

L'industrie américaine, alors à 72 % propriétaire de l'industrie pétrolière canadienne, exprima à Washington son mécontentement en rapport avec ce programme énergétique.[6] Dans un article daté du 9 septembre 1981, le Washington Post écrivait qu'au Capitol, les législateurs étudiaient la possibilité d'adopter cinq lois visant à restreindre les échanges économiques Canada/États-Unis. La Maison-Blanche se serait alors sentie forcée de faire écho à ce mécontentement en laissant clairement entendre que des sanctions étaient effectivement envisagées.

L'industrie pétrolière trouva ce programme un peu trop envahissant et des réactions passablement émotives s'exprimèrent en Alberta, en Ontario et à Ottawa.

L'inclusion du Programme énergétique national dans le budget fédéral fit bondir le Premier ministre de l'Alberta, M. Peter Lougheed, qui prévint que l'application de pareilles mesures serait perçue comme une déclaration de guerre de la part d'Ottawa.[7] Le ministre des Finances de l'Alberta, M. Lou Hyndman, accusa Ottawa de faire preuve de discrimination à l'endroit de l'Alberta. Il soutenait que le gouvernement fédéral voulait faire main basse sur les ressources naturelles des Albertains. À Regina, le ministre des Ressources de la Saskatchewan, M. Jack Messer, fit remarquer que le prix du pétrole au puits n'était pas suffisant pour stimuler l'exploration pétrolière. L'industrie réagit elle aussi négativement à ce budget d'Ottawa, en faisant remarquer que les mesures énoncées ne feraient que réduire les budgets d'exploration des compagnies. Ses représentants prédisaient que les compagnies iraient investir ailleurs qu'au Canada à la lumière de ce budget.

Au lendemain de la présentation de ce programme, M. Trudeau était de passage à Régina.[8] Aux deux mille personnes réunies au Palais des arts de la Saskatchewan, il insista sur le fait que le budget présenté le 29 octobre touchait aux recettes des compagnies pétrolières, mais pas à celles des provinces. Au cours des quatre prochaines années, les provinces tireraient des recettes de l'ordre de 40 $ milliards, la part du gouvernement fédéral serait portée à 24 $ milliards tandis que celle des sociétés était réduite de trente-trois à trente milliards de dollars.

---

[6] Journal La Presse, 11 septembre 1981, « *Washington songe sérieusement à sévir contre Ottawa.* »

[7] Journal Le Devoir, 30 octobre 1980, « *Sur un pied de guerre, Lougheed s'adresse aux Albertains ce soir.* »

[8] Journal Le Devoir, 30 octobre 1980, « *Trudeau invite l'ouest à renoncer à son hystérie.* »

Cette sortie du Premier ministre Trudeau n'améliora pas l'humeur de l'Alberta. Le 30 octobre 1980,[9] Peter Lougheed annonça dans une allocution télévisée que sa province réduirait de 180 000 b/j sa production de pétrole après un préavis de trois, six ou neuf mois à ses clients. Cette mesure de représailles contre le budget fédéral signifiait que l'Alberta diminuerait sa capacité de production jusqu'à 85 %. La province exportait à ce moment 1 100 000 b/j de pétrole vers l'Ontario et le Québec. M. Lougheed protesta que son plan de représailles était avant tout conçu dans un esprit de responsabilité à l'égard des intérêts de l'ensemble du Canada.

Quelques jours plus tard, le Premier ministre de l'Ontario, William Davis, exposa à son tour son point de vue[10] :

William Davis : *Bien sûr l'Ontario reconnaît que l'Alberta a sacrifié 15 $ milliards en vendant son pétrole bon marché aux Canadiens. Mais l'Ontario a contribué 16 $ milliards en paiement de transfert au fédéral entre 1967 et 1977, pour aider d'autres régions canadiennes. Et puis, ce n'est pas une question de dollars, on ne peut mettre un prix sur la citoyenneté canadienne. Nous devons partager les richesses. Pourtant, l'Ouest ne s'est pas inquiété de savoir s'il faussait le marché pendant les années 60, quand l'Ontario a commencé à payer plus cher le pétrole de l'Alberta en vertu de la Politique pétrolière nationale. L'Ontario a payé sans mot dire. Cela aidait à établir un marché domestique du pétrole. Les Ontariens sont prêts à payer plus cher le pétrole si les revenus additionnels servent à assurer l'approvisionnement continu du Canada en énergie. Mais nous ne pouvons accepter un changement dans l'accord existant sur les prix, qui produirait des profits supplémentaires plutôt que d'assurer l'approvisionnement, et qui engendrerait une récession économique plutôt qu'une croissance nationale partagée.*

C'est donc dans ce climat tendu que s'est amorcée une longue et difficile négociation sur l'accord des prix du pétrole qui fut conclue quelques mois plus tard, soit le 31 août 1981[11] entre Ottawa et l'Alberta. Cet accord faisait en sorte que le prix du pétrole canadien se rapprochait à environ 75 % du prix mondial. Le partage des revenus pétroliers était également modifié pour plaire à tout le monde.

---

[9] Journal Le Devoir, 31 octobre 1980, « *L'Alberta réduit de 15 % sa production de pétrole.* »

[10] Journal Le Devoir, 1er novembre 1980, « *L'Ontario invoque l'intérêt national.* »

[11] Journal Le Devoir, 1er septembre 1981, « *Accord sur le pétrole, Ottawa, Edmonton et l'industrie se partageront 212 $ milliards.* »

En 1982 et 1983, une baisse importante dans la consommation des produits raffinés amena les compagnies Texaco, BP (British Petroleum) et Esso à fermer leurs installations de raffinage à Montréal. La compagnie Gulf emboîtait le pas en novembre 1985.[12] En décembre 1985, Ultramar faisait l'acquisition des actifs de Gulf au Québec et démantelait la raffinerie de Montréal-Est pour ne conserver que les stations-service de Gulf qui s'étaient intégrées au réseau de Ultramar dans l'est du Canada. Le Québec voyait alors son nombre de raffineries passer de sept à trois en moins de quatre ans. Le pipeline Sarnia-Montréal, qui pouvait acheminer jusqu'à 500 000 b/j au Québec, s'est mis à fonctionner en sens contraire. De nos jours, en 2005, le Québec reçoit son approvisionnement en pétrole de deux sources : le pipeline Portland (Maine)-Montréal et la voie maritime du St-Laurent. Le pétrole de l'Alberta ne se rend plus à Montréal. En somme, tous les éléments qui avaient permis au Canada de réduire au minimum sa dépendance face au pétrole importé ont été soustraits dans la plus grande discrétion. Il sera désormais beaucoup plus difficile pour un futur gouvernement de remettre en place le système instauré par le gouvernement Trudeau en 1974. Est-ce le fruit du hasard que ces quatre raffineries aient fermé ? Ou était-ce une riposte face à l'intervention jugée trop prononcée du gouvernement fédéral dans les activités de l'industrie pétrolière ?

L'arrivée au pouvoir du parti Conservateur en septembre 1984, sonna le glas du Programme Énergétique National, tout comme celui de l'Agence d'examen des investissements étrangers devant qui les compagnies étrangères devaient négocier une entente avec le gouvernement fédéral pour établir les conditions d'exploitation qui suivraient d'éventuels investissements au Canada.

La création du système de prix rampe de chargement[13] :

En mars 1985, eut lieu à Québec le sommet des Irlandais. Il avait été convenu qu'une fois l'an, le premier ministre du Canada et le président américain se rencontreraient pour maintenir des liens plus cordiaux. Les États-Unis étaient et demeurent le principal partenaire commercial du Canada. Cette réunion de Québec se conclut par la signature d'une déclaration commune en faveur d'un accroissement des échanges commerciaux entre les deux pays en matière d'énergie.[14] Cette déclaration faisait état de la nécessité

---

[12] Journal Le Devoir, 29 août 1985, « *Gulf ferme sa raffinerie de Montréal-Est.* »
[13] Rapport de la commission d'enquête sur les pratiques restrictives, la concurrence dans l'industrie pétrolière canadienne, décembre 1985.
[14] Journal Le Devoir, 18 juin 1985, « *Le Canada exporte le quart de son pétrole brut vers les États-Unis.* »

de réduire les restrictions sur les importations et les exportations de pétrole et d'étendre l'accès mutuel des deux pays à d'autres sources d'énergie.

En mai 1985, le contrôle du prix du pétrole au Canada était aboli. Les prix du pétrole brut devenaient déréglementés et s'ajusteraient au prix mondial. Les opposants au programme de subvention du pétrole importé arguaient que ça avait coûté très cher aux Canadiens étant donné que la taxe sur les exportations de pétrole de l'Alberta ne couvrait pas entièrement la subvention sur les importations de pétrole dans l'Est du Canada, ce qui était une des causes de l'accroissement de la dette. À noter ici que la dette du Canada s'élevait à 190 $ milliards en juin 1985, au moment de l'abolition du contrôle, alors qu'elle a défoncé les 500 $ milliards en 1993, moins de huit ans plus tard, et ce sans le supposé très onéreux poste de subventions sur les achats de pétrole importé.

Dans le budget de mai 1985,[15] présenté par le ministre des Finances Michael Wilson, le plus gros des cadeaux consentis par le fisc fédéral est allé aux entreprises pétrolières et gazières. L'élimination de la taxe sur les recettes pétrolières et gazières, telle que conclue lors de l'accord énergétique de l'Ouest quatre ans plus tôt, coûtera 902 $ millions au Trésor canadien en manque à gagner.

Le mois suivant, soit le 17 juin 1985,[16] l'Agence internationale de l'énergie indique dans un rapport, que le Canada est l'un des pays les moins efficaces en matière de conservation d'énergie, qu'il est en deuxième position après le Luxembourg pour ce qui est de l'inefficacité d'utilisation des produits du pétrole. Selon l'AEI, le problème s'explique en partie du fait que le coût de l'énergie est moindre au Canada que dans les vingt et un pays membres. Pis encore, le rapport encense la décision du premier ministre canadien d'avoir hissé le prix du pétrole au niveau mondial.

En bout de ligne, la table était mise pour ce qui allait suivre. Le 21 juin 1985,[17] Esso rompt avec la tradition et publie ses prix de gros. La compagnie décide par là de jouer à fond la carte de la déréglementation en brisant une vieille tradition, espérant ainsi créer un marché national plus fluide. Depuis le début de juin, Esso rend donc public dans la revue Oil's Buyer Guide et dans Platt's, sa liste de prix pour les grands centres canadiens. Dans un tel système ouvert, si les prix mondiaux venaient à monter, la capacité

---

[15] Journal Le Devoir, 24 mai 1985, « *Wilson chouchoute les pétrolières et les gazières.* »

[16] Journal Le Devoir, 18 juin 1985, « *Le Canada n'est pas efficace en matière de conservation d'énergie selon l'AEI.* »

[17] Journal Le Devoir, 22 juin 1985, « *Esso romp avec la tradition et publie ses prix de gros.* »

d'exporter des produits raffinés pour obtenir un meilleur prix, forcerait le rajustement à la hausse des prix canadiens.

Le rapport d'enquête sur l'industrie pétrolière dirigé par Michael O'Farrell, releva cette nouvelle tendance de publier les prix. Voici ce qu'il mentionne :

En juin 1985, on assistait à l'introduction sur le marché canadien d'un nouveau régime d'établissement des prix des produits pétroliers. La compagnie Imperial avait commencé à vendre certains produits pétroliers à un nouveau système dit de prix rampe de chargement, qui venait remplacer ce qui était convenu d'appeler le prix à la raffinerie. C'était un prix spot facturé à ceux qui prenaient livraison du produit à la rampe de chargement d'une raffinerie ou d'un terminal. En vertu d'un tel régime de prix, chaque raffineur afficherait un prix unique pour chaque catégorie d'essence à chaque raffinerie ou terminal. Ce prix serait offert à tous les clients du jour, peu importe leur catégorie, le volume de leurs achats ou toute autre variable.

Imperial et les autres sociétés qui ont emboîté le pas, publiaient leurs prix à la rampe de chargement dans un journal spécialisé, le Oil's Buyer Guide. Auparavant, les prix à la raffinerie et les prix des contrats à terme publiés dans le journal spécialisé ne mentionnaient ni les fournisseurs ni les acheteurs.

Imperial avait également comme politique de ne pas offrir de remises sur ses prix publiés ou de soutien aux revendeurs indépendants. Avant l'instauration de ce nouveau système, il arrivait souvent que l'on négocie les prix en vertu de contrats à court et à long terme ainsi qu'un certain soutien. Il se pouvait donc que les prix varient d'un client à l'autre, ce qui arrivait effectivement. Les contrats d'approvisionnement variaient aussi quant aux facilités de crédit, aux remises sur la quantité, aux frais de livraison ou à la mesure dans laquelle les prix de vente étaient liés au prix du brut ou aux frais du traitement. Les revendeurs jouissaient d'un certain pouvoir de négociation dans la mesure où ils pouvaient s'adresser à divers fournisseurs pour obtenir le meilleur prix. L'ancien système avait aussi l'avantage d'offrir parfois une certaine protection ou des remises afin de protéger les revendeurs durant les périodes de compression ou de guerre de prix. Les raffineurs s'étaient sentis obligés d'offrir une telle protection s'ils voulaient éviter que les revendeurs aillent s'approvisionner ailleurs. Ce système de prix à la rampe a amené la disparition des éléments d'incertitude et de variété qui caractérisaient naguère les accords d'approvisionnement avec les indépendants.

Devant la Commission des pratiques restrictives, les représentants d'Imperial avaient déclaré que leur compagnie avait adopté ce nouveau régime de prix pour plusieurs raisons. À leur avis, il fallait pouvoir compter sur un régime qui permette d'établir et de modifier des prix sans délai sur un marché où les prix du pétrole brut étaient devenus déréglementés et dans un système où il était désormais plus facile d'acheter et de vendre des produits raffinés à l'étranger. Imperial cherchait depuis longtemps une façon de faire connaître ses prix aux acheteurs éventuels sur le marché américain déréglementé et peut-être ailleurs, et d'offrir aux éventuels clients canadiens, susceptibles de se retourner vers les importations, des renseignements à jour sur les prix offerts à ses terminaux. Les représentants d'Imperial avaient déclaré à la Commission que l'ancien système était devenu encombrant et inefficace dans la mesure où il comportait une foule d'accords et de nombreux prix. Il liait ou reliait les prix des produits aux prix du brut. Il était devenu très difficile de fonctionner de la sorte sur un marché du brut déréglementé où les prix fluctuaient beaucoup plus qu'auparavant. Le nouveau système de prix rampe de chargement n'avait pas de mystère, était plus facile et efficace à administrer et donc, moins dispendieux.

Shell Canada avait adopté une version modifiée à l'été 1985 de ce système de prix rampe de chargement d'abord pour ses clients revendeurs prenant livraison à la rampe de chargement, mais non pour les autres catégories de clients. Ultramar avait suivi peu de temps après. Et le président de Texaco Canada avait félicité publiquement la compagnie Imperial de son initiative peu après l'introduction du nouveau système.

Il est extrêmement intéressant de relever ici la réaction du directeur de la Commission sur les pratiques restrictives dans l'industrie pétrolière. Dans son rapport final, il fait la recommandation suivante[18] :

Le directeur était d'avis que le nouveau système de prix de la compagnie Imperial nuirait de toute évidence à la concurrence dans l'industrie et que Pétro-Canada devait intervenir pour prévenir une telle situation. De l'avis du directeur :

... il faut absolument interdire aux raffineurs d'adopter conjointement ce mécanisme de prix. Il est peu probable que la politique de prix rampe de chargement d'Imperial atteigne l'objectif d'éliminer la concurrence par les prix sur le marché de gros si l'on empêche Pétro-Canada, actuellement le plus gros raffineur-fournisseur de l'industrie, d'emboîter le pas.

---

[18] Commission d'enquête sur les pratiques restrictives dans l'industrie pétrolière, page 459.

Par conséquent, la Commission devrait recommander que le gouvernement donne une directive à Pétro-Canada, en vertu de la loi sur la Société Pétro-Canada, qui lui interdirait la politique de prix rampe de chargement d'Imperial ou tout autre programme du même ordre lui permettant de communiquer ouvertement à ses concurrents le prix de ses transactions et sa politique de remises.

Ce qui inquiétait la Commission dans ce nouveau système de prix établi par Imperial, c'est qu'il annonçait effectivement aux autres fournisseurs qu'Imperial n'approvisionnerait pas ses revendeurs à des prix inférieurs à ses prix publiés. Les autres fournisseurs savaient par le fait même que leurs clients éventuels ne pouvaient obtenir d'Imperial des prix inférieurs à ses prix publiés. Ils n'avaient donc pas, en tant que fournisseurs, à concurrencer une offre inconnue d'Imperial. Une telle situation devenait inquiétante dans un territoire n'ayant pas une capacité de raffinage excédentaire, donc dépendant des produits raffinés importés comme l'Ontario et le Québec en 1985.

Le rapport de la Commission recommandait au gouvernement fédéral de mettre fin à ce type de publication des prix car il nuirait à la concurrence et à l'intérêt du public.

Malheureusement, ce sera le dernier rapport d'enquête qui reconnaîtra que l'intérêt du public était menacé. Le rapport de la Commission devait être rendu public à l'automne de 1985. Mais entre temps a surgi l'annonce de la vente de la raffinerie de Gulf de Montréal à la compagnie Ultramar. L'intention exprimée aussitôt par cette dernière de démanteler les installations de raffinage eut pour effet de stopper la sortie du rapport de façon à permettre à la Commission d'évaluer l'impact de cette décision sur la capacité de raffinage au Québec. La publication du rapport a donc été reportée à décembre 1985 puis a été retardée à nouveau par le gouvernement fédéral. Le 27 janvier 1986,[19] le ministre fédéral de la Consommation et des Corporations déclarait devant les représentants des médias qu'il n'était pas encore prêt à sortir le controversé document. On peut le comprendre, les recommandations étaient plus que dérangeantes pour quiconque n'avait pas comme priorité de défendre les intérêts des consommateurs.

Quelques autres faits intéressants. Ce même jour où Esso a fait son annonce, les Américains se déclaraient disposés à discuter de la libéralisation du commerce avec le Canada.[20] Ils auraient pu attendre vingt-quatre heures !

---

[19] Journal Le Devoir, 28 janvier 1986, « *Le ministre Côté retient le rapport O'Farrell.* »

[20] Journal Le Devoir, 22 juin 1985, « *Les américains sont disposés à discuter.* »

J'attire également votre attention sur un autre point : ce 21 juin 1985, était un vendredi. Donc l'annonce d'Esso s'est retrouvée dans les journaux du samedi, jour où l'impact est moindre. Comble de malchance, la nouvelle s'est retrouvée loin dans la section économie parce que le hasard a voulu que la première page du samedi fut en grande partie monopolisée par la démission du premier ministre René Lévesque.

Dans le sillage de ce festin offert par le fédéral, l'Alberta réduisait le 24 juin 1985 ses redevances pétrolières de 5 %. Puis dans son édition de juin 1985, le magazine américain Fortune publiait un supplément canadien qui portait le titre « Le Canada s'ouvre au monde extérieur ». Effectivement, les portes étaient désormais grandes ouvertes.

Seize ans plus tard, en février 2001, le Conference Board affirmera que le système de prix de référence commun sur les produits pétroliers raffinés initié par ce système de prix à la rampe de Imperial, a permis que les Canadiens soient bien desservis par ce marché pétrolier.

Le 5 septembre 2004, dans une entrevue au journal de Montréal, un ancien premier ministre du Canada, déclarait ce qui suit : « Je sais que plusieurs n'aiment pas le libre-échange, mais comme je le disais en 1988, je pense que c'est le salut des prochaines générations ». La prochaine génération, c'est nous tous actuellement, et le salut, c'est le litre d'essence à 1,47 $ le 2 septembre 2005.

L'accord de libre-échange Canada/États-Unis de 1988 :

Avec l'arrivée du gouvernement conservateur en 1984, le Canada a fait son entrée dans le mouvement de la mondialisation dans la plus grande discrétion. Mondialisation signifie diminution voire disparition de la présence de l'État dans certaines activités commerciales. Sans tambour ni trompette, l'Agence d'examen des investissements étrangers et le Programme Énergétique National ont reçu leur 4 %. Mais ce n'était pas encore suffisant. Nos représentants fédéraux ont accepté que le système de prix rampe de chargement deviennent continental. Avec l'accord de libre-échange de 1988 et reconduit dans l'accord ALENA de 1992, le prix des produits pétroliers raffinés à chaque raffinerie et à chaque rampe de chargement en Amérique du Nord serait le même pour tous, soit le prix négocié sur la bourse Nymex à New York (B). Déjà qu'il n'y avait jamais vraiment eu de concurrence sur le prix de la matière première (A) le pétrole, maintenant le prix des produits transformés sorties des raffineries (B) avait droit au même traitement, un prix de référence commun pour tous.

Voici de quoi a l'air la clause dans l'accord de libre-échange :

Article 603 : Restrictions à l'importation et à l'exportation :

1. *Sous réserve de leurs autres droits et obligations au titre du présent accord, les Parties incorporent les dispositions de l'Accord général sur les tarifs douaniers et le commerce (l'Accord général) en ce qui concerne les interdictions ou les restrictions touchant le commerce des produits énergétiques et des produits pétrochimiques de base. Les Parties conviennent que ce libellé n'intègre pas leurs protocoles respectifs d'application provisoire de l'Accord général.*

2. *Les Parties comprennent que, en vertu des dispositions de l'Accord général incorporées par l'effet du paragraphe 1, il leur est interdit, dans les circonstances où toute autre forme de restriction quantitative est prohibée, d'imposer des prescriptions de prix minimaux ou maximaux à l'exportation et, sauf dans la mesure autorisée pour l'exécution d'ordonnances et d'engagements en matière de droits antidumping et de droits compensateurs, des prescriptions de prix minimaux ou maximaux à l'importation.*

3. *Dans le cas où une Partie adopte ou maintient à l'égard d'un pays tiers une restriction à l'importation ou à l'exportation d'un produit énergétique ou d'un produit pétrochimique de base, aucune disposition du présent accord ne sera réputée empêcher la Partie :*

    a) *de limiter ou d'interdire l'importation, depuis le territoire d'une autre Partie, d'un tel produit en provenance du pays tiers ; ou*

    b) *d'exiger, comme condition de l'exportation d'un tel produit de la Partie vers le territoire d'une autre Partie, qu'il soit consommé sur le territoire de l'autre Partie.*

4. *Lorsqu'une Partie adopte ou maintient une restriction à l'importation d'un produit énergétique ou d'un produit pétrochimique de base en provenance de pays tiers, les Parties, à la demande de l'une quelconque d'entre elles, procéderont à des consultations en vue d'éviter toute ingérence ou toute distorsion indues touchant les arrangements relatifs à l'établissement des prix, à la commercialisation et à la distribution dans une autre Partie.*

5. *Chacune des Parties pourra administrer un régime de licences d'importation et d'exportation pour les produits énergétiques ou les produits pétrochimiques de base, à condition que ce régime soit appliqué d'une manière compatible avec les dispositions du présent accord, y compris le paragraphe 1 et l'article 1502 (Monopoles et entreprises d'État).*

6. *Le présent article est assujetti aux réserves figurant à l'annexe 603.6.*

Article 604 : Taxes à l'exportation :

Aucune des Parties n'adoptera ni ne maintiendra de droits, de taxes ou autres frais relativement à l'exportation d'un produit énergétique ou d'un produit pétrochimique de base vers le territoire d'une autre Partie, à moins que ces droits, taxes ou autres frais ne soient aussi adoptés ou maintenus

a)   à l'égard des exportations de ces produits vers le territoire de toutes les autres Parties, et

b)   à l'égard de ces produits lorsqu'ils sont destinés à la consommation intérieure.

C'est un cadre juridique quelque peu complexe. En gros, ça signifie que les prix de tous les produits raffinés en Amérique du nord doivent apprendre à vivre dans les mêmes conditions. C'est la clause qui semble se rapprocher le plus et expliquer le système de prix de référence commun sur les cours de la bourse Nymex. Si ce n'est pas cette clause, alors il n'y aurait rien dans l'accord de libre-échange qui nous forcerait au Canada à suivre les prix américains. Ce ne serait qu'une façon de faire convenue hors de l'accord de libre-échange, et donc on pourrait en sortir.

Quand la raffinerie de l'île d'Aruba, au nord du Venezuela, a interrompu temporairement sa production en avril 2001, à la suite d'un incendie, ça a fait grimper la marge de raffinage jusqu'à 14 cents le litre pour toute les raffineries en Amérique du Nord.

Mais encore, ça n'aurait pas été suffisant. Les négociateurs canadiens ont accepté la clause 605 A, qui régit la proportion des exportations. La voici telle qu'elle apparaît dans l'accord de libre-échange ALENA 1992[21] :

Article 605 : Autres mesures à l'exportation :

Sous réserve de l'annexe 605, une Partie pourra adopter ou maintenir une restriction par ailleurs justifiée en vertu des articles XI 2a) ou XX g), i) ou j) de l'Accord général en ce qui concerne l'exportation d'un produit énergétique ou d'un produit pétrochimique de base vers le territoire d'une autre Partie, uniquement :

---

[21] L'accord de libre-échange ALENA, www.dfait-maeci.gc.ca/nafta-alena/chap06-fr.asp?#Article603

a) si la restriction ne réduit pas la proportion des expéditions totales pour exportation du produit énergétique ou du produit pétrochimique de base mis à la disposition de cette autre Partie par rapport à l'approvisionnement total en ce produit de la Partie qui maintient la restriction, comparativement à la proportion observée pendant la période de 36 mois la plus récente pour laquelle des données sont disponibles avant l'imposition de la mesure, ou pendant toute autre période représentative dont peuvent convenir les Parties ;

M. Marc Lalonde, ex-ministre de l'Énergie (1981-1984) a commenté cette clause dans les termes suivants[22] :

Le 23 décembre 1988, le Parlement votait une disposition qui excluait l'eau (une ressource renouvelable dont nous possédons d'abondantes réserves) du champ d'application de la Loi de mise en oeuvre de l'Accord de libre-échange Canada – États-Unis. Or, cette même loi met à la disposition des Américains nos réserves actuelles et futures de pétrole et de gaz naturel (qui sont par définition des ressources non renouvelables et limitées), en leur garantissant un accès à ces réserves identique à celui dont bénéficient les Canadiens. Sans doute les Conservateurs pratiquaient-ils involontairement l'humour noir ! Des sources américaines bien informées laissent même entendre que les dispositions sur cette question contenues dans l'accord y furent inscrites à la demande expresse du gouvernement canadien, qui désirait ainsi éviter qu'un gouvernement futur puisse un jour utiliser la politique énergétique à des fins nationalistes.

La clause sur la proportion des exportations signifie que l'on ne peut accroître la production canadienne de pétrole de 1 million de b/j pour l'exporter à la Chine qui en ferait la demande. Si on exporte, en 2005, 70 % de notre production de pétrole aux États-Unis, cela veut dire que sur un accroissement éventuel de la production de 1 million de b/j, il faut en envoyer 700 000 barils aux Américains (70 %). S'ils n'en veulent pas, il nous faudra attendre qu'ils le demandent. C'est ce qu'on appelle perdre la souveraineté sur une de nos ressources naturelles.

---

[22] Vers une société juste, Pierre Elliott Trudeau et Allan Mac Eachern, le chapitre « L'énergie : la traversée du désert » par Marc Lalonde, page 64.

Quelques données :

Pour le reste, le Canada est devenu exportateur net de pétrole en 1986. En 2004, la production canadienne se situait aux alentours de 2,6 millions de b/j alors que la consommation était d'environ 1,6 millions de b/j. Le tableau qui suit démontre l'importance du Canada comme premier exportateur de pétrole brut aux États-Unis[23] :

Tableau des pays importateurs aux États-Unis (février 2005)

Pays	En millions de baril/jour
Canada	1 911
Venezuela	1 671
Arabie Saoudite	1 572
Mexique	1 299
Nigeria	1 205
Iraq	523
Algérie	504
Russie	458
Angola	394
Équateur	356
Autres	2 385
Total	**12 278**

---

[23] Department of Energy, approvisionnement en pétrole, février 2005, www.api.org

Tableau des raffineries au Canada[24] :

Ville, Province	Compagnie	Capacité de raffinage en baril/jour
Come By Chance, T-N	North Atlantic Refinery	100 000
Dartmouth, N-É	Imperial Oil (Esso)	84 000
St-John, N-B	Irving	237 000
St-Romuald, QC	Ultramar	216 000
Montréal, QC	Shell	130 000
Montréal, QC	Pétro-Canada	125 000
Nanticoke, ONT	Imperial Oil	112 000
Sarnia, ONT	Imperial Oil	122 000
Sarnia, ONT	Shell	72 000
Sarnia, ONT	Suncor	82 000
Regina, SAS	Co-Op	52 000
Edmonton, AL	Imperial Oil	180 000
Bowden, AL	Parkland Industries	6 000
Edmonton, AL	Pétro-Canada	120 000
Scotford, AL	Shell	95 000
Burnaby, C-B	Chevron	52 000
Prince-George, C-B	Hysky Oil	10 250

Les gisements marins de l'Atlantique :

Le gisement marin d'Hibernia est en exploitation depuis le début des années 1990. Il est situé au large des côtes de la province de Terre-Neuve. Le pompage s'effectue à partir d'une plate-forme en béton, à un débit qui était de plus ou moins 40 000 b/j en 2004. Les réserves d'Hibernia sont évaluées à environ 940 millions de barils.

Le gisement Terra Nova[25] est situé à 350 kilomètres des côtes de Terre-Neuve et est en opération depuis le début des années 2000. Il est exploité à partir d'un navire de production, de stockage et de déchargement. Ce type de

---

[24] Ressources Naturelles Canada.
[25] Rapport annuel Pétro-Canada 2004, page 9.

production en forme de navire permet de stocker le pétrole, qui est ensuite transbordé dans des pétroliers navettes. Le navire a une longueur de 300 verges et une hauteur de 18 étages. Il a été construit pour opérer adéquatement dans les conditions climatiques difficiles de l'Atlantique nord. Le débit moyen du gisement de Terra Nova s'est maintenu aux environs de 37 000 b/j en 2004. Ses réserves sont évaluées à environ 410 millions de barils.

Le gisement White Rose est également en développement et doit être opérationnel en 2006 avec un débit attendu d'environ 25 000 b/j. Il est situé au nord-est d'Hibernia.

Il y a aussi le champ Hébron, toujours sur la côte Atlantique de Terre-Neuve, présentement à l'état de projet de mise en valeur. Les sondages laissent entrevoir une réserve d'environ 500 millions de barils.

Les sables bitumineux de l'Alberta :

C'est là un phénomène géologique unique. Les gisements bitumineux de l'Alberta s'étendent sur près de 75 000 kilomètres carrés. Les données établies en octobre 2001 évaluaient les réserves à plus de 3 000 milliards de tonnes d'hydrocarbures, dont 300 milliards de tonnes exploitables.[26]

En date d'août 2005, la revue Oil and Gas Journal estime les quantités à près de 4 000 milliards de barils, dont 600 milliards récupérables avec la technologie du jour. L'Institut français du pétrole estime que cela représente une quantité pratiquement équivalente aux actuelles réserves de pétrole conventionnel de tout le Moyen-Orient.[27]

Quatre grands gisements de sables sont en opérations dans le nord de l'Alberta, soit Athabasca, Fort Mc Murray, Peace River et Cold Lake. Ce sable bitumineux est une lourde pâte d'un brun noirâtre, composée de bitume visqueux mélangé à des dépôts marins de sable, de gravier et quelques fois de schistes. Quoique les gisements affleurent souvent, ils sont en général recouverts sous une dizaine de mètres de terrains morts, parfois bien davantage. Pour accéder au minerai, il faut enlever ces couches superficielles et les mettre en réserve dans le but de reconstituer les surfaces originelles, tant bien que mal, une fois l'exploitation terminée.

Lorsque la fameuse pâte noire parvient aux usines de lessivage, elle est chauffée, lavée à l'eau chaude ou à la vapeur. Ensuite, sous l'effet d'un principe de séparation par gravité, cette glue visqueuse cède son bitume.

---

[26] Revue l'Actualité, octobre 2001, « L'énergie du désespoir. »
[27] Journal de Montréal, 15 août 2005, « Le canada, # 2 du pétrole non conventionnel. »

Éclairci avec du naphte, on obtient le produit final qui est du bon vieux pétrole.

Avec les derniers développements technologiques, le coût de production d'un baril de pétrole des sables bitumineux revient à environ 13 $ canadien. Par contre, la double opération de production de ce pétrole coûte cher à l'environnement. Les installations de l'Athabasca émettraient le cinquième de tout le CO_2 produit au Canada, autant que la ville de Toronto. De plus, l'extraction du pétrole contenu dans le bitume requiert de grandes quantités d'eau.[28] Une fois utilisée, cette eau est trop polluée pour être rejetée dans la nature. La conséquence est un assèchement des sols qui recouvrent et entourent les sables. Cet assèchement évite que la mine à ciel ouvert soit submergée, mais il condamne de vastes écosystèmes.

L'Ontario a également déjà extrait du pétrole de son sous-sol. En mai 1985, la compagnie Devran Petroleum a opéré un petit champ pétrolifère d'environ 2 millions de barils au total. L'exploitation du gisement a duré 2 ans.[29]

Enfin, en date d'avril 2005, la compagnie Junex procédait à des essais pour évaluer le potentiel d'un petit gisement de pétrole en Gaspésie. Une première tentative a permis d'en tirer 200 barils.[30]

---

[28] Journal La Presse, 12 novembre 2003, « *Les sables bitumineux sont assoiffés eux aussi.* »
[29] Journal le Devoir, 28 mai 1985, « *Devran Petroleum et Shell s'associent.* »
[30] Journal de Montréal, 13 avril 2005, « *Junex et Pétrolia s'associent pour chercher du pétrole en Gaspésie.* »

Pétro-Canada, du début... à la fin

En septembre 2004, le gouvernement canadien se départissait du dernier bloc d'actions qu'il détenait dans la compagnie Pétro-Canada. Le ministre fédéral des Finances, Ralph Goodale, mettait ainsi à exécution l'intention annoncée du gouvernement fédéral de mettre un terme à la relation d'actionnariat qu'il entretenait avec cette entreprise depuis sa création en juillet 1975.[1]

La vente des 49,4 millions d'actions a rapporté au gouvernement fédéral 3,2 milliards de dollars canadiens, dont il faut soustraire 18,75 % à titre de frais de courtage, soit un revenu net de 2,6 milliards de dollars. Pourtant, au cours des neuf premiers mois de l'année 2004, quand le gouvernement possédait encore ses actions, le revenu en dividendes a voisiné les 22,5 millions de dollars. Un poste de revenus que le gouvernement fédéral doit maintenant retrancher de ses budgets futurs. De plus, l'action de Pétro-Canada valait environ 30 $ de plus, en août 2005, que le jour de sa cessation, en septembre 2004, ce qui représente une perte de revenus de 1 500 000 000 $ pour le gouvernement. Le rendement total cumulatif (valeur de l'action combinée aux dividendes) pour les actionnaires de Pétro-Canada au cours des années 1995 à 2004 a été de 507 %.[2] Qu'est-ce qui pressait tant le gouvernement de se débarrasser de ses actions, surtout dans une situation de surplus budgétaire ?

L'odieux de cette décision ne revient pas entièrement au gouvernement libéral de 2005. Pétro-Canada a été créée en juillet 1975 dans un contexte économique qui le justifiait. Lorsque l'intention de vendre le dernier bloc de 19 % d'actions a été annoncée dans le budget fédéral de mars 2004, j'ai fait parvenir la lettre suivante à un journal qui a accepté d'en reproduire un extrait.

---

[1] Livre, The canadian Oil establishment, Peter Foster, 1981.
[2] Rapport annuel 2004 de Pétro-Canada, page 22.

Je présente ici l'intégral de cette lettre.

Ottawa ne doit pas vendre Pétro-Canada (26 mars 2004) :

Pétro-Canada doit en partie son existence à la crise de l'OPEP de l'automne 1973. Également, plus de 90 % de l'industrie pétrolière au Canada était sous contrôle étranger. Dans le but de protéger l'économie canadienne de la vulnérabilité des humeurs de l'OPEP, le gouvernement libéral de l'honorable Pierre Elliott Trudeau avait osé intervenir avec autorité et créer une société d'État qui récolterait une juste part de la richesse du sous-sol canadien et ainsi s'assurer que cette part reviendrait aux Canadiens et non à des actionnaires étrangers.

En février 1979, suite à la décision de l'Iran de ne plus approvisionner les Américains (parce que ces derniers refusaient de rapatrier le Shah d'Iran dans son pays), Exxon avait décidé de détourner un pétrolier du Venezuela (pour Esso) d'abord destiné aux raffineries de l'est du Canada pour ses besoins personnels aux États-Unis. Cet événement avait incité monsieur Trudeau à imposer la loi C-42,[3] soit de confier l'entière responsabilité des approvisionnements de pétrole importé à Pétro-Canada et se protéger face à des décisions prises hors du pays.

De plus, Pétro-Canada a été constituée comme société d'État sans le spectre de la nationalisation. Pétro-Canada s'est constituée par l'acquisition de compagnies existantes soit Atlantic Richfield of Canada, Pacific Petroleum, 45 % de Pan Artic Oils, les actifs de British Petroleum, de Pétro-Fina ainsi que de Gulf en Ontario et dans l'Ouest du Canada.

De plus, Pétro-Canada avait initié l'exploration des gisements au large de Terre-Neuve, ce qui en résulte aujourd'hui par la plate-forme Hibernia et le gisement Terra Nova. Elle a aussi initié la recherche pour mettre au point une technologie de développement des riches gisements de sables bitumineux du nord de l'Alberta.

Le contexte avait justifié la création de Pétro-Canada en 1975. Et le contexte justifie que notre gouvernement fédéral conserve Pétro-Canada. Les experts évaluent les gisements de pétrole dans les sables bitumineux à 1 000 milliards de barils soit 2 fois le Moyen-Orient. L'OPEP nous disait en 2003 qu'elle avait pour objectif de maintenir le prix entre 26 et 30 dollars américains le baril. Nous avons passé 2 jours à 26 $ et les 6 derniers mois autour de 36 $. Peut-on se fier à l'OPEP sachant qu'on peut être autosuffisant ?

---

[3] Journal Le Devoir, 21 mars 1979, *« La loi sur le pétrole importé. »*

En 1988, il a été inclus dans l'accord de libre-échange Canada/États-Unis d'avoir un prix de référence commun sur l'essence raffinée à la sortie des raffineries et négocié sur ce qui s'appelle la bourse des produits de commodités, le Nymex. Le chapitre du rapport sur le libre-échange présentent les mesures et restrictions qui nous pénalisent aujourd'hui de façon probablement irréversible. Les conséquences de ce système font fluctuer la marge de raffinage à des records par-dessus records. Et avec l'arrivée d'une réglementation sur le taux de soufre en janvier 2005, cette même marge va prendre une expansion irréversible.

De plus, le bénéfice par action est passé de 3,67 $ en 2002 à 6,23 $ en 2003, soit presque le double. Et avec le resserrement de la capacité de raffinage et les gisements qui rapportent de plus en plus, soit les dividendes iront en croissance, soit la valeur de l'action ira en croissance, valeur qui a cru de 31 % dans la seule année 2003.

Je demande donc à notre gouvernement fédéral, de conserver la main mise dans l'industrie pétrolière et d'au moins soumettre la décision à un processus démocratique comme une commission parlementaire qui permettrait à tous les intervenants pour ou contre d'expliquer les conséquences de l'enjeu, et non de répondre à un lobbying d'affaires.

Frédéric Quintal

Porte-parole, L'essence à juste prix.com

Budget du 23 mars 2004, intention exprimée par le ministre des Finances fédéral de vendre le dernier bloc d'action de Pétro-Canada.

Une mauvaise affaire dans l'histoire de Pétro-Canada :

Dans la mémoire de bien des gens, l'acquisition en février 1981 des actifs de la compagnie pétrolière belge Pétrofina SA est demeurée un souvenir très négatif, sinon le seul, qu'ils aient conservé de toute l'aventure de Pétro-Canada. Dans le temps, cette transaction a été décriée par des journalistes comme payée trop cher. Rappelons que Pétro-Canada avait pour mission de couvrir tout le territoire canadien avec ses stations-service. Le meilleur moyen d'y arriver était d'acquérir une compagnie déjà existante. Le 3 février 1981, le journal Le Devoir titrait « *Pétro-Canada offre 1,5 milliard pour Fina* ». L'offre englobait mille stations-service, une raffinerie de 90 000 b/j, des droits d'exploration dans l'Ouest et dans l'Est du Canada et un intérêt minoritaire dans le projet Alsands de traitement des sables bitumineux. En 1980, le cours le plus bas atteint par l'action de Petrofina fut de 45 $ et le plus élevé de 93 $. L'action était inscrite à la bourse de Toronto. La négociation s'est déroulée dans une situation où les propriétaires Belges n'étaient tout simplement pas vendeurs. Mais, pour des raisons d'efficacité, Pétro-Canada tenait à cette compagnie.

Depuis sa création en 1975, Pétro-Canada faisait quotidiennement face à des critiques de toutes parts. C'est un peu sur ce fond de non confiance que les acteurs politiques fédéraux voulurent prouver que cette compagnie publique pouvait réussir et devenir une compagnie pétrolière intégrée qui couvrirait le marché canadien d'un océan à l'autre. Opter plutôt pour la construction d'une raffinerie comparable et de 1 000 stations-service eut été plus onéreux, sans oublier que la répartition géographique des stations-service était, sur un plan stratégique, très favorable à Pétro-Canada, contrairement à ce qui eut été le cas avec les autres compagnies où il y aurait eu duplication. Pétro-Canada n'avait donc pas le choix : si elle voulait mettre la main sur ces sites, elle devait les acquérir. Le gouvernement canadien fit une offre finale de 120 $ par action.

De leur côté, les administrateurs belges avaient très bien compris les enjeux pour Pétro-Canada et ils ont fait grimper les enchères en conséquence.

Il y a aussi eu de bonnes affaires :

Pétro-Canada a été constituée à partir des actifs que le gouvernement canadien possédait déjà dans l'industrie pétrolière, soit 15 % du projet Syncrude, 45 % des actions de Pan Artic Oils, un groupement formé pour évaluer les possibilités de développement des gisements de gaz et de pétrole dans les îles de l'Artique, et certains droits d'exploitation sur les terres de la Couronne.

Le développement de Pétro-Canada a débuté par des acquisitions et des prises de contrôle. D'abord la compagnie Arcan, filiale canadienne de Atlantic Ritchield, compagnie productrice de pétrole et de gaz naturel. La maison mère venait d'investir de grosses sommes dans le développement des gisements de Prudhoe Bay et dans la construction d'un pipeline en Alaska. Elle était donc intéressée à acquérir des liquidités en vendant sa filiale canadienne. Le vice-président d'alors, Wilbert Hopper, parvint même à faire baisser le prix de la transaction de 400 millions de dollars à 342 millions.

Pétro-Canada devenait dès lors la seule compagnie à investir massivement pour l'exploration dans des régions dites difficiles, soit l'Artique et les bassins de l'Atlantique. Ces recherches furent très dispendieuses. Pétro-Canada reçut également le mandat de développer les sables bitumineux. Elle avait donc besoin de revenus. Après avoir échoué dans sa tentative de prendre le contrôle de la compagnie Husky, elle parvint à mettre la main sur Pacific Petroleum, une filiale de Phillips Petroleum. Cette acquisition eut pour double résultat de faire de Pétro-Canada une entreprise financièrement autosuffisante à même ses propres revenus et suffisamment grosse pour être impossible à démanteler advenant un éventuel changement de gouvernement. Rappelez-vous qu'à cette époque, le parti Conservateur ne cachait pas son intention de liquider Pétro-Canada s'il prenait le pouvoir. Dans le milieu pétrolier de l'Alberta, la présence du gouvernement dans le secteur privé et surtout pétrolier était perçue comme une menace pour le libre marché. Il en résulterait une perte d'initiative, un affaiblissement de la concurrence et de l'efficacité économique. C'est pourtant le contraire qui s'est produit ! Pétro-Canada est apparue comme effectuant le travail d'exploration que les autres avaient évité de faire dans les zones frontières. Cela eut pour résultat de pousser ces compagnies à performer davantage dans l'espoir de faire mal paraître dans la même mesure la compagnie d'État.

Une fois ces acquisitions réalisées dans l'exploration et la production, Pétro-Canada décida d'étendre ses activités dans le raffinage et la vente au détail. Cette politique conduisit à l'acquisition des actifs de Gulf en Ontario et dans l'Ouest canadien, ainsi qu'à ceux de British Petroleum et de Petrofina. Pétro-Canada marqua son entrée dans la vente au détail en adoptant l'emblème de la feuille d'érable pour son identification commerciale et le slogan « *parce que ça nous appartient* ». Pour combien de temps ?

Le processus de privatisation :

Le parti Conservateur prit le pouvoir aux élections de 1984 dans le sillage des déceptions laissées par l'héritage libéral. Au Québec, c'était les attentes constitutionnelles déçues ; en Alberta c'était la main fédérale devenue trop insistante dans les affaires pétrolières, sentiment accru par l'attitude des compagnies pétrolières étrangères qui, à la suite du second choc pétrolier de 1979, avaient ralenti, voire cessé d'investir dans le développement des infrastructures en Alberta, en prenant soin d'attribuer l'odieux de ce désinvestissement sur l'impact nocif du programme énergétique des libéraux. Les électeurs Albertains gobèrent cette thèse de la gestion fédérale trop présente (Pétro-Canada et le PEN) dans l'industrie pétrolière au lieu d'y reconnaître les effets d'une récession causée justement par l'appétit du secteur pétrolier.

Le milieu pétrolier n'appréciait pas de voir l'État envahir sa plate-bande. Malheureusement pour lui, les sondages révélaient que la population canadienne avait développé un fort sentiment d'appartenance et d'identification à l'endroit de Pétro-Canada. Comment dans ces conditions entreprendre de privatiser une compagnie appréciée par la population ? Tout simplement en brisant ce lien.

Voici comment le gouvernement s'y est pris pour régler le sort de Pétro-Canada.

Avant d'entreprendre de privatiser, on commença tout d'abord par lancer des ballons dans l'opinion publique.

Le 6 juin 1985,[4] Pétro-Canada annonce une diminution de 0,6 cents le litre pour l'essence ordinaire et diesel en mentionnant que c'était une bonne nouvelle pour les consommateurs. Ça ne représentait pourtant que six dixièmes d'un cent par litre alors que le prix du pétrole brut avait subit une forte baisse. Comme les gens s'attendaient à beaucoup plus, n'auraient-ils pas le sentiment qu'on se moquait d'eux ?

Le 19 août 1985, le journal le Devoir titrait « *Ottawa privatiserait en partie Pétro-Canada* ». Le gouvernement fédéral envisagerait de vendre des actions de Pétro-Canada, ce qui équivaudrait à une privatisation partielle selon l'agence Southam News. Ce geste aurait reçu l'appui du premier ministre du Canada ainsi que de la ministre de l'énergie Pat Carney, avait rapporté Southam, qui se référait à des sources gouvernementales non identifiées.

Le 26 août 1985, Le devoir titrait « *Il n'est pas question de privatiser Pétro-Canada, réaffirme Pat Carney* ». Le gouvernement conservateur avait toujours l'intention de se débarrasser d'un certain nombre de sociétés d'État et bientôt, il allait annoncer justement la mise en vente de plusieurs de ces sociétés. Mais Pétro-Canada ne semblait pas faire partie de cette liste, comme le confirmait la ministre de l'énergie madame Pat Carney, au cours de l'émission « Question period », au réseau CTV.

Le 31 août 1985, Le Devoir titrait « *Pétro-Canada émettra 500 $ millions d'actions* ».

Des sources proches du gouvernement révélaient dans une entrevue à l'agence Dow Jones que Pétro-Canada avait engagé les firmes Dominion Securities Pitfield et Burns Fry pour étudier la faisabilité d'une telle émission d'actions. Les deux maisons de courtage se refusaient cependant à tout commentaire sur le sujet.

Parallèlement, au niveau des opérations commerciales, Pétro-Canada pratiquait la stratégie d'être la compagnie qui réagissait après les autres pour les baisses de prix. De 1981 à 1986, les prix mondiaux du pétrole se mirent à dégringoler à la suite au second choc pétrolier, passant de 40 $ le baril à tout

---

[4] Journal Le Devoir, 1er juin 1985, « *Pétro-Canada diminue le prix de l'essence.* »

près de 10 $ en mars 1986. Mais le phénomène ne se répercutait pas au niveau des prix de l'essence à la pompe, au dam de la population qui trouvait l'industrie pétrolière canadienne bien lente à réagir. Face à cette situation, des membres du gouvernement Conservateur y allèrent des déclarations suivantes :

Le 23 janvier 1986, Le Devoir titrait « *Wilson ne demandera pas à Pétro-Canada de donner l'exemple* ». Le ministre des Finances Michael Wilson, avait confirmé la veille aux Communes que son gouvernement avait demandé à Pétro-Canada de maximiser ses revenus et de se comporter comme les autres multinationales sur le marché de l'essence. Le ministre refusa par la suite de s'engager à demander à la pétrolière d'État de donner l'exemple et de faire profiter les consommateurs canadiens d'une diminution des prix de l'essence.

Le 25 janvier 1986, Le Devoir titrait « *Plutôt que de diminuer ses prix, Pétro-Canada investira dans l'exploration* ». La ministre de l'Énergie, des Mines et des Ressources, Mme Pat Carney, avait indiqué la veille aux Communes qu'il était beaucoup plus important que Pétro-Canada investisse ses profits dans l'exploration que de baisser ses prix à l'avantage des consommateurs.

Mais ça ne s'arrêta pas là. Pétro-Canada alla jusqu'à afficher un prix pour l'essence ordinaire de un cent plus cher que celui de ses concurrents ! L'ensemble de ces gestes et déclarations firent en sorte que le sentiment d'appartenance envers Pétro-Canada diminua bien vite dans les sondages auprès de la population.

Résultat !

Le 28 janvier 1986, Le Devoir titrait « *Le gouvernement refuse d'exclure la privatisation de Pétro-Canada* ». Le premier ministre déclarait que l'intérêt des canadiens serait peut-être mieux servi si la pétrolière d'État passait partiellement aux mains d'actionnaires particuliers plutôt qu'à l'ensemble des contribuables, comme c'était le cas.

Le 1ᵉʳ octobre 1990.

Présentation du projet de loi C-84 pour privatiser Pétro-Canada. Ottawa mettait en vente un premier bloc de 15 % de Pétro-Canada. Mais le contrôle de la société demeurerait entre les mains des Canadiens, les étrangers ne pouvant posséder plus de 25 % des actions offertes et aucun actionnaire ne pouvant détenir plus de 10 % des actions. (La Presse, 2 octobre 1990).

Juillet 1991

La Loi sur la privatisation est adoptée le 3 juillet. Les premières actions furent vendues dans le public dans le cadre d'un appel public à l'épargne. Le gouvernement se départit ainsi d'un premier bloc de 19,5 % et le président de Pétro-Canada, William Hopper, encaissa un chèque de 520 millions de dollars, remis à l'État, et représentant le montant des ventes de quelque 42 millions d'actions ordinaires de Dominion Securities, vendues à 13 $ chacune. (La Presse, 4 juillet 1991)

Février 1995

Ottawa annonce qu'il s'apprête à vendre la participation de 70 % qu'il détient encore dans Pétro-Canada. Lors du dépôt du budget, le ministre des Finances Paul Martin précise que le gouvernement allait vendre les 173,3 millions d'actions restantes *« lorsque les conditions seraient jugées favorables »*. Ottawa pourrait alors récupérer sa mise de fond. (La Presse, 28 février 1995).

Septembre 1995

Le gouvernement du Canada se départit d'un deuxième bloc d'actions représentant 50 % des actions ordinaires de Pétro-Canada, réduisant sa participation à 20 %. Les 118 millions d'actions ordinaires détenues par le gouvernement sont mises en vente le 13 septembre à 14,625 $ l'action. À noter que la ministre des Ressources naturelles, Anne McLellan, exprime sa satisfaction face à la demande pour les actions de Pétro-Canada. Par la même occasion, elle assure que le gouvernement n'a pas l'intention d'offrir les 20 % d'actions qui lui resteront. Le 23 septembre : la vente publique des actions est terminée. L'opération a rapporté 1,8 milliard de dollars au gouvernement et des non-résidents contrôlent maintenant 23,2 % de Pétro-Canada. (La Presse, 14 septembre 1995, Le Devoir 23 et 28 septembre 1995).

Janvier 2000

Ottawa veut se retirer de Pétro-Canada et surveille le marché afin de déterminer le meilleur moment pour se départir de sa participation restante de 18 %. Le ministre des Finances Paul Martin déclare à l'agence Reuters que : *« La seule chose qui importe ici est le désir de procurer le meilleur rendement pour la population »*. (Le Soleil, 7 janvier 2000).

Le 9 janvier 2004, le ministre fédéral des Finances, Ralph Goodale, fait savoir qu'il déciderait bientôt du moment de vendre la participation de 19 % des actions qu'Ottawa possède encore dans Pétro-Canada. (La Presse, 10 janvier 2004).

Le 17 septembre 2004, le ministre Ralph Goodale déclare que : « *Même si Ottawa n'est plus son principal actionnaire, la société Pétro-Canada sera toujours protégée contre une éventuelle prise de contrôle puisque la loi fixant à un maximum de 20 % toute participation dans son capital ne sera pas abrogée* ». Un porte-parole de la compagnie renchérit sur ces propos : « *Les contribuables canadiens ont pris des risques importants pour permettre à Pétro-Canada de progresser et nous croyons qu'ils devraient continuer à bénéficier de ses activités* ».

La moitié du dernier bloc de 19 % des actions ont été vendues à des investisseurs américains, selon Bloomberg.

Des analystes ont avancé différents chiffres sur le prix que les contribuables ont payé pour créer et gérer Pétro-Canada. Le 19 octobre 2004, à l'émission « Dans la mire », un porte-parole de l'industrie pétrolière a déclaré que Pétro-Canada avait coûté plus de 8 $ milliards aux canadiens. C'est le chiffre le plus élevé qu'il m'ait été permis d'entendre sur le sujet. Si Pétro-Canada était demeurée une société d'État, conformément à son mandat d'origine d'avant 1984, les prix des produits pétroliers raffinés du Canada auraient peut-être échappé à l'accord de libre-échange et dès lors n'auraient pas suivi le système des prix publiés sur les produits raffinés de juin 1985. C'est une hypothèse, mais Hydro-Québec a réussi cette prouesse en tant que société d'État. Pourquoi alors une autre société d'État n'aurait-t-elle pu en faire autant ? Ce qui donne à penser que pour les années 2001 à 2004, les Canadiens auraient possiblement payé en moyenne leur essence 10 cents de moins le litre que les prix américains. Comme il se vend un volume total de 40 milliards de litres annuellement au Canada, l'absence de Pétro-Canada aurait donc coûté 16 milliards de dollars aux Canadiens.

Pétro-Canada, 1975-2004.

Parce que ça nous a déjà appartenu.

Une noble compagnie pétrolière créée par un gouvernement soucieux des intérêts de la population et privatisée par un autre gouvernement soucieux des intérêts et non de la population.

Les taxes, mythes et légendes

Si on réduit la taxe, les pétrolières vont l'empocher :

Voici une intervention du premier ministre Paul Martin à la Chambre des Communes à Ottawa, le 19 octobre 2000.[1] Il était alors ministre des Finances

L'hon. Paul Martin (ministre des Finances, Lib.) : *Monsieur le Président, tout d'abord, lorsque des compagnies comme Imperial, Esso ou n'importe laquelle fait des profits, nous retirons notre bénéfice et nous le retournons aux Canadiens. C'est une chose.*

Deuxièmement, on sait fort bien d'ailleurs que le ministre des Finances du Québec, M. Landry, a exactement la même opinion, c'est-à-dire qu'il ne sert à rien de baisser la taxe sur l'essence, puisque cela va disparaître dans la poche de ces compagnies pétrolières.

C'est pour cela qu'on a baissé les impôts personnels de la classe moyenne et des gens à faible revenu, et c'est pour cela qu'on a remis 1,3 milliard de dollars dans les poches des contribuables du Canada pour les aider avec l'huile à chauffage.

Dans cette intervention, monsieur Martin a entretenu le mythe qu'une baisse des taxes ne ferait pas de différence sur le prix de détail pour les consommateurs, qu'une baisse des taxes allait disparaître dans « les poches » des compagnies pétrolières.

---

[1] Chambre des Communes, 36ᵉ législation, 2ᵉ session, hansard révisé 132, 19 octobre 2000, 14h45.

C'est une fausseté et il sait que ce n'est pas vrai. Mais c'est là une croyance qui passe bien dans l'opinion publique. Alors il joue là-dessus. Ça lui évite de perdre des revenus et de grever son budget.

Il y a deux façons simples de vérifier si une éventuelle diminution de la taxe sur le prix de l'essence profiterait aux consommateurs. La première consisterait à donner instruction aux détaillants d'afficher sur une feuille, par exemple à l'intérieur de leur commerce, les composantes du prix, tout simplement. En fait, la seule composante du prix de l'essence qui pourrait absorber une diminution de la taxe c'est la marge d'opération du détaillant. À la nuance près que sur un marché local, il se peut que la marge du détaillant soit très faible à certain moment et que cette situation évolue sur une période de trois mois, six mois ou plus. À certains moments, la marge d'opération du détaillant fluctue entre zéro et cinq cents ; à d'autres, entre trois et huit cents. Comment savoir dans ces conditions que la réduction de la taxe est refilée aux consommateurs ? Ce sera une question d'interprétation.

Le parti Québécois s'est généralement opposé aux demandes de réduction de la taxe, tant à la commission parlementaire d'octobre 2001, à Québec, que lors d'une entrevue au journal La Presse, le 19 mai 2004. Son argument est le suivant : « *toute baisse de taxe risque d'être empochée par les pétrolières* ».

La deuxième façon de vérifier que la réduction de la taxe bénéficie au consommateur serait d'afficher toutes les composantes du prix de l'essence sur une base hebdomadaire. La Régie de l'énergie serait ainsi en mesure de constater toute variation importante dans la marge des détaillant ou des raffineurs.

Ici nous allons prendre le gouvernement fédéral comme exemple, puisque les surplus budgétaires qu'il accumule depuis 1998 lui donnent la marge de manoeuvre nécessaire pour réduire le fardeau fiscal des consommateurs. Si le gouvernement fédéral éliminait complètement la taxe d'accise de dix cents sur l'essence ordinaire et l'essence super (elle est de quatre cents sur l'essence diesel), verrions-nous une différence ? Réponse : au lieu de payer l'essence 99,9 cents le litre en mai 2004, nous aurions payé aux alentours de 87,9 cents le litre. Sur le coup, nous aurions donc perçu la différence. Mais une semaine, un mois ou un an plus tard, comment vérifier, si le prix de l'essence raffinée continue à grimper ou si le dollar canadien se met à perdre de sa valeur face au dollar américain. Donc nous aurions constaté la baisse de prix au moment de l'élimination de cette taxe si elle avait eu lieu la deuxième semaine de mai 2004. Mais 87,9 cents le litre en mai 2004, c'était déjà un prix record quinze mois plus tôt (février 2003).

Une autre conséquence importante dans ce scénario de l'élimination de la taxe d'accise de 10 dix cents le litre serait une importante diminution de revenus pour le gouvernement fédéral. Les statistiques nous apprennent qu'il s'est vendu environ 36 milliards de litres d'essence au Canada en 2000. Faisons un calcul rapide et on atteint le montant de 3,6 milliards de dollars de revenus perdus pour le fédéral. Bien que, dans ce cas-ci, le ministre des Finances en a peut-être les moyens.

Est-ce que réduire ou éliminer la taxe est une solution ?

C'est comme dire à une personne qui a quarante livres en trop d'enlever ses vêtements pour perdre du poids. Qu'est-ce qui fait prendre du poids ? Les vêtements ou l'alimentation ? Qu'est-ce qui fait fluctuer, varier ou bouger le prix de l'essence ? Les taxes ou les spéculations boursières sur le prix de gros (B) ?

Le tableau suivant nous fait voir comment les prix de l'essence fluctuent avant taxe (B) soit le prix que l'on retrouve à la sortie de la raffinerie et après taxe (F), soit le prix affiché à la station-service (F). Données extraites des statistiques compilées par la Régie de l'énergie du Québec (regie-energie.qc.ca).

Tableaux des plus grands écarts depuis 6 ans.

Avant taxe (B)	Prix en cents/litre	Semaine du
Prix le plus bas observé, 1997 à 2005	13,3	15 fév. 1999
Prix le plus haut observé, 1997 à 2005	62,2	15 août 2005
Fluctuation	**367 %**	

Avec taxe et marge du détaillant (G)	Prix en cents/litre	Semaine du
Prix le plus bas observé, 1997 à 2005	51,4	15 fév. 1999
Prix le plus haut observé, 1997 à 2005	114,4	15 août 2005
Fluctuation	**122 %**	

Lorsqu'on ajoute les taxes et la marge du détaillant, le 367 % devient 122 %.

Tableaux des plus grands écarts dans une seule année.

Avant taxe (B)	Prix en cents/litre	Semaine du
Prix le plus bas de 2005	37,5	3 janv. 2005
Prix le plus haut de 2005	62,2	15 août 2005
Fluctuation dans l'année	**65 % sur 7 mois**	

Avec taxe et marge du détaillant (G)	Prix en cents/litre	Semaine du
Prix le plus bas de 2005	78,5	3 janv. 2005
Prix le plus haut de 2005	114,4	15 août 2005
Fluctuation dans l'année	**45 % sur 7 mois**	

En ajoutant les taxes et la marge du détaillant, la hausse du prix avant taxes de 65 % est amortie et devient 45 %. Les taxes ajoutées au prix font donc écran à la réalité des fluctuations. Pourquoi ? Parce que les taxes et la marge du détaillant ne sont tout simplement pas la cause des fluctuations. Voyez par vous-mêmes :

- La taxe d'accise est la même depuis 1994 ; 10 cents le litre.
- La taxe routière dite provinciale au Québec est la même depuis sa création ; 15,2 cents le litre.
- La taxe de transport en commun est la même depuis sa création ; 1,5 cents le litre.
- La TPS est un pourcentage fixe depuis sa création ; 7 % sur le total.
- La TVQ est un pourcentage fixe depuis sa création ; 7,5 % sur le total après la TPS.

... et le prix de gros est passé de 13,3 cents à 62,2 cents en 6 ans et 6 mois avec, soit une fluctuation de 367 % !

Souhaitons que cette démonstration sera suffisamment éclairante pour ceux qui voient la réduction de la taxe comme la solution aux prix élevés de l'essence. Sinon, enlevez vos vêtements à votre prochaine diète, car vous devez encore croire que c'est la solution.

Oui mais les taxes et le coût du pétrole représentent 85 % du prix de l'essence : (ou l'art de détourner l'attention).

Autre exemple illustrant comment on entretient la légende autour de la diminution de la taxe, cette lettre d'un lecteur publiée par un média écrit et intitulée *« Qui est responsable ? Sans les taxes, le prix québécois de l'essence serait d'environ 48 cents le litre ».*[2]

C'était signé Pierre Desrochers, directeur de recherche à l'Institut économique de Montréal. On a affaire ici à intervenant d'une certaine notoriété, directeur de quelque chose.

En résumé, les taxes et le prix du brut représentent 84 % du prix à la pompe. L'industrie peut donc influencer environ 16 % seulement du prix à la pompe. Et le profit des grandes pétrolières et des détaillants une fois que l'on a tenu compte des coûts de raffinage et de distribution ? Quelques cents le litre sans plus.

Ce genre de texte contribue à perpétuer la thèse voulant que le prix de l'essence soit trop élevé à cause des taxes. C'est ce qu'on peut appeler une légende. Elle fait partie du discours populaire, autant dans les média qu'au sein de la population. Un discours concocté et entretenu. Car il y a quelque part une machine de communication qui a réussi son travail Se peut-il que les graphiques collés sur les pompes à essence aient suffi à eux seuls ? À l'opposé ici, quelques pages dans un livre qui doivent se battre contre cette machine.

Alors, répétons-le : depuis 1999, les taxes n'ont pas bougé, mais la composante du prix de l'essence sous la responsabilité de l'industrie pétrolière a fluctué de 312 %. À ceux et celles qui ont saisi la dernière démonstration, l'invitation est lancée de changer le discours : *il y a trop de taxe* pour *l'industrie est responsable de la fluctuation de 367 % du prix de l'essence avant taxe de 1999 à 2005.* C'est plus long à dire, mais je vous le jure, c'est la bonne explication. Dans tout dossier socio-économique, la réalité est toujours plus longue à expliquer. Alors, quand on vous sert une courte explication, ayez des doutes.

---

[2] Journal La Presse, 27 février 2003, *« Qui est responsable ? »*

La grande découverte du CAA-Québec :

Le 21 janvier 2000, le CAA-Québec y alla d'une sortie médiatique en grande pompe.

Un autre intervenant d'une certaine notoriété, le CAA-Québec. Voici le texte de sa déclaration[3] :

Le Club automobile du Québec estime que les Québécois paient beaucoup trop de taxes en achetant de l'essence. Le club, qui représente les intérêts des 675 000 membres au Québec, continuera de jouer son rôle de chien de garde dans ce dossier. « Si on n'avait pas dénoncé les abus jusqu'à présent, ça serait pire », affirme Claire Roy, directrice des affaires publiques. Bien que le club ait reçu plusieurs plaintes depuis que les prix oscillent autour de 70 cents, CAA-Québec n'a pas l'intention de poser un geste d'éclat pour dénoncer la situation. « Ça ne donnerait rien » ajoute madame Roy. Depuis la hausse des prix, des mouvements isolés de contestation favorisent le boycott des pétrolières. Une démarche qui n'est pas appréciée par Claire Roy. « Ce sont les détaillants qui vont payer pour ». Elle croit qu'il serait plus efficace de communiquer directement avec les grandes pétrolières plutôt que de s'adresser aux stations-service.

La section ontarienne du CAA, pour sa part, souhaiterait que les stations-service affichent les prix décomposés, pour permettre aux consommateurs de voir comment se répartissent les taxes, les frais de transport et le coût du brut. Une mesure appuyée par Claire Roy. « Les gens ne réalisent pas que 50 % va en taxes. S'ils le savaient, les gens seraient moins hargneux ».

Ici, une seule réflexion. Le CAA-Québec a raison, il n'a pas posé de geste d'éclat. Sa participation à la Commission parlementaire en octobre 2001, à Québec, a favorisé la même proposition, celle de réduire les taxes qui ne fluctuent pas alors que le litre d'essence avant taxe, lui, a fluctué de 367 % de février 1999 à août 2005. Comment expliquer que le CAA-Québec persiste à se bander les yeux et à refuser de mettre le doigt sur les véritables abus des compagnies pétrolières qui frappent les consommateurs de plein fouet et remplissent les coffres des grands investisseurs ? Ça confirme leur mission première, à savoir que le CAA-Québec, c'est d'abord un service de dépannage pour les automobilistes. À chacun sa spécialité. En passant, le CAA-Québec ne s'est pas présenté au comité d'enquête sur l'industrie pétrolière à Ottawa, en mai 2003. Il ne s'est pas présenté non plus au comité spécial des finances du 1er octobre 2003 pour dénoncer la réduction fiscale aux compagnies pétrolières, alors que c'eut été une excellente tribune pour

---

[3] Site Internet Canoë, 21 janvier 2000.

présenter une solution sur la réduction de la fiscalité des automobilistes. Mais malheureusement, pour le CAA, tous les moyens sont bons pour faire la promotion de son entreprise de remorquage, comme discourir sur l'actualité pétrolière sans même un minimum de connaissance. Au lieu d'investir du temps à courir après des rabais de groupe pour la peinture Bétonel, par exemple, ils devraient se pencher sur ce qui intéresse plus directement les automobilistes, comme le prix de l'essence.

Autre exemple de mauvaise compréhension du CAA des causes de fluctuation du prix de l'essence : son boycottage lancé le 16 août 2005.[4] Il demandait aux automobilistes de s'abstenir de faire le plein en attendant que la situation se normalise. Il ne visait pas une compagnie en particulier, mais bien toutes les pompes à essence ! Méchant sevrage ! En se basant sur le prix minimum de la Régie de l'énergie, le CAA concluait que le détaillant obtenait une marge d'opération de plus de douze cents le litre. C'était là son erreur. Rappelons-le, le prix minimum de la Régie est une donnée hebdomadaire prise le jeudi précédent, soit le 11 août dans ce cas-ci. La donnée du prix coûtant (B) était de 1,02 $ ce jour-là. Ce prix minimum était en vigueur aux raffineries le lendemain 12 août. Le problème, c'est que la Régie publie un prix pour une semaine alors que le prix coûtant facturé aux stations-service change à tous les jours. Donc, le lundi 15 août 2005, le prix facturé par les raffineries était maintenant celui du vendredi précédent qui, lui, avait progressé à un nouveau record de 1,067 $. Cette volatilité des prix enlève beaucoup de fiabilité au prix minimum fixé pour une semaine. Comme les stations-service payaient ce lundi un prix plus élevé, leur marge de profit de détaillant tombait à huit cents au lieu de douze cents. Et cette marge a tendance à fluctuer de huit a zéro cent ou même à devenir négative.

Pourquoi le CAA-Québec ne dénonce-t-il pas plutôt la marge de raffinage qui fluctue de six cents à vingt-et-un cents durant l'année ainsi que la composante du pétrole qui fluctue de 10 cents à plus de 45 cents dans le prix de détail ? Pourquoi ?

L'ACA (Association canadienne des automobilistes).

Dans une lettre datée du 22 mai 2001,[5] l'ACA jette le blâme sur les taxes en se référant à l'étude de comparaison des prix des pays industrialisés publiée par l'Agence Internationale de l'énergie, étude biaisée parce qu'elle compare l'essence super des pays d'Europe à l'essence ordinaire du Canada. Cet organisme milite en faveur d'une réduction des taxes et rien d'autre.

---

[4] Site Internet webfin, 16 août 2005, « *CAA-Québec invite les automobilistes à un boycottage.* »
[5] www.icpp.ca, Infoprix, 22 mai 2001.

La hausse du prix de l'essence profite aux gouvernements, qui dit vrai ?

On sait ben, le gouvernement s'en met plein les poches, véhicule volontiers l'opinion publique. Le même argument lui a semblé expliquer l'absence d'intervention du gouvernement dans cet univers de prix excessifs.

Le 19 mai 2004, un média écrit a fait paraître un article intitulé *La hausse du prix de l'essence profite aux gouvernements.*[6] À Ottawa, le ministre des Finances Ralph Goodale venait d'admettre que la hausse du prix de l'essence augmentait ses revenus. Il suggérait qu'en retour cet argent supplémentaire soit investi dans des équipements médicaux.

Remettons les choses dans leur contexte : le fédéral était à la veille d'un déclenchement d'élections lorsque les prix ont atteint un niveau record partout dans le pays (99,9 cents le litre à Montréal). Les politiciens fédéraux essayaient de toutes les façons possibles de se faire du capital politique avec cette situation, sans pour autant se compromettre sur les causes réelles des fluctuations et encore moins sur la solution à y apporter, soit carrément réglementer les pratiques commerciales. Le plus loin que le chef Conservateur Stephen Harper, s'avança à promettre, s'il prenait le pouvoir, fut qu'il gèlerait la taxe fédérale de vente (la TPS) à un montant fixe plutôt que de laisser l'actuel mécanisme de pourcentage continuer de profiter des hausses des produits pétroliers. Impressionnant ! Ne voulant pas demeurer en reste, Monsieur Goodale avait voulu reprendre le flambeau en exprimant son intention d'affecter ce surplus à des équipements médicaux.

Nous allons jeter un coup d'œil mathématique à cette belle intention de monsieur Harper.

---

[6] Journal La Presse, 19 mai 2004, *« La hausse du prix de l'essence profite aux gouvernements. »*

Prix par cents sur le litre	Janvier 2004	Mai 2004
Prix de gros avant taxe	36,30	54,90
Taxe d'accise fédérale	10,00	10,00
Taxe routière provinciale	15,20	15,20
Taxe de transport en commun	1,50	1,50
Frais de transport	0,225	0,225
Taxe de vente fédérale (TPS 7 %)	4,42	5,72
Taxe de vente provinciale (TVQ 7,5%)	5,07	6,56
Coûtant au détaillant	71,21	94,10
Marge du détaillant (varie entre 0 et 8 cents, pour ce scénario prenons 5 cents)	5 cents	5 cents
Prix affiché	76,21	99,10
Différence de la TPS	1,3 cent	

Si un prix au détail affiche vingt-quatre cents de plus, la différence de TPS est de 1,3 cent. C'était cela le gros cadeau de monsieur Harper ! Toute une promesse électorale ! Donc, ce 18 mai 2004, monsieur Harper proposait une réduction de 1,3 cent le litre aux consommateurs pour alléger leur sort face au prix de 99 cents de mai 2004.

À quel niveau gèlerait-il le montant de la TPS ? Si c'est sur le prix le plus bas de l'année, il faudra attendre la fin de l'année pour le savoir. Peut-être que ça serait en rapport avec le prix moyen de l'année précédente ?

Le même article rapportait que le gouvernement Charest répétait que la hausse du prix de l'essence lui coûtait de l'argent.[7] Pourquoi ? Faisons la démonstration des revenus supplémentaires en TVQ, en nous basant sur le même scénario de prix que celui utilisé pour la déclaration précédente.

---

[7] Journal La Presse, 19 mai 2004, *« La hausse du prix de l'essence profite aux gouvernements. »*

Prix par cents sur le litre	Janvier 2004	Mai 2004
Prix de gros avant taxe	36,30	54,90
Taxe d'accise fédérale	10,00	10,00
Taxe routière provinciale	15,20	15,20
Taxe de transport en commun	1,50	1,50
Frais de transport	0,225	0,225
Taxe de vente fédérale (TPS 7 %)	4,42	5,72
Taxe de vente provinciale (TVQ 7,5%)	5,07	6,56
Coûtant au détaillant	71,21	94,10
Marge du détaillant (varie entre 0 et 8 cents, pour ce scénario prenons 5 cents)	5 cents	5 cents
Prix affiché	76,21	99,10
Différence de la TVQ	1,49 cent	

Calculé sur une moyenne de huit milliards de litres vendus au Québec, le revenu additionnel en TVQ atteindrait donc : 8 000 000 000 de litres X 0,0149 $ = 119 millions de dollars.

De ce montant, on doit toutefois soustraire l'impact de la même hausse du prix de l'essence sur les dépenses du gouvernement, car il est un gros consommateur d'essence. Calculons : les 1 700 véhicules de la Sûreté du Québec qui consomment environ 8 millions de litres, les opérations de déneigement des routes sous juridiction provinciale qui impliquent achat de carburant à un prix plus élevé, les dépenses de tous les ministères qui ont à effectuer des déplacements (inspection routière, revenu, santé, sécurité civile, inspecteur en bâtiment, régie du logement, inspecteur forestier, employé de réserve faunique, etc.) Il faut également considérer tous les fournisseurs de qui le gouvernement achète des produits et services. Plus les sociétés d'État, dont la Société des Alcools du Québec qui utilise beaucoup de transport pour la distribution de ses produits. Hydro-Québec avec les innombrables déplacements d'employés vers les installations hydro-électriques souvent situées en régions éloignées ainsi que la flotte de camions pour les monteurs de ligne. Et n'oubliez pas que le gouvernement provincial subventionne huit compagnies de transport en commun (Gatineau, Laval, Montréal, Longueuil, Trois-Rivières, Sherbrooke, Québec et Saguenay). À elle seule, la Société de transport en commun de Montréal a utilisé 44 500 000 litres de diesel pour l'année 2004. Or un volume de litres affecte les dépenses du gouvernement dès qu'il franchit la barre des 520 millions de litres. En ce cas, le revenu additionnel de 119 millions de dollars en TVQ vient non seulement de disparaître, mais en plus, ça nous coûte de l'argent. C'est probablement ce que le gouvernement Charest voulait signifier en disant que la hausse du prix de l'essence « *fait perdre de l'argent* ».

Dans un autre ordre d'idée, un calcul effectué par le ministère des Finances du Québec[8] a démontré qu'une hausse de cinq cents le litre du prix à la pompe fait perdre 22 millions de dollars à l'État. Ce scénario est basé sur le fait qu'une hausse de 10 % du prix de l'essence entraîne une diminution de 2,5 % de la consommation.

Une impression de payer trop de taxe :

Chaque contribuable peut calculer ce qu'il verse en impôt et en taxe à l'État. Mais il est plus difficile de calculer ce que l'État lui redonne en service. Qui peut évaluer avec précision ce qu'il utilise et/ou obtient de l'État ? Le nombre de kilomètres parcourus sur les routes et infrastructures de l'État vaut combien ? La dernière visite chez le médecin vaut combien ? L'éducation que l'on donne à nos enfants vaut combien ? Quelle redevance j'obtiens de la gestion de l'environnement, des parcs, etc. ? Quelle contribution je retire de la présence d'un service de police ou d'un appareil militaire ?

Lorsqu'un citoyen dénonce une trop grande portion de taxes dans le prix de l'essence et réclame qu'elle soit réduite, est-il aussi disposé à assumer une diminution correspondante des services qu'il retire de l'État ?

Lorsque l'on compare le prix de l'essence au Québec et au Canada avec les prix en vigueur sur le marché américain, je pense qu'il faut également prendre en considération le niveau et la qualité des services que l'on reçoit en retour de notre appareil gouvernemental. Le système d'éducation et de santé n'offre pas la même accessibilité aux citoyens dans les deux pays. Que préférez-vous ? Payer vingt cents de moins le litre et vivre en espérant ne pas avoir à subir une chirurgie cardiaque dont le coût, dans un système de santé privé, peut se chiffrer à plusieurs milliers de dollars ?

En France, sur un litre d'essence ordinaire, la part des taxes sur le prix de détail atteint 80 % répartis comme suit : 20 % de taxe sur la valeur ajoutée et 60 % de fiscalité spécifique sur l'énergie (dite taxe intérieure sur les produits pétroliers ou TIPP). Donc en France, le prix hors taxe est multiplié par 5 pour arriver au prix du détaillant, tandis qu'ici, au Québec, il est, environ, multiplié par deux.

---

[8] Journal de Montréal, 17 août 2005, « *Plus de revenus, mais pas plus riche.* »

C'est un choix de société que fait la France. Je vous invite à consulter le document suivant qui reflète un certain débat sur le niveau de taxe dans le prix des produits pétroliers en France. L'auteur est Jean-Marc Jancovici, un citoyen Français analyste de l'actualité économique et spécialiste en environnement.

http://www.manicore.com/documentation/taxe.html

Pays importateur de pétrole à 100 %, la France réduit ainsi son déficit commercial lié à ses achats de pétrole à l'étranger. De plus, ce traitement choc sensibilise les Français au coût des produits pétroliers raffinés. Comme résultat, le transport en commun est très utilisé et les véhicules à faible consommation d'essence sont majoritaires dans les milieux urbains. La ville de Paris compte 14 lignes de métro contre quatre à Montréal et trois à Toronto, je crois, auxquelles il faut cependant ajouter des lignes de trains de banlieue très fonctionnelles. Une liaison Paris-Bordeau peut compter jusqu'à quatorze services quotidiens. Côté véhicules, le paysage des rues de Paris est peuplé de scooters, de Smart, de Twingo, d'Opel et autres voitures très compactes. Le litre à environ 1,80 $ constitue un traitement choc qui a influencé les comportements de déplacements des Français.

Chez nous, au contraire, le bulletin d'avril 2005[9] de Statistiques Canada nous informe, section ventes de véhicules que la catégorie des camions, où sont regroupés les fourgonnettes, les véhicules sport utilitaires, les camionnettes et autres véhicules lourds, continue de gagner en popularité, malgré leur forte consommation d'essence. Ces véhicules monopolisent maintenant près de la moitié des ventes au Canada. Au Québec, la situation est différente. Bien que les camions grugent des parts de marché, 66 % des acheteurs choisissent encore l'automobile.

Pour votre information, voici un tableau présentant les différentes taxes sur le prix du litre de l'essence ordinaire dans les autres provinces :

---

[9] Journal La Presse, 16 juin 2005.

Tableau présentant les différentes taxes
sur le prix du litre de l'essence ordinaire.

| Province | Taxe (cents) | | TPS/TVH | TVQ | Taxe (cents) |
	Féd.	Prov.			Transport
Terre-Neuve	10	16,5	15 %	-	-
Île Prince Édouard	10	17,0	7 %	-	-
Nouvelle-Écosse	10	15,5	15 %	-	-
Nouveau-Bruns.	10	14,5	15 %	-	-
Québec	10	15,2	7 %	7,5 %	-
Ontario	10	14,7	7 %	-	-
Manitoba	10	11,5	7 %	-	-
Saskatchewan	10	15,0	7 %	-	-
Alberta	10	09,0	7 %	-	-
Colombie-Brit.	10	14,5	7 %	-	-
Territoire N-O	10	10,7	7 %	-	
Nunavut	10	06,4	7 %	-	-
Yukon	10	06,2	7 %	-	-
Montréal	10	15,2	7 %	7,5 %	01,5
Vancouver	10	14,5	7 %	-	06,0

L'Ontario n'impose pas de taxe de vente provinciale sur le prix de l'essence ordinaire. Oui, l'essence s'y vend moins cher qu'au Québec. Encore là, il s'agit d'un choix de société. Dans le dernier budget provincial de cette province (2005), le premier ministre Dalton McGuinty a déclaré un déficit annuel de près de 6 milliards de dollars alors qu'au Québec nous avons un budget plus équilibré. On a donc le choix entre un budget équilibré ou un manque à gagner de 500 millions de dollars dans le budget provincial si on décidait de faire disparaître la TVQ sur l'essence, ce qui n'empêcherait pas pour autant le prix de l'essence à la raffinerie de continuer à fluctuer en fonction du marché.

Ça monte toujours le jeudi !

Voici répertorié quotidiennement le prix de l'essence ordinaire de juin 2004 à juin 2005. Nombre de hausses : 42 changements de prix à la hausse sur l'essence ordinaire.

- Lundi 7
- Mardi 8
- Mercredi 7
- Jeudi 14
- Vendredi 6

Pour le reste, ça demeurera une question d'interprétation. Oui le jeudi est le jour de la semaine où on a observé le plus de hausse. Mais 66 % des changements de prix à la hausse qui n'ont pas eu lieu un jeudi. Choisissez votre camp. Avouez que ça fait fondre l'argument « *toujours le jeudi* ». On peut s'interroger à savoir d'où vient ce mythe que ça monte toujours le jeudi ? Doit-on interpréter cela comme « *si ça monte pas le jeudi c'est mieux accepté ?* » Et si justement, vous avez identifié que ça monte toujours le jeudi, avez-vous commencé à faire le plein le mercredi ?

Pour nous, le cheval de bataille n'a jamais été le jour du changement de prix à la hausse, mais la hausse de prix seulement. L'espace accordé dans ce chapitre vous illustre l'attention qu'on peut lui accorder.

La promesse multiple sur la taxe fédérale de 1,5 cent le litre :

Dans le budget fédéral de 1994, le ministre des Finances avait augmenté la taxe d'accise fédérale de 1,5 cent le litre sur l'essence ordinaire et l'essence super, ce qui la portait au total à dix cents le litre. Cette hausse de 1,5 cent le litre avait comme objectif d'éliminer le déficit annuel. Une fois cet objectif atteint, il était convenu de faire disparaître cette taxe additionnelle de 1,5 cents le litre. L'objectif du déficit zéro a été atteint en 1998, mais la taxe est demeurée en place, et l'est toujours en 2005, sept ans plus tard.

Le 16 mai 2002, la Fédération Canadienne des payeurs de taxes soulignait le quatrième anniversaire de ce qu'elle a baptisé « The Annual Gas Tax Honesty Day[10] ».

Une autre fois où il a été question de cette surtaxe de 1,5 cents le litre pour éliminer le déficit annuel, ce fut lors de la publication du rapport

---

[10] www.taxpayer.com, 16 mai 2002 *Petit rebond des ventes d'autos en avril.*

Bernard en janvier 2003.[11] Puis, lors du discours du trône de janvier 2004, avec l'arrivée du nouveau premier ministre Paul Martin. Il annonça que cette taxe irait garnir un fond destiné aux infrastructures municipales dans tout le pays. Cette annonce a été reprise dans le premier budget de Ralph Goodale en mars 2004. Puis elle est réapparue sur la liste des promesses de la campagne électorale de juin 2004. Et encore, le 13 novembre 2004, au terme d'une rencontre avec des représentants provinciaux et territoriaux,[12] le ministre d'État de l'Infrastructure et des Collectivités, John Godfrey, estimait qu'il existait très peu d'obstacle à des ententes avec les provinces relativement au partage de la taxe fédérale sur l'essence. Le 23 février 2005, lors de la présentation de son budget, le ministre des Finances Ralph Goodale réitéré l'intention d'Ottawa de remettre aux municipalités cette taxe qui rapporte environ 600 millions de dollars par année.[13] Et encore, le 28 avril 2005, un climat d'élection fédérale imminente combiné à un urgent besoin de bonnes nouvelles s'est traduit en un sprint de négociations entre Ottawa et Québec pour tenter d'en arriver à un accord sur la taxe fédérale sur l'essence.[14] Toujours à propos de la même taxe, Ottawa et Québec se sont mis d'accord, le 15 juin 2005[15] sur le transfert d'une partie de la taxe fédérale sur l'essence, ce qui permettra aux municipalités québécoises de toucher 1,3 milliard de dollars sur cinq ans. La signature de l'entente a eu lieu à Montréal le mardi 21 juin 2005. Paul Martin s'est alors offert une conférence de presse en grande pompe pour célébrer le partage des fruits d'une promesse non tenue, c'est-à-dire le maintien de cette taxe de 1,5 cents le litre qui aurait dû disparaître en 1998, année où le déficit annuel a été éliminé. Pourquoi ne pas avoir pigé dans le 3 milliards annuels de réduction fiscale aux compagnies pétrolières pour aider les municipalités du pays au lieu d'aller piger dans les poches des consommateurs ? Une « entente historique entre le fédéral et les provinces », s'est réjoui monsieur Martin. Et l'entente sur le gel du prix du baril à 6,50 $, le 27 mars 1974, alors que le reste de la planète payait presque le double, ce n'était pas historique ça ? Peut-être que le Premier ministre du Canada a oublié l'histoire du pays qu'il gouverne !

---

[11] Le Journal de Montréal, 25 janvier 2003, « *Taxe sur l'essence : Québec profiterait du retrait d'Ottawa.* »
[12] Journal La Presse, 14 novembre 2004, « *Entente imminente entre Ottawa et les provinces.* »
[13] Journal La Presse, 24 février 2005, « *Un budget sucré.* »
[14] Journal Le Devoir, 29 avril 2005, « *Ottawa déverse une manne presque sans précédent pour les municipalités du Québec.* »
[15] Journal La Presse, 16 juin 2005, « *Partage de la taxe fédérale sur l'essence.* »

Le premier ministre Jean Charest a souligné, quant à lui, qu'il s'agissait d'une entente historique en raison de l'ampleur des sommes impliquées.[16] Historique le montant de 1,3 milliards de dollars ? Le 1er septembre 1981, Ottawa a signé une entente de cinq ans avec l'Alberta sur le prix du pétrole. Il s'agissait d'un montant de 212 milliards de dollars. Pas besoin d'actualiser les dollars de 1981, l'ampleur du montant suffit. Peut-être que le Premier ministre du Québec a oublié l'histoire du pays dont fait partie la province qu'il gouverne.

Ce cheminement peut inspirer bien des réflexions. Ce peut être l'art d'étirer à répétition la même nouvelle. Ou encore la démonstration des limites d'un gouvernement qui arrive difficilement à conclure un accord avec les provinces ? Ce fut en tout cas la démonstration d'efforts pour utiliser une portion de 1,5 cent le litre sur la taxe fédérale sur l'essence à des fins autres que celles fixées à l'origine.

---

[16] Journal La Presse, 22 juin 2005, « *Le partage de la taxe sur l'essence rapportera 1,3 milliard au Québec.* »

Entretenir l'ambiguïté

Le discours des pro-pétroliers comporte des arguments qui ne sont pas toujours évidents à décoder. Soit nous fassions confiance à ce qu'ils nous disent, soit que le doute et la curiosité nous forcent à mieux cerner la réalité et à développer une compréhension plus favorable à la population qu'à l'industrie. Ce chapitre en fait quelques démonstrations.

Les fluctuations du prix de l'essence découlent d'un système d'établissement d'un prix commun négocié sur la bourse des produits de commodité, le Nymex. Nous parlons ici du gallon d'essence raffinée à la sortie de la raffinerie (B), dont le prix est très sensible aux interprétations que des spéculateurs financiers donnent à diverses informations sur l'état du marché. Ce système est entré en vigueur avec la signature de l'accord de libre-échange Canada/États-Unis de 1988 (selon les pro-pétroliers), mais pourrait plutôt remonter à juin 1985, si l'on en croit le rapport d'enquête O'Farrell. Le litre d'essence est donc soumis à une double spéculation : avant la transformation à l'état de pétrole brut (A) et après la transformation en essence sous l'étiquette « Nymex gasoline » (B).

Voici l'explication la plus précise qu'on puisse trouver sur les causes des fluctuations du prix de l'essence. Une explication simple qu'aucun intervenant professant le discours pro-pétrolier (politicien, compagnie, économiste, journaliste, professeur) ne consentira à vous donner. Pourquoi ? Parce que la population pourrait comprendre ce qui se passe, alors que l'ambiguïté permet de faire porter l'odieux des fluctuations sur les taxes, le prix du pétrole brut, les fameux éléments géopolitiques, le froid de l'hiver, les véhicules sport utilitaires, les fermetures de raffineries, les inventaires bas, etc.

La frénésie boursière va trop loin :

Le 21 février 2003 : l'environnement pétrolier était très tendu. Les partisans pro-pétroliers déroulaient encore leur argumentaire sur les conséquences de l'arrêt de la production de pétrole au Venezuela (qui avait pourtant repris sa production le 2 février), l'hiver froid, les déclarations quotidiennes sur les intentions militaires des Américains en Irak (l'invasion militaire de l'Irak a débuté le 20 mars seulement) et les troubles au Nigeria. Ce 21 février donc, une barge (bateau conteneur de vrac) remplie de produits pétroliers flambe tout bonnement dans le port de New York (Staten Island).[1] Aussitôt la nouvelle sortie, le gallon d'essence sur le Nymex enregistre une hausse de 2 % en quelques minutes. Étonnamment, personne ne se donne la peine de vérifier le sérieux de l'information. Or la barge ne transportait pas de l'essence, mais du propane ! Les spéculateurs financiers en produits pétroliers sont entrés dans la ronde d'une frénésie sans fondement autour d'un événement de nature, selon eux, à affecter les inventaires de produits raffinés. Mais ce n'était absolument pas le cas. Qui a fait des profits à la faveur de cette confusion ? Les spéculateurs et les compagnies pétrolières. Qui a payé ? ...

Le vendredi 15 août 2003 : le nord-est des États-Unis subit une panne électrique sans précédent. Le lundi suivant, trois raffineries de la région de New York décident d'attendre avant de remettre leurs installations de raffinage en marche. La raison invoquée ? Comme leurs opérations requièrent une quantité substantielle d'énergie électrique, elles faciliteront le retour du courant si elles attendent qu'il soit fermement rétabli avant de redémarrer. Qu'en résulte-t-il ? Trois raffineries à forte capacité de raffinage demeurent en situation d'arrêt durant trois jours, ce qui permet aux spéculateurs boursiers de faire grimper le cours du gallon d'essence de 0,85 $ à 1,14 $.

Pourtant une raffinerie ça produit du mazout qui sert de carburant pour faire tourner les turbines dans les centrales électriques américaines. Ça aurait donc dû être une priorité ! Il serait intéressant de savoir sur quels éléments ils se sont basés pour justifier leur décision d'arrêter les opérations dans cette situation. Cette décision du 18 août 2003 mériterait d'être soumise à une enquête. Malheureusement, nos gouvernements respectifs se sont rangés derrière la thèse pro-pétrolière, à savoir qu'il fallait alléger la demande de courant électrique pour favoriser sa remise en fonction.

Quelques journalistes ont relevé l'impact produit sur le prix du gallon d'essence sur la bourse Nymex. Certains ont avancé, dès le jeudi 21 août 2003, soit un jour avant, que le litre risquait fort de grimper à 89,9 cents pour l'essence ordinaire dans les 24 heures. Ce qui s'est concrétisé le lendemain

---

[1] CNN money magazine, 21 février 2003.

vendredi vers 13h00. La marge de raffinage venait de franchir un nouveau record de 18 cents le litre.

Le 14 mai 2004 : la nouvelle éclate qu'un incendie fait rage à la raffinerie Amerada Hess de Port Reading, au New Jersey.[2] Le cours du gallon d'essence raffinée sur la bourse Nymex, déjà en hausse depuis le 12 avril, s'enflamme et atteint le niveau record de 1,42 $ le gallon. Pourtant, dans les heures qui suivent, les autorités de Port Reading confirment qu'il n'y a pas eu d'incendie ! De son côté, la compagnie Amerada Hess conclut l'affaire en expliquant qu'une panne de courant s'est produite dans une unité de fabrication d'essence et que la production reprendra après une journée d'arrêt. Voici un autre cas de frénésie boursière sans fondement. Devinez qui a payé ?

À la fin du mois de juillet 2004 : la rumeur d'un arrêt de la production de la compagnie pétrolière russe Youkos, fait grimper le prix du baril de près de 4,00 $ en quelques jours. Dans les faits, Youkos n'a jamais cessé sa production. Elle ne faisait qu'envisager cette option. Il s'agissait d'une simple rumeur. Plus d'un an après, en août 2005, Youkos n'a toujours pas eu droit à aucun arrêt de production ! Peut-être que la spéculation boursière souffre d'un réflexe trop sensible aux rumeurs.

Le 30 décembre 2004[3] : les cours du brut ont bondi de près de 2 $ le baril après l'annonce que deux voitures piégées viennent d'exploser à Riad (Arabie Saoudite). Selon un analyste en énergie, il s'est vraiment agi là du retour d'une prime de risque géopolitique sur le marché dans la crainte que cet incident ne s'étende aux installations pétrolières et ne menace le pétrole saoudien. Pourtant les installations sont très distancées, réduisant le risque d'une perturbation majeure.

Le 6 janvier 2005[4] : le prix du baril de pétrole (light sweet crude) bondit de 2,17 $. Selon un courtier de la firme Alaron Trading, le marché s'inquiétait de ce qui arriverait à la production vénézuelienne de brut après des déclarations du principal syndicat de ce pays. La nouvelle disait que la Confédération des travailleurs vénézueliens estimait qu'un accord préliminaire intervenu entre la compagnie pétrolière Petroleos de Venezuela et les syndicats soutenus par le gouvernement était à sens unique. La production n'a pourtant jamais été interrompue.

---

[2] Agence Reuters, 14 mai 2004.
[3] Journal La Presse, 30 décembre 2004, « *Le brut bondit de près de 2 $ US.* »
[4] Journal La Presse, 7 janvier 2005, « *Le pétrole prend 2 $ US à la suite de rumeurs de grève au Venezuela.* »

En septembre 2000[5] : La hausse du prix du pétrole à 37 $ le baril incite le gouvernement américain à autoriser la sortie de 30 millions de barils de sa réserve stratégique. En quelques jours, les prix chutent de plus de 5 $. Rappelons que la réserve dont il est fait mention ici fut constituée à la fin des années 1970 pour constituer un inventaire de protection d'environ trois mois en cas de situation d'urgence. Deux ans plus tard, à la mi-décembre 2002,[6] en pleine crise pétrolière causée par l'arrêt de la production vénézuélienne, un groupe de raffineurs américains, dont les compagnies Amerada Hess et Citgo Petroleum, demandent l'autorisation de puiser dans la réserve stratégique. Paradoxalement, l'administration Bush refuse. L'explication est fournie le 9 mars 2005,[7] par le porte-parole de la Maison-Blanche, Scott McClellan, qui déclare que le gouvernement ne puisera pas dans la réserve stratégique de pétrole pour tenter de freiner la flambée des prix de l'essence, car ces réserves sont destinées aux situations d'urgence et aux crises. À quel niveau se situe le seuil d'une crise, si la rupture des approvisionnements pétroliers du Venezuela, troisième fournisseur des États-Unis, ne justifie pas l'utilisation de la réserve stratégique ?

Scott McClellan : *Nous ne pensons pas qu'elles devraient être utilisées pour tenter de manipuler les prix ou pour des objectifs politiques. La réserve stratégique est destinée aux situations de perturbation des approvisionnements, qui seraient par exemple provoquées par un attentat terroriste ou une catastrophe naturelle.*

En 2005, la réserve stratégique contient environ 700 millions de baril. Le prix du baril a franchi le seuil des 40 $ en juillet 2004 et des 70 $ en août 2005. Si le prix de 37 $ le baril en septembre 2000 justifiait qu'on recoure à cette réserve stratégique, pourquoi l'administration Bush ne fait-elle rien à 40 $, 50 $ et même 60 $? Il faut supposer qu'une catastrophe naturelle c'est au-dessus des quatre ouragans de septembre 2004 dans le Golfe du Mexique, à moins que le porte-parole de la Maison-Blanche n'en ait pas entendu parler. Finalement, il aura fallu le passage de la tempête Katrina pour correspondre à la définition d'une situation de crise.

Le 12 septembre 2000[8] : l'industrie exprime sa crainte que le marché du mazout domestique et du carburant diesel ne soit très serré au cours de l'hiver à venir, notamment si l'hiver devait être plus froid que la normale. Le 12 septembre 2000, c'est encore l'été et pourtant le prix du mazout ou huile de

---

[5] www.icpp.ca, Infoprix 26 septembre 2000, page 4.
[6] Business Week, 30 décembre 2002, page 44, « *A shocker from the oil patch.* »
[7] Site Internet Le canal Argent, 9 mars 2005, « *Le prix du pétrole brut continue de grimper.* »
[8] www.icpp.ca, Infoprix 12 septembre 2000, page 3.

chauffage a déjà battu un record. C'est d'ailleurs ce record qui a motivé dans le temps la grande intervention du gouvernement libéral fédéral d'accorder une subvention de cent vingt-cinq dollars par famille pour le chauffage. Croirez-vous que quelqu'un vient de faire mieux que l'industrie en exprimant trois mois plus tôt qu'elle ne l'avait fait, donc six mois avant l'hiver, ses craintes relativement à l'approvisionnement de mazout ! Le 13 juin 2005, l'économiste Jason Schenker de Wachovia[9] a écrit : *Les gens s'inquiètent de l'approvisionnement en mazout pour l'hiver prochain.* Le 13 juin, c'est à 6 mois de l'hiver à venir…

Le prix de détail de l'essence, juridiction fédérale ou provinciale :

Régulièrement, les libéraux et les conservateurs se réfugient derrière l'argument que la réglementation des prix au détail de l'essence est de juridiction provinciale. C'est ainsi que le 12 février 2003,[10] le ministre fédéral de l'Industrie, Allan Rock, justifiait son refus de commander une enquête au Bureau de la concurrence en affirmant que seules les provinces ont le pouvoir de réglementer les prix au détail.

La compréhension des juridictions fédérales et provinciales sur le prix de l'essence tourne autour d'un mot : « au détail ».

Il est exact de dire que les provinces peuvent réglementer les prix de l'essence au détail. Mais il est par contre faux de dire que les provinces peuvent réglementer les prix de l'essence, si on ne mentionne pas la composante de la portion vente au détail.

Juridiction fédérale :

Le prix du pétrole (A) est actuellement de juridiction disons mondiale. Mais de 1961 à 1973, la Politique pétrolière nationale issue des travaux de la Commission Royale d'enquête sur l'énergie (la Commission Borden), avait décrété que le pétrole vendu au Canada à l'ouest de la rivière des Outaouais le serait à un prix de 1 $ supérieur à celui du marché. Ceci dans le but de favoriser le développement des producteurs de l'Ouest.

Puis en mars 1974, dans la foulée du choc pétrolier qui avait débuté en octobre 73, le gouvernement libéral de monsieur Trudeau avait ordonné le

---

[9] Journal La Presse, 14 juin 2005, « *Le pétrole brut bondit de 2 $ us à New York.* »
[10] Journal La Presse, 13 février 2003, « *Le gouvernement se croise les bras, accuse un député libéral.* »

gel du prix du baril de pétrole à 6,50 $, pour une période de douze à quinze mois, alors que le prix mondial fluctuait entre 11 $ et 14 $.

Le prix des produits raffinés (B) est de juridiction fédérale. En 1988, toujours selon la version de l'industrie, c'est le fédéral qui a négocié l'accord de libre-échange où il aurait été convenu d'avoir un prix de référence commun pour tous les produits pétroliers raffinés et qui s'appliquerait à l'ensemble des raffineries et à toutes les rampes de chargement au Canada et aux États-Unis. Le rapport O'Farrell va dans le même sens.

Juridiction provinciale :

Une fois le produit sorti des raffineries (ou des rampes de chargement ou des terminaux), le gouvernement provincial peut réglementer le prix minimum et le prix plafond. Ces deux règlements possibles sont en rapport avec la marge de profit ou la marge de manoeuvre du détaillant (G-F), rien de plus. Ils s'appliquent à la sortie de la raffinerie (F). Depuis 1997, la marge du détaillant a fluctué de zéro à dix cents alors que le prix à la sortie de la raffinerie a fluctué de 13 cents à 95 cents de 1999 à 2005. La présence d'une saine concurrence dans la vente au détail de l'essence fait que la marge n'a jamais vraiment dépassé le taux de 10 cents le litre. La marge de raffinage a fluctué jusqu'à 37 cents le litre en août 2005. Libre à vous d'appeler ça de la saine concurrence.

C'est justement pour maintenir cet environnement de saine concurrence que la Régie de l'énergie du Québec a instauré la loi du prix minimum en 1997. Encore là, la Régie ne fait que calculer à titre indicatif le prix minimum en dessous duquel le détaillant ne peut afficher son prix de détail.

La province de Terre-Neuve s'est voté une loi du prix plafond au printemps de 2001, parce qu'en l'absence d'une loi du prix minimum, elle assistait, impuissante, à la disparition de la concurrence des importateurs sur son marché. Libres de toute compétition au niveau de la vente au détail, les compagnies pétrolières avaient toute latitude d'établir la marge des détaillants comme bon leur semblait. Autrement dit quand une province n'a pas de loi du prix minimum, tout ou tard elle devra se doter d'une loi du prix plafond. Les gens de cette province ne sont aucunement immunisés contre les fluctuations du prix à la sortie de la raffinerie (B), mais seulement contre la possibilité que la marge des détaillants prenne des proportions au-delà d'un profit raisonnable car la loi ne les protège pas contre les hausses de la marge de raffinage et du pétrole.

Et comme si ça ne suffisait pas, certains responsables de l'ICPP ont même écrit au premier ministre de Terre-Neuve, Roger Grimes,[11] que cette législation n'était pas nécessaire et qu'elle ne permettrait pas de servir convenablement les consommateurs. Ils ajoutaient que cette loi donne au Commissaire une autorité qui ramènera la grande compétitivité de l'industrie à un niveau d'une utilité inefficace. Ils déploraient enfin que cette loi envoyait le signal que le gouvernement de Terre-Neuve ne croit pas au libre marché qui sert correctement les consommateurs.

Par comparaison avec une lettre comme celle-là, c'est comme si un gouvernement passait une loi qui interdirait aux citoyens d'acheter plus d'un véhicule Hummer et que les gens de l'industrie protestaient : Pourquoi cette loi ? Que faites-vous des gens qui en voudraient deux ? Autrement dit c'est une loi qui s'adresse seulement à la marge d'opération des détaillants et non pas au prix du pétrole brut ni à la marge de raffinage.

Pourquoi le prix de l'essence n'a pas atteint 1,00 $ en octobre 2004 ?

Voici un extrait d'un média écrit datant du 30 octobre 2004 intitulé « La curieuse évolution du prix de l'essence »[12] : *En mai 2004, le prix du pétrole venait de grimper pour la première fois au-dessus des 40 dollars américains et l'essence à la pompe frôlait le seuil historique de 1 $ le litre. Aujourd'hui, même si le baril de pétrole a dépassé les 50 $ US depuis plusieurs semaines, le litre d'essence coûte moins cher, soit autour de 90 cents le litre.* Curieuse évolution des prix à la pompe qui amena un lecteur à se demander : *Serait-on en train de se faire avoir ?*

L'article reproduisait l'explication que voici d'un porte-parole de l'ICPP : *La situation semble en effet paradoxale. On peut toutefois l'expliquer de deux façons. D'abord, au printemps, on s'inquiétait des stocks d'essence aux États-Unis, qui risquaient de ne pas suffire à la demande pendant l'été. C'est en été que la demande d'essence atteint son sommet annuel. La spéculation sur les marchés à court terme a alors atteint un niveau élevé, ce qui a poussé les prix de l'essence à la hausse. À mesure que l'été passait, ces inquiétudes se sont atténuées, et les prix à la pompe ont cessé de suivre les hausses du prix du brut.*

Ce sont deux marchés distincts. Les deux varient selon l'offre et la demande, mais le marché de l'essence est sensible aux saisons et aux stocks disponibles tandis que le marché du brut réagit davantage à l'actualité géopolitique. L'hiver approche et la spéculation s'est maintenant déplacée

---

[11] Communiqué de presse, site Internet de l'ICPP www.icpp.ca, 16 mai 2001.
[12] Journal La Presse, 30 octobre 2004, « *La curieuse évolution du prix de l'essence.* »

vers le marché du mazout. C'est le cas chaque année, la spéculation sur les marchés de court terme a toujours existé. Ça fait partie de l'équation offre-demande et même si les gens voient la spéculation comme quelque chose de nuisible, elle a sa raison d'être et son utilité dans le marché.

Voici une autre explication : Le tout a débuté le 22 avril 2004 et non au printemps ni au début de la période des vacances dont les effets sur les stocks se font plutôt sentir la première semaine de juillet. Ce 22 avril, donc, l'Agence américaine de protection de l'environnement a simplement refusé de prolonger le délai d'entrée en vigueur de la réglementation sur la teneur en soufre dans l'essence sur le territoire américain. Une frénésie boursière s'en est suivie parmi la cohorte des spéculateurs à la bourse, rien de plus. La spéculation boursière a exagéré l'importance de la nouvelle alors qu'il n'y a pas eu rupture de stocks. Le système de libre marché permet la spéculation à outrance depuis le début de l'application de l'accord de libre-échange de 1988 et le resserrement de la capacité de raffinage qu'on connaît depuis 1999. Le milieu a développé une sensibilité de plus en plus vive à propos du prix négocié du gallon d'essence inscrit à la bourse Nymex. Le prix record de 99,9 cents le litre le 17 mai 2004 fut le résultat d'une marge de raffinage record de 21 cents le litre alors que le prix du pétrole se situait à 40 $ US le baril. Pourquoi le litre d'essence à la pompe est-il demeuré à 90 cents, en octobre 2004, au moment où le baril se vendait 55 $ US ?

La marge de raffinage se situait à 21 cents le litre en mai 2004 contre 7 cents le litre en octobre 2004. Parallèlement le dollar canadien valait 76 cents en mai 2004 et 83 cents en octobre de la même année.

Tableau de la marge de raffinage (en cents par litre)
et la valeur du $ CAN vs le $ US

Période	Mai 2004	Octobre 2004
Marge de raffinage	0,21 $	0,07 $
$ CAN verso $ US	0,76 $	0,83 $
Pétrole	40 $/baril	55 $/baril

Choisissez votre version de ce 30 octobre 2004.

L'American Petroleum Institute, informer la population ou l'endormir ... au gaz ? (www.api.org)

L'American Petroleum Institute est un organisme américain regroupant plus de quatre cents membres issus de tous les secteurs de l'industrie pétrolière et gazière. Son mandat lui dicte entre autres d'informer sur tous les aspects de l'industrie. Jetons donc un coup d'oeil sur la fiabilité et l'objectivité des informations qu'il distribue au public.

Au sujet de la croissance des prix de l'essence :

(Cliquez *gasoline and others fuels* ; ensuite *gasoline* ; ensuite *gasoline prices in perspective).*

Vous voyez apparaître un tableau comparant les pourcentages de croissance de différents biens de consommation pour la période 82-84 et l'année 2005.

Catégorie de produit	% des prix de 82-84 et 2005
Gasoline	66,8 %
Alimentation	88 %
Produits ménagers	93 %
Soins personnels	102 %
Entretien véhicule moteur	103 %
Loyer résidence principale	114 %
Fruits et légumes	134 %
Soins médicaux	218 %

D'abord, qui se rappelle le contexte de l'année 1982 ? Le baril de pétrole y a atteint un prix record de plus de 40 $ à la suite du deuxième choc pétrolier de février 1979. Pourtant, dans les années qui ont suivi 1982, le prix du baril de pétrole a dégringolé jusqu'au niveau de 10 $ le baril en mars 1986. Pourquoi comparer avec l'année 1982 et non 1986 ? Ou encore mieux, pourquoi ne pas comparer avec une période plus courte comme février 1999 et août 2005 ? On arriverait à un pourcentage de 600 % au lieu de 66.8 % ! Vous voyez, il y aura toujours une façon de choisir une année de référence pour faire dire aux chiffres ce qu'on veut bien leur faire dire.

What Influences Prices (Qu'est-ce qui influence les prix) :

Gasoline prices are driven by the realities of global supply and demand for crude oil. There are also costs associated with refining, distributing and delivering gasoline that factor into the price you pay at the pump. When you adjust for inflation, today's pump price is actually lower than the peak retail prices of 1981. The relatively lower costs over the past two decades can be attributed largely to lower crude oil costs. Manufacturing, distribution, and marketing costs have also declined. Only taxes have increased.

(Traduction : Les prix de l'essence sont influencés par les réalités d'un marché global de l'offre et de la demande pour le pétrole brut. Il y a aussi les coûts associés au raffinage, à la distribution et à la livraison. Quand on considère l'inflation, les prix de l'essence d'aujourd'hui sont actuellement plus bas que le sommet atteint de 1981. Les coûts relativement bas des deux dernières décennies peuvent être attribués aux meilleurs coûts d'approvisionnement du pétrole brut. Les coûts de raffinage, de distribution et de marketing ont aussi diminué. Seules les taxes ont augmenté).

Voila un site qui a pour mission d'informer correctement la population sur les réalités derrière les prix de l'essence. On n'y fait aucune mention du système de prix de référence commun sur la bourse Nymex pour les produits raffinés et on entretient l'ambiguïté que le prix de l'essence est relié directement au prix du pétrole brut. Pas un mot sur la marge de raffinage. On réfère à l'année 1981, mais pas à l'année 1999. On mentionne que les coûts d'opération ont diminué, que les taxes ont augmenté. Mais on ne dit pas, par exemple que les profits de l'année 2004 pour deux compagnies pétrolières au Canada multiplient par six les profits de l'année 1999 ?

Concurrence ou explication douteuse :

Dans le numéro de décembre 2003 de la revue Protégez-vous, le CAA-Québec ne comprend pas pourquoi, au même moment (août 2003), l'essence se vendait 75 cents/litre à Sorel et 90 cents/litre à Montréal. Un porte-parole de Ultramar y est allé de son explication : *Ça prouve justement que, contrairement à la croyance populaire, la concurrence est très forte, entre autres entre les régions.*

Il est possible d'expliquer cette situation en termes clairs, contrairement à l'ambiguïté entretenue et maintenue par l'industrie.

Premier facteur : le prix à la raffinerie ou à la rampe de chargement est le même partout au Québec pour chaque station-service et c'est sensiblement le cas pour chaque province canadienne. La taxe fédérale d'accise est également la même partout. Mais la taxe routière provinciale varie de 10,55 à 15,2 cents en fonction de chacune des dix-sept régions administratives du Québec (page 290). De plus, la région du Montréal métropolitain paie en plus une taxe pour le transport en commun de 1,5 cents le litre.[13] Donc premier facteur de variation des prix.

Deuxième facteur : la marge du détaillant peut varier de zéro à huit, dix, douze cents le litre en fonction de la localisation de la station-service : soit qu'elle soit située dans un endroit où elle doit faire face à la concurrence d'autres stations ; soit qu'elle se trouve dans un bassin de population à faible densité. Dans les deux cas, le volume de litres vendus par station est moindre. Lorsqu' intervient une hausse de prix, on peut observer de façon empirique qu'elle va se répercuter dans une même zone dans un délai de vingt-quatre heures. Certains postes d'essence, toutefois, sont approvisionnés tous les jours en raison de leur volume de ventes. Ce qui est plus fréquent dans les grandes zones urbaines, alors que d'autres postes d'essence reçoivent des livraisons dans des délais plus longs parce que le volume des ventes aux automobilistes y est moins élevé. Advenant une hausse du prix de l'essence sur la bourse Nymex, elle est répercutée dès le lendemain aux raffineries. Le poste d'essence à plus faible volume, par contre, ne prendra connaissance du nouveau coût d'acquisition de la raffinerie qu'à sa prochaine livraison qui, elle, peut avoir lieu deux, trois ou quatre jours plus tard. Ce poste d'essence va donc prendre plus de temps à répercuter la hausse du Nymex que le poste d'essence à plus gros débit. Si vous quittez Montréal le lundi après-midi pour visiter des amis à Sorel, il se peut que la hausse de Montréal ne soit pas encore répercutée à Sorel le soir même et qu'elle ne le sera que le lendemain ou même plus tard. Ce n'est donc pas nécessairement de la concurrence, mais simplement le délai de répercussion du nouveau prix sur le marché qui peut expliquer une différence de quinze cents entre Montréal et Sorel.

L'étude sur les prix de l'essence de l'OCDE[14] (page 289) :

L'Agence internationale de l'énergie effectue régulièrement des relevés sur les données du marché pétrolier mondial. Un tableau figurant dans le rapport de février 2002 compare le prix de l'essence dans huit pays. Le Canada arrive au deuxième rang de cette liste pour le prix le plus bas, après les États-Unis. Mais une note en petits caractères au bas du tableau, précise qu'il s'agit de l'essence super pour la France, l'Allemagne, l'Italie, l'Espagne et l'Angleterre, alors qu'il s'agit de l'essence ordinaire pour le Canada,

---

[13] www.regie-energie.qc.ca
[14] Étude de l'AEI, février 2002.

le Japon et les États-Unis. Ce qu'oublient malheureusement de mentionner tous ceux et celles qui y font référence. Cet argument de l'étude de l'OCDE a été utilisé à maintes reprises par tous les pro-pétroliers, que ce soient des politiciens, des gens de l'industrie, des professeurs d'université, des analystes financiers ou autres, excepté ceux qui prennent la défense des consommateurs. Est-ce un hasard ? Est-ce parce que quelqu'un l'a dit une fois que les autres peuvent le répéter sans vérifier ? Voici des exemples d'utilisation de cette donnée de l'étude de l'OCDE :

Le 7 mai 2003, devant le comité d'enquête sur l'industrie pétrolière à Ottawa, le vice-président de Shell Canada, Monsieur Terry Blaney : *We emphasize that Canadians enjoy some of the lowest prices for secure supplies of energy in the world and continued to do so trough this period.* Traduction : Nous voulons rappeler que les Canadiens bénéficient des prix parmi les plus bas dans le monde pour des approvisionnements fiables en produits pétroliers et il continue d'en être ainsi dans la période actuelle.

Le 24 septembre 2003, le député David Chatters (Alliance puis parti Conservateur, comté d'Athabasca) lors de la période de débat pour appuyer la réduction fiscale aux compagnies pétrolières : ... *En fait, depuis plusieurs décennies, le prix auquel l'industrie pétrolière et gazière nous vend l'essence est l'un des plus bas au monde.*[15]

D'abord il faut ramener l'expression plusieurs décennies à février 2002. Quand monsieur Chatters parle de plusieurs décennies, il réfère peut-être à la période où le gouvernement Trudeau a gelé le prix du pétrole au Canada en deçà du prix mondial (1973-1984). Ensuite, il faut ramener l'expression plus bas au monde... à huit pays, sans vouloir entacher la culture personnelle de ce député.

Le 11 février 2005, le député James Rajotte (Alliance puis parti Conservateur, comté de Edmonton-Leduc) déclare lors du débat sur la motion de création de l'Office de surveillance du secteur pétrolier présentée par le Bloc Québécois : *Il importe de signaler, toutefois, que le Canada figure parmi les pays du monde où l'essence est la moins cher. Tout le monde peut obtenir ces chiffres en naviguant sur Internet. L'Agence internationale de l'énergie souligne qu'en 2003, lorsque le Comité de l'Industrie a effectué cette étude, le Canada arrivait en deuxième place, derrière les États-Unis, pour le prix le plus bas. Si l'on enlève les taxes aux États-Unis et au Canada, on constate que c'est au Canada que l'essence est la moins cher.*

---

[15] Chambre des Communes, journal des débats, 29 septembre 2003, hansar 126, 16h15.

Encore une fois, il faut ramener les pays du monde à 8 pays. Décidément, il a dû aller à la même école que son collègue monsieur Chatters. De plus, si on enlève les taxes, ce n'est pas au Canada que les prix sont les plus bas, mais bien aux États-Unis. Aurait-il fait une erreur ? Au fait, le comté du député Rajotte est celui où on a découvert le premier gisement de pétrole en 1947, au Canada. Cela aurait-il pu influencer son jugement ?

Le 11 février 2005 toujours, la député libérale Paddy Torsney se réfère même aux propos de son opposant :

L'hon. Paddy Torsney (comté de Burlington-Ontario, Libéral)[16] : *Comme l'a suggéré le député d'en face (James Rajotte), sur la base d'information fournies par l'Agence internationale de l'énergie, le prix au détail de l'essence s'est toujours comparé favorablement aux prix qui avaient cours dans les principaux pays industrialisés.*

Le 5 mai 2003, lors du comité d'enquête sur l'industrie pétrolière, le commissaire du Bureau de la concurrence du Canada, monsieur Konrad Von Finckenstein s'était également référé à cette étude[17] : *Canadians enjoy some of the lowest pump price in the world, which are about the same as those in the United States when taxes are excluded.* Traduction : Les canadiens bénéficient des prix de l'essence parmi les plus bas au monde, qui sont comparativement les mêmes qu'aux États-Unis, si on exclut les taxes.

Décidément, personne ne remarque la mention en petits caractères qui précise que l'on compare le Canada et les pays d'Europe avec l'essence ordinaire contre l'essence super. De plus, cette étude ne comprend pas des pays comme l'Iran, l'Arabie Saoudite et l'Indonésie où l'on retrouve le prix de l'essence à douze, trente et trente-deux cents le litre en dollars canadiens (mai 2005).[18]

Une intention avortée d'Ultramar :

Le dimanche 28 janvier 2001, lors du traditionnel sommet de Davos en Suisse, Jean Gaulin, alors président de Ultramar Diamond Shamrock, a annoncé qu'Ultramar offrirait bientôt un prix constant à la pompe.[19] Ça veut dire quoi ? Ceci : Ultramar offre au consommateur la possibilité d'acheter au prix du jour, si le consommateur pense que c'est un bon prix, une quantité d'essence plus importante que ne peut en contenir le réservoir de sa voiture.

---

[16] Chambre des Communes, journal des débats, 11 février 2005, hansar 055, 14h15.
[17] Journal Globe and Mail, 6 mai 2003, « *Gasoline sellers get all clear.* »
[18] Journal Le Droit, 27 juin 2005, « *Le prix moyen du litre.* »
[19] Agence Reuters, 5 septembre 2003, « *Bush concerned by high natural gas prices.* »

Ainsi, par exemple, le prix du litre tombe à soixante-neuf cents. Vous pourriez alors décider d'en acheter pour 100 $ et revenir faire le plein avec votre marge de crédit restante en payant toujours 69 cents, et ce même si le prix au litre est passé entre temps à 79 cents.

Jean Gaulin : *Pour nous, cela ne fait pas de différence. En vendant une plus grande quantité à 69 cents le litre, on l'affecte automatiquement sur nos stocks et même si les prix augmentent, on ne perdra pas d'argent.* Ultramar comptait mettre en pratique cette nouvelle façon de faire dès que son réseau de détail aurait été modifié pour permettre l'utilisation de cartes intelligentes qui pourront stocker l'information, et surtout le crédit de litres restants.

Lorsque c'est sorti dans les médias, Daniel Giguère, de la Coalition des consommateurs de carburant du Saguenay et moi-même avons été invités à commenter cette nouvelle façon de faire par une journaliste du Journal de Québec.

Daniel Giguère : *Cette proposition d'Ultramar est irrecevable... C'est un stratagème de marketing pour inciter les gens à dépenser plus vite. C'est quasiment un aveu des compagnies que le prix ne baissera pas souvent.*

Frédéric Quintal : *C'est une publicité de réconciliation. Ça ne touchera pas la masse. Bravo pour les consommateurs qui pourront en profiter. Mais l'essence est une dépense hebdomadaire calculée et les gens n'auront pas nécessairement les fonds pour stocker de l'essence lorsqu'un prix acceptable se pointera.*

La suite de ce programme de stockage de Ultramar :

Le 8 mars 2002, je suis invité à passer en direct au bulletin de nouvelles de 22h00 de TQS animé par Jean Lapierre. À mes côtés, un autre invité : celui-là même qui a proposé le programme informatique de la carte à puce et le programme de stockage de litres d'essence à Ultramar et annoncé par cette compagnie un an auparavant. Lors de l'échange en direct donc, Jean Lapierre demande au développeur de la carte à puce (dont le nom m'échappe) : *Mais justement, comme moyen de faire face aux fluctuations du prix de l'essence, il me semble qu'il y a Ultramar qui a parlé d'une solution de prix fixe par le moyen d'une carte à puce, je crois que c'était l'an dernier ?* Et le développeur de la carte à puce de répondre : *Lorsque nous avons présenté le concept aux dirigeants d'Ultramar l'an dernier, ils nous ont manifesté un grand intérêt et monsieur Gaulin a même manifesté dans les médias qu'Ultramar irait de l'avant. Un an plus tard, personne ne retourne mes appels chez Ultramar. Ils ont profité de la publicité gratuite d'être un bon citoyen corporatif avec notre concept et ça c'est arrêté là.*

Laissez-moi vous dire que monsieur Lapierre ne semblait vraiment pas être au courant de l'abandon du projet par Ultramar !

Le plein gratuit chez Shell :

Le 29 août 2003, une station-service Shell, située sur le chemin Côte Vertu, à ville St-Laurent, offrait en promotion un plein d'essence gratuit pour tout titulaire d'une carte de crédit Visa. La promotion était menée en colla-boration avec la compagnie Visa. Les organisateurs avaient informé les médias par communiqué pour mousser cet événement. Il y avait certains critères à suivre : passer à la station entre 7h00 et 9h00 le matin ; être titu-laire d'une carte Visa et c'était destiné aux voitures. L'initiative a créé une véritable frénésie chez certains automobilistes qui ont attendu en file jusqu'à une heure pour bénéficier de ces litres d'essence gratuits. En deux heures, cent soixante-quinze véhicules bénéficièrent de la promotion. C'est TQS qui m'avait informé la veille de l'événement pour que j'aille par la suite le commenter. Étant sur les lieux, une représentante de Shell me reconnut et vint discuter avec moi de ce cadeau de Shell automobilistes :

Représentante de Shell : *Monsieur Quintal, vous devez sûrement apprécier ce que Shell fait aujourd'hui pour les automobilistes ? Les gens semblent heureux dans leur véhicule de pouvoir bénéficier de ce cadeau d'un plein gratuit.*

F. Quintal : *Vous connaissez mon discours madame Shell. Je ne suis pas ici pour commenter le bon citoyen corporatif que peut être votre com-pagnie avec cette promotion disons assez limitée. Combien de véhicules vont profiter de ce plein gratuit ? Deux cents ? Trois cents ? Si vous vouliez vrai-ment faire un cadeau aux automobilistes, vous n'étiez pas obligé la semaine dernière de suivre le cours du Nymex (B) qui a battu un record avec une marge de raffinage de plus de 18 cents le litre pour l'essence ordinaire.*[20]

Représentante de Shell : *Bien quoi ! Vous n'allez pas dire des choses négatives à la télé sur nous alors que l'on fait tout pour faire de cette promotion un bel événement pour les automobilistes. Je ne suis pas vraiment intéressée à ce que vous disiez des choses négatives de notre compagnie sur le site même de notre station-service.*

F. Quintal : *Je n'ai aucun problème avec ça. Le journaliste Daniel Joanette, le caméraman et moi, on peu aller sur le trottoir pour effectuer le reportage.*

Représentante de Shell : *Je préférerais.*

---

[20] Journal Le Droit, 27 juin 2005, « *Le prix moyen du litre.* »

Et le reportage a été enregistré sur le trottoir en face de la station-service Shell.

J'aurais pu moi-même profiter de ces litres gratuits, puisque j'étais déjà sur les lieux. Mais j'ai refusé d'entrer dans la file. Ça me renvoyait l'image, un peu médiévale, du roi opulent qui essayait de s'excuser devant ses paysans de les avoir trop exploités. Il cherchait à acheter la faveur du peuple affamé, en offrant un banquet gratuit ouvert à tous, mais auquel il n'admettait que les cent soixante-quinze premiers arrivés. Ce qui déclenchait une belle cohue. Et le roi, satisfait, jouissait du spectacle d'une meute désordonnée qui se bousculait pour un plat de nourriture. Par dignité, je n'avais pas le goût d'offrir ce spectacle à une compagnie pétrolière. En mon for intérieur, je me disais quel affront c'eut été si personne ne s'était présenté ! Mais il faut croire que la population n'est pas encore rendue là. Diviser pour mieux régner, dit-on. L'intérêt personnel de recevoir un cadeau de quarante litres d'essence gratuite l'emportait sur ce qui eut été le spectacle d'une belle démonstration de solidarité si la station-service avait été laissée complètement vide.

Le boycottage de mai 2004

J'ai toujours hésité à lancer un appel à la solidarité. C'est pourquoi j'étais perplexe à l'idée de proposer une journée panne sèche le 14 février 2003 même si 17 médias (écrit, radio et télé) couvraient l'événement.

Mais les prix excessifs à plus de 90 cents le litre, l'inertie du gouvernement fédéral d'alors qui détenait pourtant la clef de la solution ainsi que les exemples d'interventions gouvernementales antérieures comme celle de 1974, militaient en faveur de cette solution réclamée par biens des internautes. Je ne pouvais plus me contenter d'être un observateur de la situation. Le sujet était chaud et il fallait décider et organiser quelque chose dans les plus brefs délais. Le 4 mai 2004, le prix de détail (F) franchit la barre des 90 cents. Les journaux à la une : La Presse : *Ça flambe à la pompe*, le Journal de Montréal : *Au voleur, du vol de grand chemin*, The gazette : *Cut down on consumption*, le Journal de Trois-Rivières : *Un record qui ne plaît à personne*. Je m'étais toujours dit que le seuil fatidique d'un dollar serait le tremplin attendu pour lancer le mouvement. La tendance allait dans cette direction. À quelques cents du fameux seuil, l'idée était donc d'attendre un peu.

Le lundi 10 mai 2004, la hausse continue du prix de gros (B) poussa le prix de détail vers un autre sommet, soit 98,9 cents le litre. Au cours de l'après-midi, LCN m'invita à venir commenter la situation le lendemain, mardi matin à 6h30. Je devais travailler de nuit en ce lundi. Qu'à cela ne tienne, me suis-je dit, je n'aurais qu'à aller dormir après mon passage à LCN puisque je n'avais rien de prévu pour cette journée du mardi qui s'annonçait bien tranquille. Ce fut tout le contraire !

J'étais en route pour LCN, le matin du mardi, quand une recherchiste pour l'émission Caféine à TQS, me téléphone pour une entrevue à l'émission du matin avec le journaliste Dave Parent, sur l'île Ste-Hélène. Je lui réponds que je m'étais déjà engagé pour 6h20 avec LCN. Elle me dit qu'il y avait un espace pour 7h00. Alors j'accepte, puisque la distance entre les deux endroits le permet. Je fais donc l'entrevue en direct à LCN avec George Pothier, à 6h20. Au moment où je quitte le studio, le producteur de Salut Bonjour m'intercepte pour une entrevue en direct avec une journaliste devant une station-service située dans l'est de Montréal. Je lui explique que j'ai un engagement avec TQS pour 7h00. Il me propose alors 7h45. J'accepte, le délai était raisonnable.

Aussitôt terminée l'entrevue en direct avec TQS, sur l'île Ste-Hélène, je file vers l'est de Montréal, à l'endroit convenu sur la voie de service de l'autoroute 40. Chemin faisant, Peter Johnson de CBC news radio me rejoint lui aussi pour une entrevue préenregistrée. Comme mon anglais me demande un certain effort, je m'arrête quelques minutes pour bien me concentrer, tout en m'assurant d'arriver à temps pour l'entrevue en direct avec la journaliste Pascale Déry de l'émission Salut Bonjour. Nous faisons l'entrevue et dès que c'est terminé je mets le cap sur mon domicile, car le sommeil commence à me gagner. À mi-chemin, je reçois encore un appel m'invitant à participer à l'émission « TVA en direct.com » à 12h30, avec François Paradis. Le recherchiste m'informe que l'émission durera une heure et portera en entier sur la situation des prix de l'essence. J'étais fatigué, mais la possibilité de participer à une émission d'une heure sur le sujet et en direct, me tentait énormément. Entre temps, ça me donnait trois heures pour dormir un peu.

Arrivé à la maison, je pris un peu de repos, non sans avoir le cellulaire allumé. L'actualité se révélait plus fébrile que je ne l'avais cru. Et de fait, je reçus un appel de la part d'Isabelle Laflamme, recherchiste pour l'émission « La part des choses » à RDI, qui m'invitait à l'émission du soir même à 19h30. Je ne connaissais pas l'émission, mais j'acceptai car c'était l'occasion d'expliquer aux gens ce qui se trame dans le marché pétrolier. Pendant tout ce temps, je ne dormais pas. Qu'à cela ne tienne ! Entre TVA jusqu'à 13h30 et RDI à 19h30, j'aurais du temps pour combler mon déficit de sommeil qui s'accumulait de plus en plus. Et il continuera de s'accumuler !

Ces deux entrevues en direct à TVA et RDI déclenchèrent en moi une poussée d'adrénaline qui m'empêchera complètement de dormir J'utilisai plutôt le temps qui me restait pour réviser certaines notes et être sûr de bien utiliser le temps qu'on m'accorderait durant l'émission de François Paradis. Les gens de « TVA en direct.com » avaient orienté le sujet du jour sur trois solutions pour réagir face à ces dernières fluctuations des prix de l'essence. « Quels moyens avons-nous pour faire face à ces prix élevés de l'essence : Changer nos habitudes, demander au gouvernement d'intervenir ou bien boycotter une compagnie ? »

L'émission réunissait trois invités à qui François Paradis donnait la parole à tour de rôle. Il y avait Pierre Dufresne, propriétaire des stations indépendantes Eko situées à Québec principalement ; Daniel Giguère, candidat libéral fédéral pour l'élection à venir et ex-maire de Jonquière, qui avait initié le boycottage d'une pétrolière en mars 2000 et moi. Les téléspectateurs soumettaient leur opinion par courriel et monsieur Paradis lisait et commentait les réactions du public. La solution d'un boycottage avait la cote et de loin dans le sondage du jour. Plus l'émission avançait, plus les gens adhéraient à la solution du boycottage. Pour ma part, j'en ai parlé avec plus ou moins d'implication. J'invitais plutôt les gens à changer leurs habitudes en donnant mon exemple personnel, soit que depuis quatre ans je me rendais au travail en vélo durant la belle saison, et que je m'étais débarrassé de mon 4 X 4. J'expliquai également que la solution relevait de la juridiction fédérale mais que, comme Paul Martin venait de demander une enquête au Bureau de la concurrence, il ne fallait pas nourrir d'attentes trop élevées à l'endroit d'Ottawa.

À ce moment de l'émission, François Paradis fit le point dans les termes suivants : *Monsieur Quintal, selon la tendance de notre sondage du jour, les gens semblent plus motivés que jamais pour s'impliquer dans un boycottage. Il me semble que vous seriez la personne idéale pour en organiser un boycottage. Vous défendez cette cause depuis plus de trois ans, les gens vous connaissent et ils vont vous suivre. Qu'en pensez-vous ?»*

Ce n'était vraiment pas ce que j'avais prévu. Mais la réponse du sondage du jour, l'expérience d'intervieweur de François Paradis et mon sens d'une certaine justice envers les consommateurs m'amenèrent à m'embarquer en direct et dans la plus grande improvisation dans un boycottage à l'endroit d'une pétrolière. Le nom de la pétrolière ciblée a beaucoup été à l'occasion de l'événement, en mai 2004. Comme je ne tiens pas à jouer davantage avec le feu, je le passerai sous silence dans ce livre.

Vous en voulez un boycott, bien on va en partir un et on va le faire correctement. Ce ne sera pas pour tenter de faire baisser les prix, mais pour supporter une demande d'intervention que je ferai parvenir demain au Premier Ministre Paul Martin. On ne va pas chez la compagnie X jusqu'à ce que le gouvernement fédéral intervienne et réglemente les éléments qui influencent la marge de raffinage. Ça commence maintenant et on maintient le boycott jusqu'à ce que le fédéral annonce qu'il interviendra avec autorité. Le boycott a pour but de donner du poids à une demande que je ferai au gouvernement dans les prochaines heures.

Voilà ! Le plan n'était plus suivi. La compagnie X n'était pas un choix improvisé. Plusieurs chaînes de courriel circulaient déjà sur le choix de cette compagnie, je ne faisais que profiter de la vague pour accroître ses chances de succès. Il fallait capitaliser dans les heures suivantes après sur les retombées du lancement initié à TVA. Je convoquai une conférence de presse pour le lendemain matin, 10h00. Après une nuit de travail et une matinée d'entrevue, je disposais de l'après-midi pour organiser la conférence de presse. En trois heures, un local était trouvé, un communiqué de presse expliquant le motif du boycottage envoyé et la lettre de demande d'intervention postée au bureau du premier ministre et à celui de la ministre de l'Industrie à Ottawa. Un document de presse fut également préparé dans la soirée après l'émission « La part des choses ».

Un résultat de cette journée plus chargée que prévue fut que durant l'émission en direct « La part des choses », la sonnerie de mon cellulaire a retenti au moment où Bernard Drainville me posait une question. Je fus complètement déconcentré, ne parvenant pas à fermer mon téléphone qui continuait de sonner et était placé trop près du micro pour qu'il fut possible de poursuivre l'entrevue normalement. Bernard Drainville vit bien mon embarras et passa aux autres invités. Ça fait partie de mes « bloopers ».

De retour à la maison, j'avais préparé le document de presse pour le lendemain. Il fallait y exposer le motif du boycott, les critères ayant déterminé le choix de la pétrolière et un exemplaire des lettres envoyées au bureau du premier ministre Paul Martin et à la ministre de l'Industrie Lucienne Robillard. Le tout fut terminé vers minuit.

Le jour du lancement du boycottage :

Mercredi le 12 mai, la journée de l'événement débuta à 5h30 am. Voici à quoi a ressemblé la couverture des médias :

Radio Média,	direct	Mario Langlois	12 mai 04
98,5 FM Montréal	direct	Paul Arcand	12 mai 04
Radio Canada Matin Express	direct	Michel Viens	12 mai 04
Radio Canada Montréal	entrevue	Vincent Maisonneuve	12 mai 04
Info 690 Montréal	entrevue	Marie-Claude Veillette	12 mai 04
Info 690 Montréal	direct	Guy Simard	12 mai 04
NTR et Presse Canadienne	entrevue	Jean-Philippe Denoncourt	12 mai 04
CHLN Trois-Rivières	direct	Robert Pilote	12 mai 04
CBC télé Montréal	entrevue	Christy Snell	12 mai 04
940 News Montréal	entrevue	Jessica Browns	12 mai 04
CJAD 800 am Montréal	entrevue	Karlie Goodleaf	12 mai 04
Broadcast News (PC anglais)	entrevue	Peter Ray	12 mai 04
TQS Montréal	entrevue	Russell Ducass	12 mai 04

RDI Québec	en direct	Marie-Josée Bouchard	12 mai 04
Radio Canada Le Midi	direct	Michaelle Jean	12 mai 04
LCN communiqué	lu aux 30 minutes et site Internet		12 mai 04
TQS Montréal	direct	Gilles Proulx	12 mai 04
R-C radio Québec	direct	Catherine Lachaussée	12 mai 04
CJOI FM Rimouski	entrevue	Richard Daigle	12 mai 04
CFVD radio Degélis	direct	Guylain Jean	12 mai 04
R-C radio Rimouski	direct		12 mai 04
R-C radio Montréal	direct	Jean Desautel (le retour)	12 mai 04
Énergie 102,3 Trois-Rivières	entrevue	Jessica Jutras	12 mai 04
CHEQ FM 101,3 Ste-Marie Beauce	direct	Jean-François Routier	12 mai 04
98,5 FM Montréal	direct	Gilles Proulx	12 mai 04
La Presse Montréal	entrevue	Nicolas Bérubé	12 mai 04
Journal Métro Montréal	entrevue	Ludivine Lamiaux	12 mai 04
The Gazette Montréal	entrevue	Roberto Rocha	12 mai 04
Journal de Montréal	entrevue	Sarah Champagne	12 mai 04
CFIN radio Bellechasse	direct	Roch Bernier	12 mai 04
Radio Nostalgie AM 1570	direct	Alain St-Louis	13 Mai 04
R-C radio Québec	direct	Lamarche le matin	13 mai 04
CHRC Québec	direct	Osez Josée Arsenault	13 mai 04
Radio Média Montréal	direct	Martin Pouliot (pour ou...)	13 mai 04
CJRC Gatineau	direct	Daniel Séguin	13 mai 04
FM 93 Québec	direct	Claude Thibodeau	13 mai 04
CFOM Québec	direct	Richard Courchesne	13 mai 04
CHOI FM Québec	direct	Le retour de Gilles Parent	13 mai 04
Journal de Montréal	entrevue	Valérie Dufour	13 mai 04
CTV National Toronto	entrevue	Ravi Bachwal	13 mai 04
TQS Montréal	direct	Denis Lévesque	13 mai 04
FM 93 Québec matin	direct	Claude Thibodeau	14 mai 04

Le discours tenu dans la plupart des entrevues comportait les arguments suivants :

« On donne l'opportunité à la population de s'exprimer avec la bouche de leur portefeuille en privant une compagnie de leur visite. Rien de plus simple. Pas d'habitude à changer, pas de SUV à abandonner contre du transport en commun. Une seule compagnie à ignorer, pas deux ni trois. Si la compagnie ressent des effets, la direction n'aura d'autre choix que de faire pression sur le gouvernement pour qu'il réponde à la demande que je lui ai fait parvenir. La balle est dans les mains des consommateurs. Si ça fonctionne, on démontrera qu'on est solidaire. Si l'appel est ignoré ? Les gens ne pourront que constater que leur seuil de tolérance n'est pas encore atteint ».

Vingt-six radios, dix télés, sept journaux ; quarante-trois entrevues en quarante-huit heures pour inviter la population à entreprendre le boycott de la pétrolière X. Avec les six entrevues du mardi 11 mai, ça faisait cinquante-quatre entrevues en trois jours. La collaboration des médias a été exceptionnelle. Les trois éléments clés s'y sont retrouvés ; le sujet était chaud, j'étais entré à fond dans le jeu et les médias également. Jeudi le 13 mai, à son émission du matin, Paul Arcand au 98,5 FM, avait même proposé une opération klaxon pour les automobilistes qui se retrouvaient dans des postes d'essence de la pétrolière. Ce support a été très encourageant, on ne pouvait demander mieux. Un camionneur livreur de produits pétroliers rapporta même qu'il a évité deux jours durant de faire des livraisons dans deux stations-service visées, alors qu'il avait l'habitude de les approvisionner chaque jour.

La demande d'intervention au fédéral :

Voici le texte de la lettre adressée au Premier Ministre du Canada Paul Martin et à la ministre de l'Industrie Lucienne Robillard :

À :   Le très honorable Paul Martin, Premier Ministre du Canada
         L'honorable Lucienne Robillard, ministre de l'Industrie

De :   Frédéric Quintal, porte-parole de L'essence à juste prix.com

Date :   12 mai 2004

Objet :   Demande d'intervention plus autoritaire face à l'industrie pétro-lière.

Madame, monsieur,

Je me présente comme un ardent défenseur des droits des consommateurs de produit pétrolier depuis octobre 2000. Un prix de 98,9 cents le litre pour l'essence ordinaire en ce lundi 10 mai 2004 ce n'est pas une surprise. Le rapport O'Farrell de décembre 1985 nous avait prévenus de cette situation ainsi que les éléments suivants qui en sont la cause :

- La diminution du nombre de raffineries de 315 en 1981 à 144 en 2002.[1]

- Les nombreuses fusions dont :

1981-82	Fina et BP par Pétro Canada
1984	Chevron et Gulf États-Unis
1984	Texaco et Getty
1984	Mobil et Superior
1985	Gulf Québec par Ultramar
1986	Texaco Canada par Imperial Oil
1986	Sunoco Québec par Ultramar
1997	Les stations Sergaz par Ultramar
1998	Amoco par British Petroleum
1999	Chevron et Texaco
1999	Les stations Super Gaz par Ultramar
2000	Exxon et Mobil
2000	Gulf Canada Resources et Crestar
2001	Valero Energy et Ultramar Diamond Shamrock
2001	Phillips Petroleum et Conoco

- Les réglementations environnementales non harmonisées.
- Le manque de rigueur dans la reconstitution des inventaires depuis un an.
- Les enquêtes qui confirment des inventaires manipulés.

Le système de fixation à un prix commun à la sortie des raffineries et négocié sur une bourse comme le Nymex donc sensible à des cas isolés, n'est plus adéquat et ne le sera plus. Également c'est renforcé dans l'ALÉNA donc légal. Mais, tout comme les Américains et le bois d'oeuvre taxé hors de l'ALÉNA depuis 2 ans, le Canada peut aussi tracer ses propres règles. Vos réponses à la Chambre des Communes la semaine du 3 mai déçoivent beaucoup l'idée de la compréhension que vous croyez être celle de la population canadienne. Il n'y a plus de lois naturelles et les éléments qui influencent les prix doivent être réglementés, soit :

---

[1] www.eia.doc.gov

- *Le niveau des inventaires.*

- *Le calendrier des fermetures pour l'entretien annuel des raffineries.*

- *Les prochaines capacités de raffinage à construire.*

- *Les productions nécessaires en fonction des cycles saisonniers.*

- *Et surtout, harmoniser les réglementations environnementales trop dispersées et qui perturbent l'équilibre entre l'offre et la demande.*

La subvention au chauffage de novembre 2000, l'étude du Conference Board de février 2001 et de s'en remettre au Bureau de la concurrence pour les prix de 90 cents du 4 mai dernier, ne suffisent malheureusement pas à satisfaire la population canadienne qui, en 2004, est bien informée, vous devez bien vous en douter.

J'aimerais bien vous rafraîchir la mémoire et vous rappeler l'interventionnisme d'il y a 30 ans avec le pétrole à prix unique, la création de Pétro-Canada, le Programme Énergétique National du 28 octobre 1980 et le bill C-42 de mars 1979.

Dans le but de vous démontrer une opinion publique qui supporte cette démarche, la population est invitée à ne pas visiter une pétrolière jusqu'à l'attente de votre intervention qui fort possiblement, on s'en attend, dérangera l'establishment pétrolier mondial. C'est bien le temps de démontrer que ce gouvernement gouverne pour le bien public (ministre de l'Industrie fédéral, 11 mai 2004), et non pour le capital industriel (Frédéric Quintal 12 mai 2004).

Merci de porter une attention à cette démarche et je vous prie d'agréer mes salutations.

Bien à vous,

Frédéric Quintal

Voici l'accusé de réception par courriel du bureau du premier ministre Paul Martin :

Au nom du très honorable Paul Martin, j'accuse réception de votre courriel récent. Nous avons pris bonne note de vos propos et vous assurons que le Ministre, qui a reçu copie de votre correspondance, saura y accorder toute l'attention voulue.

Je vous remercie d'avoir écrit au Premier ministre.

L.A. Lavell,

Agent de correspondance de la haute direction.

Et voici l'accusé de réception par courriel provenant du bureau de la ministre de l'Industrie Lucienne Robillard :

Au nom de l'honorable Lucienne Robillard, ministre de l'Industrie et ministre responsable de l'Agence de développement économique du Canada pour les régions du Québec, je vous remercie de votre correspondance du 12 mai 2004 au sujet du prix de l'essence.

Je vous assure que Mme Robillard a déjà pris connaissance de votre correspondance et qu'elle y donnera suite dans les plus brefs délais.

Je vous prie d'agréer, monsieur, l'expression de mes sentiments les meilleurs.

Christopher Vivone,

Adjoint spécial, cabinet de la Ministre de l'Industrie

Pour ce qui est de donner suite dans les plus brefs délais, en date d'août 2005, la réponse se faisait toujours attendre.

Une réponse à la ministre de l'Industrie :

Au moment où cette réponse du bureau de la ministre Lucienne Robillard me parvenait, un débat musclé se déroulait à la Chambre des Communes sur la situation des prix de l'essence. Le ton monta sérieusement entre certains députés du Bloc Québécois et les libéraux[2] :

---

[2] Chambre des Communes, Ottawa, 13 mai 2004, 14h25, période des débats.

QUI FAIT LE PLEIN ?

M. Gilles Duceppe (Laurier Ste Marie, BQ) ; *Monsieur le Président, alors que les consommateurs paient des prix indécents pour l'essence, le premier ministre a déclaré en Chambre, hier, et je cite : « Que le gouvernement prendra toutes les mesures nécessaires pour régler cette question ». Alors que le cap du 1 $ par litre d'essence est franchi à Montréal, est-ce que le premier ministre peut nous dire quelles sont les mesures nécessaires, dont il parlait, qu'il a prises afin que le gouvernement limite l'appétit des pétrolières ?*

Hon. R. John Efford (Ministre des Ressources naturelles, lib.) : *Monsieur le président, j'ai fait un engagement à cette Chambre à trois occasions dans les derniers jours. Nous sommes très préoccupés au sujet des prix de l'essence. Nous savons que c'est un problème international. Le prix du baril de pétrole a franchi les 40 $ le baril. Nous savons que les compagnies font un excellent travail en dehors d'ici. Elles performent très bien à produire du pétrole et de l'essence à travers le pays. Ce que nous avons dit clairement, c'est que s'il y a quelques problèmes que ce soit, ça sera rapporté au Bureau de la concurrence et nous vérifierons cela. Nous sommes très préoccupés et nous vérifions toutes les possibilités d'agir en ce sens.*

M. Gilles Duceppe : *Monsieur le président, au Québec, on paie l'essence 95 cents le litre en moyenne. À Montréal, c'est encore pire, c'est plus de 1 $ le litre pour le super. Aujourd'hui, le ministre se demande s'il y a un problème. Oui, il y en a un, et je pense que c'est lui, le problème. Devant une telle situation, comment peut-on se demander s'il y a un problème, alors que le premier ministre dit qu'il va agir ? Qu'attendent-ils pour agir ? Ne comprennent-ils pas qu'il y a un problème ?*

L'hon. Lucienne Robillard (ministre de l'Industrie, Lib.) : *Monsieur le président, en parlant de problèmes, je pense qu'on en a un grave avec le Bloc. En effet, il ne comprend pas exactement comment se fait la fixation des prix du pétrole à l'échelle internationale. De plus, il ne comprend pas comment ce problème, parce que c'est un problème, se vit à l'échelle internationale. En outre, il ne comprend pas comment nous sommes préoccupés par la hausse vertigineuse du prix du pétrole qui a des répercussions économiques pour les consommateurs et pour les entreprises, et qu'à la fois, notre Bureau de la concurrence au Canada a décidé d'examiner de près le marché pétrolier.*

M. Michel Gauthier (Roberval, BQ) : *Monsieur le président, en tant qu'organisateur en chef pour la prochaine campagne, je dois dire que la ministre a raison, vous avez un sacré problème avec le Bloc.* Le gouvernement, qu'il veuille l'admettre ou non, a une responsabilité. Il a un devoir. Il a le devoir de protéger les consommateurs. Je demande à la ministre de l'Industrie quel est le seuil de tolérance qui fait que le gouvernement interviendra pour arrêter l'escalade. Est-ce 1,25 $ le litre, 1,40 $ le litre ou 1,50 $ le litre ? Quand prendrez-vous vos responsabilités ?

L'hon. Lucienne Robillard : *Monsieur le président, le député de Roberval a beau s'emporter, nous verrons bien ce que le peuple décidera lors de la prochaine élection dans ce pays. Cela étant dit, nous verrons bien qui gouvernera ce pays. Jamais le Bloc, jamais ! C'est impossible !* Il est très clair que nous sommes préoccupés par cette question, et le Bureau de la concurrence, à l'heure actuelle, est en train d'étudier le marché pétrolier.

M. Michel Gauthier : *Monsieur le président, la ministre de l'Industrie doit être particulièrement heureuse de savoir que Ken Dryden sera dans l'équipe. Cela va l'empêcher de « scorer » dans ses « goals ».* La création d'un office de surveillance des produits pétroliers est une mesure qui est considérée comme extrêmement valable par les députés des deux côtés de cette Chambre. Voici ce que je demande à la ministre et au gouvernement : pourquoi ne pas envisager la mise sur pied de l'Office de surveillance des pétrolières pour leur donner le signal, enfin, que la récréation est terminée ?

L'hon. Lucienne Robillard : *Monsieur le président, le député de Roberval a été très souvent dans un gouvernement, n'est-ce pas ? Jamais. Il aime cela être assis sur un siège de l'opposition et critiquer. C'est tout ce qu'il peut faire. Il n'est même pas capable de prendre aucune décision. C'est cela la réalité du Bloc. Au niveau du gouvernement, il est très clair que le Bureau de la concurrence va regarder exactement ce qui se passe dans le marché pétrolier et agira en conséquence.*

Au cours de l'après-midi de ce jeudi 13 mai 2004, des médias firent écho aux passages les plus savoureux de ces échanges (parties soulignées). J'enrageai littéralement en présence de l'immobilisme, l'ambiguïté, le refus de reconnaître correctement les causes des prix records de l'essence et l'éternelle passe latérale au Bureau de la concurrence de la part de la ministre

Lucienne Robillard, dont j'attendais une réponse. Alors qu'elle critiquait le Bloc sur son impossibilité à prendre des décisions, elle, en tant que ministre de l'Industrie, ne savait que se cantonner dans la seule expression d'être très préoccupée. Rien d'autre. Est-elle seulement au courant de sa description de tâches ?

Dans l'intervalle, vers midi, TQS m'avait contacté pour une intervention en direct dans le bulletin de 22h00 heures avec le chef d'antenne Denis Lévesque. Le sujet convenu était de faire un compte-rendu sur le boycott initié la veille. En fin d'après-midi, je téléphonai aux gens de l'équipe du soir à TQS pour qu'ils m'accordent à tout prix un temps de vingt secondes durant ma présence, pour me permettre de m'adresser directement à cette chère ministre de l'Industrie. J'avais le goût de la brasser à la suite de ses propos juniors de l'après-midi. En formulant ma demande à TQS je leur assurai que le commentaire à l'endroit de madame Robillard ne serait pas déplacé mais qu'il serait percutant, que je serais en mesure d'offrir un bon spectacle et d'être plus expressif qu'à l'habitude. La réponse fut positive. Il ne restait plus qu'à mettre au point ce commentaire d'une vingtaine de secondes.

Dès mon arrivée à TQS, j'allai rencontrer toutes les personnes qui avaient une responsabilité dans la gestion du minutage pour que le délai de 20 secondes demandé plus tôt puisse se concrétiser. Mon entretien avec le chef d'antenne débuta comme prévu. Nous échangeâmes sur le boycott, les causes des récents prix records, l'implication de la population sur l'appel lancé la veille. Puis, vers la fin, monsieur Lévesque me passa le flambeau :

Denis Lévesque : *... et vous avez quelque chose à dire à madame Robillard ?*

F.Q. : *Oui. J'ai été extrêmement déçu de ses réponses aujourd'hui et je voudrais m'adresser à la caméra en parlant à madame Lucienne Robillard, ministre de l'Industrie. Vous dites que vous gouvernez pour la population, que le Bloc n'est même pas capable de prendre aucune décision parce qu'il est dans l'opposition.*

Madame Robillard, dans votre description de tâches :

- *Vous pouvez geler le prix du baril de pétrole au Canada.*
- *Vous pouvez réglementer les éléments qui influencent la marge de raffinage, qui elle, fluctue de plus de 300 %.*

- *Vous pouvez harmoniser les règles sur la teneur en soufre dans l'essence avec celle des américains.*
- *Et surtout, vous pouvez réduire le programme de réduction d'impôt de 25 % aux pétrolières donné en octobre 2003.*

Mon nom est Frédéric Quintal et moi je m'occupe des consommateurs depuis trois ans. C'est à vous de prendre des décisions.

J'ai débité tout ça d'un seul trait, en regardant droit dans la caméra. Une pause publicitaire suivit immédiatement après, pendant laquelle l'équipe technique applaudit à l'unisson. Ça aura été un des bons moments de télé que cette cause m'aura permis de vivre.

Cette expérience d'appel à la population a été une expérience passablement exigeante. J'ai accepté toutes les demandes d'entrevues qu'il a été possible d'honorer dans le but de rejoindre le plus de gens possible. Pour moi, c'est une question de livrer la marchandise lorsque je me retrouve en charge d'un projet. Les résultats auront été difficilement mesurables. Seules les caisses enregistreuses des stations-service visées détiennent la réponse. Si l'impact a été significatif, les responsables des communications de la compagnie se sont bien gardés de le dire afin d'éviter de nourrir le mouvement.

En 1974, le Canada avait un gouvernement fédéral au service de la population. Depuis 1984, ce qu'on appelle la mondialisation, cet élan d'ouverture des marchés sans présence de l'État dans les pratiques commerciales et industrielles, a fait que l'on s'est retrouvé avec un gouvernement graduellement transformé pour accorder la priorité au capital industriel. La population s'est habituée à se faire servir des campagnes de relations publiques plutôt que des services de la part de l'État. En 1974 nous avions un gouvernement qui intervenait. Aujourd'hui on a un gouvernement qui demande des études et qui se dit préoccupé. Seul les chocs provoquent les changements. Ce fut le cas avec la grande crise financière d'octobre 1929 et après le premier choc pétrolier d'octobre 1973. Si l'histoire a une tradition, un éventuel octobre nous apportera peut-être des changements.

Le profit des compagnies pétrolières

Pétro-Canada[1]

Période	Profit net (en millions $)	Note
1er trimestre 00	148	
1er trimestre 01	358	Record trimestriel
1er trimestre 02	89	
1er trimestre 03	490	Record trimestriel
1er trimestre 04	513	Record trimestriel
1er trimestre 05	456	
2e trimestre 00	259	
2e trimestre 01	326	Record / année précédente
2e trimestre 02	276	
2e trimestre 03	455	Record / année précédente
2e trimestre 04	393	
2e trimestre 05	525	Record trimestriel
3e trimestre 00	229	
3e trimestre 01	149	
3e trimestre 02	209	Record / année précédente
3e trimestre 03	402	Record / année précédente
3e trimestre 04	410	Record / année précédente
4e trimestre 00	287	
4e trimestre 01	71	
4e trimestre 02	370	Record / année précédente
4e trimestre 03	152	
4e trimestre 04	441	Record / année précédente

[1] Rapports annuels 2000-01-02-03-04-05 de Pétro-Canada.

1998	49 $	
1999	318 $	Record
2000	853 $	Record
2001	904 $	Record
2002	1 005 $	Record
2003	1 382 $	Record
2004	1 888 $	Record

Donc : le profit de 2004 est + 35 % par rapport à 2003 et + 94 % par rapport à 2002... et 6 fois les profits nets de 1999.

... et 17 records répertoriés en 4 années.

Esso[2]

Période	Profit net (en millions $)	Note
1er trimestre 00	269	
1er trimestre 01	382	Record
1er trimestre 02	106	
1er trimestre 03	538	Record trimestriel
1er trimestre 04	509	
1er trimestre 05	393	
2e trimestre 00	285	
2e trimestre 01	414	Record
2e trimestre 02	306	
2e trimestre 03	514	Record
2e trimestre 04	454	
2e trimestre 05	539	
3e trimestre 00	374	
3e trimestre 01	259	
3e trimestre 02	344	
3e trimestre 03	375	Record
3e trimestre 04	539	Record trimestriel
4e trimestre 00	492	
4e trimestre 01	189	
4e trimestre 02	457	
4e trimestre 03	255	
4e trimestre 04	538	Record

---

[2] Rapports annuels 2000-01-02-03-04-05 de Imperial Oil (Esso)

1999	628 $	
2000	1 420 $	Record
2001	1 244 $	
2002	1 213 $	
2003	1 682 $	Record
2004	2 040 $	Record

Donc : Le profit de 2004 est de + 22 % par rapport à 2003... et plus de 3 fois le profit de l'année 1999.

... et 10 records répertoriés.

Shell Canada[3]

Période	Profit net (en millions $)	Note
1er trimestre 01	354	
1er trimestre 02	93	
1er trimestre 03	216	
1er trimestre 04	368	Record
1er trimestre 05	417	Record
2e trimestre 01	314	
2e trimestre 02	73	
2e trimestre 03	178	
2e trimestre 04	285	
2e trimestre 05	526	Record trimestriel
3^e trimestre 01	172	
3^e trimestre 02	148	
3^e trimestre 03	235	Record
3^e trimestre 04	451	Record trimestriel
4^e trimestre 01	170	
4^e trimestre 02	247	Record
4e trimestre 03	190	
4e trimestre 04	182	

[3] Rapports annuels 2001-02-03-04-05 de Shell Canada.

1996	595 $	
1997	523 $	
1998	432 $	
1999	641 $	Record
2000	858 $	Record
2001	1 010 $	Record
2002	561 $	
2003	810 $	
2004	1 286 $	Record

Donc : Le profit de 2004 est de + 58 % par rapport à 2003 et presque 2 fois l'année 1999.

... et 10 records répertoriés. (L'année 2000 n'est plus disponible sur leur site Internet).

Donc pour trois compagnies au Canada, 37 records ont été établis sur une période moyenne de 5 ans.

Comment amortir le choc des profits :

Dans la revue Protégez-vous de décembre 2003, un porte-parole de chez Ultramar a émis les commentaires suivants au sujet des profits :

Ultramar : *Il est vrai que les pétrolières ont fait de gros profits certaines années, surtout dans les secteurs de l'exploration et de la production. Mais **l'industrie est à risque**, c'est donc dire qu'il y a aussi de **mauvaises années.** C'est pourquoi il faut voir les résultats sur de longues périodes. Et on ne les calcule pas en millions de dollars (M $) de profits, parce que ça ne veut pas dire grand-chose : 300 $ M pour une petite compagnie, c'est différent de 300 M $ pour une grosse. Nous préférons les calculer à partir du rendement sur le capital. Or, s'il est vrai que, pour le raffinage et la distribution (les secteurs d'activité d'Ultramar), il a été de 15 % en 2000 et de 17 % en 2001, il a aussi été de -3 % en 1990. De sorte que, sur 12 ans, le rendement moyen s'est chiffré à 7 %, ce qui n'est pas abusif. Donc, à ceux qui trouvent qu'on fait trop d'argent, nous demandons : qu'est-ce que vous attendez pour ouvrir une raffinerie ?*

Les mauvaises années auxquelles autant le porte-parole d'Ultramar que d'autres représentants de l'industrie font référence sont les années 1990-1998.

Le taux de rendement après impôt sur l'avoir des actionnaires [4]:

Période	1990-1995 6 ans	1996-2001 6 ans	2000-2001 2 ans
Imperial Esso	4,5 %	20,1 %	30,4 %
Shell Canada	6,1 %	18,2 %	22,7 %

L'industrie est à risque !

Tout comme la Société des Alcools du Québec est à risque : oui, on pourrait tous arrêter d'acheter à la SAQ demain matin. Tout comme l'industrie pharmaceutique est à risque : oui, on pourrait cesser d'être malade ou d'avoir besoin de médicaments demain matin. Le prix du baril de pétrole est passé de 2,50 $ avant le premier choc pétrolier d'octobre 1973 à plus de 34 $ en février 1979 lors du second choc pétrolier, avant que les consommateurs décident de s'intéresser aux voitures japonaises 4 cylindres en remplacement des 8 cylindres américaines. 1 300 % de fluctuation et six années pour amener les consommateurs à envisager un changement dans leurs habitudes. Et l'industrie est à risque ! Tirez vos conclusions.

Mauvaises années !

Voici une citation du président de Valero Energy, propriétaire d'Ultramar depuis avril 2001 : ... *je crois que nous sommes entrés dans une nouvelle ère où les marges seront plus élevées et où les périodes de faibles marges seront moins fréquentes et plus courtes.* Le président du conseil et chef de la direction de Valero Energy, Bill Grehey dans son message aux actionnaires du rapport annuel de 2002.[5]

Au vu des résultats financiers publiés depuis 1999, les fameuses « mauvaises années » apparaissent de plus en plus loin dans le rétroviseur. Mais chaque fois qu'un profit record donne une impression de cupidité, c'est un

---

[4] Revue Protégez-vous, décembre 2003, Floué par les pétrolières ?
[5] Valero.com / investor relation / rapport annuel 2002,

réflexe d'industriel que d'amortir l'effet de ce profit sur une année dont le rendement aurait été qualifié de normal, si lointaine soit-elle.

Le 19 janvier 2001, Esso annonçait ses résultats pour l'année 2000 : 1,4 milliard de dollars de bénéfice net, soit 2,3 fois les bénéfices de l'année précédente pour un même volume de ventes.

Le même jour, un porte-parole d'Esso faisait le commentaire suivant aux nouvelles télévisées : *Il est certain que ça apporte des revenus additionnels. D'un autre côté, ça nous oblige à réinvestir, ça nous permettra de trouver de nouvelles sources. Dans un marché mondial comme celui-là, à court terme oui, mais il y a eu d'autres années où ça été beaucoup plus bas que ce qu'on a connu cette année.*

En 2001, il y avait encore chez les compagnies une certaine gêne à annoncer des profits record. Le porte-parole d'Esso s'est senti obligé de justifier ce bénéfice de 1,4 milliard de dollars en précisant que ça l'obligeait à réinvestir et en faisant référence à d'autres années où le rendement avait été beaucoup plus bas. Se rappelait-il seulement de l'année ? Parce que, si on vérifie, on va découvrir que ces fameuses années où « ça a été beaucoup plus bas » ne sont peut-être qu'un mythe. Pendant que le rendement après impôt sur l'avoir des actionnaires était de 4,5 % (Esso) et 6,1 % (Shell) pour la période 1990-1995, le taux d'inflation se situait entre 2 % et 3 %. Ces mauvaises années étaient peut-être de bonnes années finalement !

Et en vérifiant un peu pour trouver une mauvaise année dans les résultats d'Esso, on tombe sur l'année 1991. Esso avait alors déclaré une perte de 36 $ millions. Pourtant l'année précédente, en 1990, le bénéfice avait atteint 522 $ millions.[6] Étrange d'encaisser une perte après une si forte année. Aussi est-il important de rappeler ici qu'en 1992, quelques jours seulement après la publication des résultats négatifs de l'année 1991, Esso a entamé un important programme de rationalisation de ses activités de raffinage et de réduction de son parc de stations-service. Deux raffineries, 1 000 stations-service et 1 700 emplois allaient disparaître du paysage canadien. Côté relations publiques, ce type d'annonce passe mieux quand on déclare une perte plutôt qu'un profit. Il serait intéressant d'examiner de plus près la pratique comptable de l'année 1991.

---

[6] Nouvelles télévisées de télévision TQS, 19 janvier 2001.

Les entrevues dans les médias

L'intérêt qui m'a poussé à analyser, observer et développer certains arguments sur l'industrie pétrolière, m'a valu de participer à plus de cinq cents entrevues dans les médias (janvier 2001 à août 2005). Les sites Internet « L'essence c'est essentiel » et « L'essence à juste prix » n'étaient visités que par quelques centaines de personnes. Mais les médias, dans leur ensemble, m'ont permis de rejoindre un vaste public. C'est d'ailleurs la tribune de prédilection des gens de l'industrie. J'y ai vécu toutes sortes d'expériences.

La première entrevue :

Le 4 janvier 2001, à 6h00 heures du matin, je reçois un coup de fil d'une recherchiste de la station de radio CKRS de Chicoutimi. Elle me demande si je suis bien le Frédéric Quintal qui s'occupe du site Internet de l'essence. C'est pour une entrevue à l'émission du matin avec l'animateur Réal Bédard, pour le bloc de 7h15. À peine éveillé, je m'informe de l'heure à laquelle ils veulent faire l'entrevue, la durée prévue et le sujet.

Ça me donnait une heure pour préparer des notes et mémoriser certaines données. Ce sera la première d'une foule d'autres entrevues qui auront lieu de la même façon ; soit me faire tirer du lit pour participer aux émissions du matin, principalement à la radio et parfois à la télé.

Un peu avant l'heure prévue, le téléphone sonne de nouveau. C'est la station qui me rappelle pour s'assurer de ma disponibilité et me placer en attente afin d'entrer en ondes immédiatement après le bloc publicitaire. J'ai droit à une séance de publicité dite régionale : une promotion chez un concessionnaire auto, une grande liquidation d'après Noël dans un magasin local, des soldes dans un magasin de meubles, la météo, l'animateur Réal Bédard qui échange avec son équipe du matin… Finalement l'entrevue débute. Les questions portent sur la raison d'être du site Internet « L'essence c'est essentiel », les fluctuations du prix de l'essence, ce que les gens peuvent faire ? J'explique que le site est une sorte de circulaire des meilleurs prix de l'essence dans chaque région du Québec et que les données affichées sont le fruit des efforts en commun des internautes qui font eux-mêmes la mise à jour des prix, chacun dans son propre secteur. Si un automobiliste de Chicoutimi doit se rendre à Québec aujourd'hui, il pourra faire un survol des régions sur son trajet et voir les meilleurs prix qu'on y trouve. Il pourra alors décider s'il va remplir son réservoir au départ de Chicoutimi ou s'il va y mettre assez d'essence pour se rendre à Québec où il complètera le plein à un prix plus bas de 4-5-6 cents le litre.

Quant à savoir ce que les gens peuvent faire, face à cette situation, je suggère de mettre en application les trucs d'usage pour économiser l'essence. Par exemple réduire la vitesse, maintenir sa mécanique en bon état, mieux gérer ses déplacements, recourir au covoiturage, au transport en commun et utiliser un véhicule plus économique L'occasion tombe à point pour raconter l'épisode de la vente de mon 4 X 4, en septembre 2000, et son remplacement par une voiture beaucoup moins énergivore.

À propos des fluctuations du prix de l'essence, j'explique que c'est une conséquence de la diminution de la capacité de raffinage parallèlement à un accroissement continu de la consommation, la diminution des inventaires et une plus grande popularité des véhicules plus gourmands.

J'étais encore novice à ce moment. Je venais à peine de commencer à lire sur le sujet. Autant je trouvai ce matin-là que cinq minutes d'entrevue c'était long à combler, autant avec l'approfondissement de mes recherches et la multiplication des lectures, je trouverai plus tard que nous n'aurons jamais assez de temps pour informer le public.

Je savais que la prise en mains du site de René Goyette créerait des possibilités d'entrevues. Quand, qui et surtout quoi dire deviendront un bel apprentissage sur le tas dans la poursuite de cette noble cause. Cette première entrevue déclencha une certaine montée d'adrénaline. Sur le site Internet, j'informais jusqu'alors quelques centaines de personnes sur les démarches que je faisais pour comprendre les causes derrière les fluctuations des prix de l'essence. Avec les médias, je rejoignais des centaines de milliers de personnes. J'y gagnai une tribune beaucoup plus efficace pour transmettre l'information. Cela fit naître en moi une motivation à tenir un discours juste exempt de toute affirmation gratuite.

La deuxième entrevue qui n'a jamais eu lieu :

Toujours en ce jeudi 4 janvier 2001, je reçus l'appel d'un vieux routier de la télévision. Je comptais à peine cinq petites minutes d'expérience radiophonique et voilà que ce journaliste m'approchait. Sa notoriété m'intimidait quelque peu à ce moment. Il préparait un reportage sur la marge de profit des détaillants d'essence à travers le Canada. Ses recherches indiquaient que c'était à Montréal que les marges des détaillants étaient les plus élevées. Il voulait savoir si, en tant que porte-parole du site « L'essence c'est essentiel », je confirmais les résultats de sa recherche ?

Si je répondais « ben oui », j'avais probablement la chance de me retrouver dans son reportage aux informations du soir. Mais je n'étais pas à l'aise d'endosser son analyse qui, à mon avis, ne reflétait pas correctement la réalité en ce qui a trait aux marges des détaillants. Je tentai de lui faire comprendre que la marge des détaillants était d'un demi cent le litre seulement la veille, avant la hausse de prix. S'il basait son calcul après la hausse d'aujourd'hui sur cette donnée de la veille, cette marge d'un demi cent semblait alors passer à huit cents le litre ! Comment avait-il compilé ses données et quand ? Hier ou ce matin ? Il me répondit qu'il avait procédé par ville canadienne à partir des données de la firme MJ Ervin et associés tout en me précisant que MJ Ervin était une firme de donnée comptable hautement reconnue et crédible.

Et c'est là que ça s'est gâté.

F.Q. : *Oui mais monsieur le journaliste, savez-vous que le site Internet de MJ Ervin est référé par le site Internet de l'ICPP ? Vous savez ce que c'est que l'ICPP ?*

Le journaliste : *Oui oui, je sais très bien ce que c'est l'ICPP.*

F.Q. : *Bien justement, le client de MJ Ervin c'est l'industrie pétrolière elle-même. Elle paie MJ Ervin pour compiler les données du marché pétrolier. Ça met déjà en doute l'objectivité de MJ Ervin. Ils compilent les données de façon hebdomadaire et s'ils récoltent la donnée du jeudi comme aujourd'hui qui démontre une marge confortable de 8 cents le litre pour les détaillants alors qu'hier, avant la hausse, c'était de un demi cent le litre. De cette façon, la donnée d'aujourd'hui démontre une situation profitable au détail alors que la donnée d'hier démontre une situation de guerre de prix au détail et ça MJ Ervin, de par sa façon de récolter les données, sans être intentionnel, ne le fait peut-être pas ressortir.*

Je ne connaissais pas encore grand-chose dans l'actualité pétrolière, mais ce que je venais d'expliquer au journaliste, ça je le maîtrisais sur le bout des doigts. C'était tentant de lui dire ce qu'il voulait entendre et de passer à la télé en échange. Dans son approche je sentais que le reportage était déjà presque ficelé et que ce qui l'intéressait n'était pas d'avoir mon opinion sur le résultat de sa recherche, mais d'avoir simplement un intervenant pour endosser sa conclusion. Mais ma réponse jetait son travail par terre et donc ça signifiait un trou dans le bulletin des nouvelles du soir. Je me surpris à me demander qui j'étais pour démolir son travail ? Est-ce que tous les journalistes travaillaient de cette façon ? Poser au départ la conclusion et trouver des intervenants qui viendront l'étayer ? Il était contrarié et je m'attendais donc à une réponse qui me rendrait la monnaie de ma pièce.

Le journaliste : *Monsieur Quintal, vous ne connaissez pas votre dossier, vous défendez très mal les consommateurs et vous couchez avec les pétrolières.*

Comme on dit, ça frappe dans le tableau de bord.

F.Q. : *C'est votre opinion monsieur le journaliste ?*

Le journaliste : *C'est mon opinion.*

Je ne voulais pas qu'il s'en tire comme ça. Je l'avais défié sur une ou deux questions.

F.Q. : *Connaissez-vous Norcan[1] ?*

Le journaliste : *Oui je connais Norcan.*

Et là je commençais à être pompé. En même temps j'étais conscient que le contact avec ce journaliste serait probablement irrécupérable, définitivement brûlé.

F.Q. : *Allez donc leur demander si les détaillants font les marges mentionnées par MJ Ervin. Allez donc demander à Ultramar quel but ils visent avec leur programme valeur plus en vigueur depuis juin 1996. Allez donc demander à la Régie de l'énergie, qui compile aussi les données des prix des produits pétroliers, s'ils appuient votre travail. Désolé monsieur le journaliste, mais si c'est l'orientation que vous présenterez ce soir au bulletin de nouvelles, vous allez dire des faussetés aux téléspectateurs et je trouve ça décevant.*

Le journaliste : *Au revoir monsieur Quintal.*

F.Q. : *Au revoir monsieur le journaliste.*

C'était la deuxième entrevue qui n'a jamais eu lieu. Encore vert dans cet univers des médias, je venais de vivre une situation qui s'était révélée un moment de vérité : soit je succombais à la tentation de m'associer à des affirmations non accordées à mes convictions, en échange de quoi j'avais la possibilité de passer dans le reportage de ce journaliste d'expérience et de

---

[1] Presse Canadienne, 11 avril 2005, « *Le prix de l'essence devrait diminuer.* »

vivre quinze minutes de gloire : soit j'opposais ma micro notoriété à la macro notoriété de ce journaliste. Je ruinais à court terme un contact avec un média important, mais je demeurais fidèle à la vérité et à moi-même. Des événements comme celui-là, il s'en est présenté plusieurs sur mon parcours. Ça développe le caractère.

L'autre entrevue qui n'a jamais eu lieu :

Le 15 septembre 2003, je donnais une conférence de presse pour présenter une demande de vérification auprès du Bureau de la concurrence relativement au retard que les raffineries du Québec avaient mis à répercuter le prix à la baisse du Nymex gasoline, ainsi que la dénonciation de la comptabilité douteuse justifiant la fermeture de la raffinerie de Pétro-Canada à Oakville.

Après la conférence de presse, une recherchiste de l'émission du midi d'André Arthur dans la région de Québec, me contacta pour une entrevue à 12h40. J'acceptai le rendez-vous. Je me préparais à passer en direct à 12h50 à l'émission « Québec en direct » avec Marie Josée Bouchard. La recherchiste me rappela pour m'informer que l'entrevue pourrait débuter plus tard parce que monsieur Arthur était en direct avec une présumée victime anonyme du réseau de prostitution Wolfpack de Québec. Finalement, il lui consacra le temps qui m'avait été alloué.

Le réseau Wolfpack a été démantelé par les autorités policières en décembre 2002. Neuf mois plus tard, André Arthur continuait d'accorder la priorité à ce dossier dans l'actualité locale à Québec. Une présumée victime anonyme dont on ne pouvait vérifier la source, obtenait plus d'espace que prévu parce qu'elle avait des choses non vérifiables à raconter. Pour cet animateur, sa croisade personnelle contre le Wolfpak et Robert Gilet, son ex-compétiteur à la radio du matin, l'emportait sur le reste. Ce 15 septembre 2003, il utilisa donc tout son temps d'antenne à parler de son procès en parallèle avec Robert Gilet, plutôt que d'ouvrir les ondes à une demande de vérification au Bureau de la concurrence sur le prix de l'essence et la fermeture un peu contestable d'une raffinerie. Rappelez-vous que ce procès a dû être déplacé à Montréal à cause de cette couverture exagérée que certains médias de Québec ont accordée à toute cette affaire.

J'aurais apprécié échanger avec ce personnage des ondes de Québec, mais j'imagine que le contenu n'était pas assez intéressant s'il n'était pas relié au Wolfpak.

QUI FAIT LE PLEIN ?

Les Francs tireurs à Télé-Québec :

Le procès des pétrolières a eu lieu le 23 octobre 2003… dans un studio de Télé-Québec !

Les producteurs avaient eu l'idée de monter un décor de tribunal dans le studio d'enregistrement. L'épisode était intitulé : « Le procès des pétrolières ». L'angle de la caméra faisait en sorte que le public faisait acte de juge. Benoît Dutrizac, en costume de circonstance, jouait le rôle du procureur de la couronne. Chacun avait préparé une plaidoirie percutante, en fonction de sa spécialité. Nous étions quatre intervenants à participer à l'émission : Michel Girard, journaliste au journal La Presse, Claude Girard, porte-parole de la Coalition des consommateurs de carburant du Saguenay, Steven Guilbeault, directeur de Greenpeace Québec et moi-même. Aucun membre de l'industrie n'y participait.

Je reproduis ici la partie de l'émission où le procureur Benoît Dutrizac a procédé à mon interrogatoire :

B.D. : *Votre honneur, j'appelle à la barre Frédéric Quintal. Bonjour, vous êtes représentant de L'essence à juste prix. C'est bien ça ?*

F.Q. : *Exactement.*

B.D. : *Qu'est-ce que c'est ?*

F.Q. : *C'est un organisme qui essaie de défendre et d'informer correctement la population sur les réalités de l'industrie pétrolière. Je pense que les communicateurs des compagnies manipulent l'information pour nous passer les messages qu'ils veulent bien nous passer. J'essaie de dire la réalité derrière les données qu'ils veulent bien nous envoyer.*

B.D. : *Ha ! On va faire la lumière là-dessus. Alors vous venez témoigner pour nous dire que les compagnies pétrolières entretiennent l'illusion de la concurrence ! Pouvez-vous m'expliquer ça ?*

F.Q. : *Je trouve ça un peu bizarre qu'il y ait un prix de référence commun pour tout le monde. D'abord, le prix du baril de pétrole est respecté sur toute la planète, que tout le monde se soit entendu sur un prix de référence commun sur l'essence raffiné, ce qu'on appelle la marge de raffinage. Tous ont un prix de gros commun référé sur une bourse, peu importe les coûts de production et d'exploitation. Que ce soit de sortir un baril de pétrole des sables bitumineux de l'Alberta, de l'Arabie Saoudite ou d'une*

266

platte-forme pétrolière en haute mer, le prix de vente est le même partout sur la planète.

B.D. : *O.K.*

F.Q. : *C'est pour ça que je trouve qu'il y a un soupçon d'illusion de compétition. Quand au niveau du prix de détail, on voit souvent des fluctuations quotidiennes sur les prix affichés ici dans la région de Montréal, 71-72-73 cents, tout le monde baissent d'un cent ou d'un demi cent à chaque jour ou deux. Mais pourtant, tous se basent sur un prix de gros commun aux rampes de chargement des raffineries pour ensuite vendre à ces détaillants-là.*

B.D. : *Où est-ce que ça fluctue? Où est-ce qu'on décide de charger 72 ou 86 sous le litre à la pompe ? À quel moment ? Et qui décide de ça ?*

F.Q. : *Écoutez. Avant 1999, le marché nord-américain du raffinage était extrêmement compétitif, il y avait beaucoup de compagnie. Mais les entités de vérification au niveau de la concentration du marché et au niveau de la vérification de la concurrence, ont laissé passé beaucoup de fusion et d'acquisition en Amérique du nord. Alors, cette concentration-là du marché, a favorisé un resserrement de l'offre. Ce qui a fait que les prix fluctuent beaucoup plus sensiblement aujourd'hui.*

Pendant longtemps, la marge de raffinage s'est maintenu entre 4 à 6 cents le litre, et avec cette marge-là, les cies faisaient quand même des bonnes affaires. Et cette marge au raffinage, le 21 août 2003 a atteint un record de 18 cents du litre. C'est une fluctuation de plus de 250%.

B.D. : *Mais c'est pas ça qu'ils nous disent avec le graphique qu'ils publient sur les pompes à essence ! Pétro-Canada nous affiche une belle tarte avec des pourcentages de profits très minces. Ne venez pas me dire que les compagnies me mentent à moi, qui a une carte de crédit Pétro-Canada. Moi ! Un fidèle consommateur.*

F.Q. : *Ça me fait plaisir de pouvoir expliquer ce graphique :*

Ce n'est pas un mensonge, mais j'appelle ça une manipulation de l'information. Ce graphique démontre 2 % de profit. C'est le profit du détaillant. Le graphique indique 37 % le coût du brut, le pétrole, et 17 % le coût du raffinage. Mais ces deux autres coûts sont aussi des zones de profits.

B.D. : *Allez-y par étape. Sur le coût du pétrole, où sont les profits ?*

F.Q. : *On va prendre un exemple d'un baril de pétrole extrait des sables bitumineux de l'Alberta. Les coûts d'exploitation pour sortir un baril de brut* *sont actuellement (2003) de 13 dollars canadiens. Et le baril de pétrole se transige à $30/$31 US sur le marché, soit environ 40 $ canadien.*

(Ici apparaît sur un écran la mention « bénéfice par baril à la production : 26 $ canadiens).

Ensuite, le prix de gros à la rampe de chargement pour l'essence raffiné va être, comme aujourd'hui par exemple, de 33 cents le litre. Sur ce 33 cents le litre, il y a 25 cents de pétrole. Il reste donc 8 cents du litre pour la marge de raffinage. Alors, ce 2 % de bénéfice-là date des résultats financiers de l'année 1998 pour Pétro-Canada. S'ils veulent que ça soit le reflet du pourcentage de l'ensemble de leurs activités, et en regardant les résultats du premier semestre de 2003, le pourcentage de bénéfice devrait être 18,5 %. Je tiens donc à préciser que ce beau petit graphique-là qu'ils nous présentent sur les pompes, est une antiquité de 5 ans.

F.Q. : *C'est bizarre. Les compagnies ont toutes sauté à l'unisson sur l'argument que l'hiver 2003 a été anormalement froid. Qu'il a été une cause du prix exagéré de l'huile à chauffage. Il a fallu produire beaucoup d'huile à chauffage. Donc, la capacité de raffinage était moins disponible pour produire de l'essence. Ça a aussi fait monter le prix de l'essence. Mais si on observe les statistiques de la météo, l'hiver 1994 a été au niveau de la température minimum 1 degré plus froid, et au niveau de la température maximum 1,6 degré plus froid que l'hiver 2003. Pourtant, dans les rapports que j'ai obtenus de l'année 1994, la marge de raffinage n'a jamais fluctué. Pourquoi ? Il y avait une saine compétition, une compétition très présente sur le marché du raffinage en Amérique du nord, ce qui n'est pas le cas aujourd'hui.*

B.D. : *Est-ce que le lobbying et l'intimidation sont des outils que les compagnies utilisent pour garder un beau contact avec nos politiciens ?*

F.Q. : *Il se peut fort bien. Vous savez, dans le budget de février 2003 (fédéral), il y a été présenté un programme de la réduction de la fiscalité des compagnies oeuvrant dans les ressources naturelles. C'est comme ça que c'est inscrit dans le budget, mais dans les faits, les compagnies minières n'étaient même pas au courant de cette réduction fiscale-là. Et donc, les compagnies pétrolières se sont vu octroyer une réduction fiscale majestueuse, c'est-à-dire que le taux d'imposition passe de 28 % à 21 % sur un délai de 5 ans. Mais en 2007, le gouvernement fédéral va se priver d'un revenu de 3 milliards de dollars du plus riche secteur industriel canadien.*

B.D. : *Wow ! C'est ce qu'on appelle faire la charité aux riches.*

B.D. : *Où est-ce que vous allez faire le plein d'essence ?*

F.Q. : *J'essaie le plus souvent possible d'aller faire le plein dans une station service indépendante. Les stations que je ne fréquente pas sont Esso entre autre. Esso est extrêmement décevante dans ses pratiques commerciales. Quand une compagnie canadienne ferme 2 400 postes d'essence sur 10 ans (1990-1999) au Canada, ce n'est pas une bonne façon de nous dire qu'ils veulent bien nous servir. Il faut rouler davantage pour trouver un point de vente.*

Deuxièmement, dans l'histoire, en février 1979, la compagnie mère d'Esso, Exxon, avait détourné un pétrolier d'Esso destiné aux raffineries de l'est du Canada, pour ses propres besoins américains. Nous avions failli subir une rupture d'approvisionnement aux raffineries de l'est. Ça je trouve que c'est un peu délinquant.

Et troisièmement, leur système de point fidélité fait en sorte que vous faites vos pleins d'essence pendant une année, une fois par semaine, et vous avez tout juste assez de points fidélité pour obtenir une paire de billet de cinéma. Ils ne sont même pas capables de vous offrir un plein d'essence gratuit après un an.

B.D. : (rire)

F.Q. : *Il y a Shell que je refuse de visiter aujourd'hui pour une principale raison. Au comité d'enquête sur l'industrie pétrolière en mai 2003 à Ottawa, le vice président commercialisation, monsieur Terry Blaney, avait déclaré aux députés membres du comité, que si ces députés-là avaient comme recommandation au ministre de réglementer davantage l'environnement commercial pétrolier au Canada, Shell allait désinvestir du Canada et aller investir dans des pays où il est facile de faire des bonnes affaires.[2] Je trouve que c'est un comportement extrêmement arrogant face à nos parlementaires canadiens.*

B.D. : *C'est du chantage ! M.Quintal, vous êtes un redoutable témoin.*

F.Q. : *Merci beaucoup.*

B.D. : *On va les planter !*

---

[2] Cette citation référait à la déclaration faite par Monsieur Blaney devant le Parlement federal le 7 mai 2003, à 17h25: « if you look to impose a regulatory frame work on something as critical as pricing, you run the risk of challenging the ability for Canada to maintain its own self-sufficiency because opportunities to invest are based on where the available opportunities are, and if you regulate Canadian markets to the detriment of what else is happening outside of Canada, you would see a flow of investment dollars, whether for the upstream or for the downstream side of the business to where it would be more attractive ».

Le directeur de Greenpeace Québec, Steven Guilbeault, fit également une intervention intéressante. La voici :

B.D. : *J'ai entendu dire qu'il y a des compagnies pétrolières qui coupent plus d'arbres dans l'ouest canadiens, que des compagnies forestières ?*

S.G. : *C'est effectivement vrai. Les sables bitumineux sont une façon de faire du pétrole très polluant. Ce sable bitumineux-là, se trouve sous la forêt boréale, dans le nord de l'Alberta. La première étape, c'est de faire une coupe à blanc, et plus blanc que ça, tu meurs. On enlève tout. Ensuite, on enlève 30 pieds de mort terrain, et ça c'est tout ce qui a servi à produire la forêt boréale au cours de milliers d'année. Ils en font des tas de sables. Et là, ils commence à miner. C'est d'abord une opération minière comme pour du minerai. Et là, il faut séparer tout ça et après, il y a l'opération raffinage. Les sables bitumineux, c'est essentiellement du sable, mélangé avec de l'eau, mélangé avec du pétrole.*

En terme de pollution, un baril de pétrole provenant du Moyen-Orient ou de la mer du nord, produit de 16 à 18 kilogrammes de carbone par baril. Pour les sables bitumineux, c'est 3 à 4 fois plus de pollution pour le même baril de pétrole.

Je ne me suis pas concentré sur le dossier environnemental de l'industrie pétrolière. J'en ai déjà assez sur les bras avec le volet commercial. D'ailleurs le dossier est entre bonnes mains avec des types comme Steven Guilbeault. En passant, les données qu'ils apportent portent à réfléchir sur la place et les effets du pétrole dans nos vies. Prenons l'exemple de la pollution. Les promenades à la campagne perdraient de leur charme si on avait le spectacle des cadavres des nombreuses victimes de la pollution de l'air étalés sur l'accotement de nos routes !

L'émission a été diffusée le mercredi 14 janvier 2004, puis à trois reprises au cours du week-end. De toutes mes présences dans les média, c'est probablement celle qui a obtenu le plus fort impact. Les producteurs avaient accordé trente minutes au sujet et les échanges ont permis de faire circuler de bonnes informations. Une lacune peut-être, d'ailleurs relevée par un membre de l'industrie : la formule d'un procès aurait dû faire une place à la partie attaquée et lui prévoir un droit de réplique. Par contre, être attaqué sans droit de réplique, j'ai également connu ça.

Une notoriété douteuse :

En mai 2003, j'ai reçu une invitation à participer à une émission d'affaires publiques d'une durée d'une heure sur la télé communautaire Rogers, à

Ottawa. Le scénario proposé était le suivant : d'un côté, un professeur d'économie de l'Université d'Ottawa qui défendait la libre entreprise sans intervention de l'État ; de l'autre, moi, qui dénonçais l'absence d'intervention de l'État dans l'industrie pétrolière. Je ne connaissais pas mon opposant à ce débat. Je savais seulement qu'il avait le statut de professeur d'économie à l'Université d'Ottawa tandis que moi, je n'étais porteur de rien qui ressembla à une étiquette d'une quelconque notoriété. À quelques reprises, durant l'émission, le professeur mentionna des faussetés parmi lesquelles la plus grosse fut que le Canada était un pays importateur net de pétrole. Faux ! Le Canada est exportateur net de pétrole depuis 1986. Et en l'année 2003, le Canada produisait environ 2,6 millions de b/j contre une consommation d'environ 1,5 millions de b/j. Comme il ne représentait pas l'industrie directement ni une compagnie pétrolière, j'ai attendu la pause publicitaire pour l'informer de la bonne donnée. Il avait beau porter une étiquette, ça ne garantissait pas qu'il était bien informé. J'ai souvent eu une côte à remonter parce que je ne porte pas d'étiquette. Pour certains, si on n'est pas économiste dans une institution financière ou professeur d'université, on existe disons plus difficilement. En fait, si j'ai pu gravir certains échelons, c'est parce que j'ai constamment développé des arguments solides en entrevue.

Des entrevues audacieuses :

Le vendredi 24 mars 2005, TQS m'invita à commenter la situation des prix de l'essence qui venaient de bondir encore une fois au dessus des 90 cents le litre. Je déclarai que le prix du litre d'essence ordinaire pourrait franchir le cap du 1 $ le litre au mois d'avril, comme me l'indiquait alors mon analyse du marché du raffinage. Le 6 avril 2005, la projection se concrétisait dans certaines stations qui se risquèrent à 1,029 $. Mais ça n'a duré que quelques heures.

Ce même 6 avril, Le jour même, RDI et Info 690 me demandèrent de commenter la situation. Je prédis que cette tentative de hausse de prix à 1,029 $ risquait d'échouer parce que si on se fiait à la stratégie de marge de profit au détail en vigueur depuis quelques mois dans la région de Montréal, l'écart était de plus de 8 cents entre le prix coûtant (F) et le prix de vente au consommateur (G). De plus, le prix de l'essence raffinée sur la bourse Nymex (B) était en baisse depuis 2 jours. Par simple observation de l'extérieur de l'industrie, j'ai pris le risque d'affirmer que la tentative de hausse à 1,029 $ allait échouer et c'est ce qui s'est produit.

Quatre jours plus tard, soit le dimanche 10 avril 2005, je déclarai à un journaliste de la Presse Canadienne que le prix du litre redescendrait sous les

90 cents d'ici la fin de la semaine.[3] Dès le jeudi, le prix redescendait à 89,9 cents le litre.

Cette entrevue était la 375e depuis le 4 janvier 2001, et pour la première fois on me collait l'étiquette d'expert ou d'analyste ! J'aurais pu me tromper car le marché pétrolier, tant au niveau du pétrole brut que des produits raffinés, est extrêmement volatile, trop même. J'ai basé mes projections sur l'expérience acquise au cours de quatre années d'observation du marché, sur l'évolution des prix à la bourse Nymex, sur le niveau des inventaires et les cycles saisonniers. Une observation basée sur des faits et non sur le vol des hirondelles !

Quand ce n'est pas en direct :

L'univers des média a ses lois et des contraintes spéciales, notamment le temps. Ainsi lorsque, dans une entrevue, on prend bien le temps d'expliquer le plus complètement possible un sujet d'actualité, il arrive que seul un fragment de la réponse sera diffusé, faute d'espace. Les événements d'une journée sont parfois nombreux et certains médias veulent tout couvrir sans pouvoir tout expliquer. C'est arrivé le vendredi 8 juillet 2005. Un journaliste m'avait contacté pour commenter le prix de l'essence qui avait censément atteint 1,05 $ dans la région de Montréal. C'était une méprise et je pris le temps d'expliquer au journaliste ce qu'il en était. Je reproduis ci-après la réponse que je lui ai servie et ce qu'il en a retenu dans son reportage final.

Le journaliste : *On a entendu dire que le prix de l'essence aurait monté à 1,05 $ durant la journée à Montréal. Mais après une vérification sur le terrain, tout ce qu'on a remarqué c'est des 99 cents à 1,02 $. Auriez-vous une explication ?*

F. Q. : *Bien on m'a informé ce matin qu'à Québec le prix était monté hier (jeudi 7 juillet 2005) à 1.054 $ le litre pour l'essence ordinaire. Par la suite, en écoutant un poste de radio ici à Montréal, le chroniqueur de la cir-culation informait les automobilistes des différents prix en périphérie de Montréal. Je l'ai alors appelé pour l'informer que le prix à Québec était de 1,05 $ afin que ceux et celles qui avaient à se déplacer là-bas sachent à quoi s'en tenir. Il se peut qu'à partir de ce moment certains auditeurs n'aient entendu que le prix de 1,05 $ sans savoir que c'était dans la ville de Québec. À partir de là, le jeu des légendes urbaines prend son envol et tout le monde entend quelqu'un qui a dit que le prix est rendu à 1,05 $ même à Montréal. Ce scénario de la légende urbaine a eu lieu également le 13 septembre 2001. Deux jours après l'événement du 11 septembre, quelqu'un aurait entendu*

---

[3] Presse Canadienne, 11 avril 2005, « *Le prix de l'essence devrait diminuer.* »

dire que le prix de l'essence était rendu à plus de 1 $ le litre dans la région de Shawinigan et peut-être que par le truchement d'une chaîne téléphonique, cette rumeur s'était rendue à Laval et sur la rive-sud de Montréal. Après vérification, rien n'avait changé, le prix était demeuré stable dans les 70 cents. Mais le jeu des légendes urbaines avait donné bien du sérieux au sujet.

Le journaliste : *Quelle est votre analyse sur la situation des prix du pétrole et de l'essence des dernières semaines ?*

F.Q. : *Actuellement le baril de pétrole brut et le gallon d'essence raffiné négociés sur la bourse des produits de commodités subissent une frénésie boursière sans précédent. Un événement qui avait très peu d'impact sur le cours de ces produits il y a à peine trois ans, provoque un engouement excessif aujourd'hui. Par exemple, mercredi dernier (6 juillet 05) simplement la nouvelle que la tempête tropicale Dennis aurait dans sa trajectoire le Golfe du Mexique, bien ça a provoqué un record de 62 $ sur le cours du baril de pétrole brut.[4] La tempête n'a encore rien affecté, elle n'ira peut-être pas du tout dans la région des plates-formes pétrolières du golfe du Mexique, mais la rumeur de la trajectoire potentielle avait nourri la frénésie boursière. Les options sur le baril de pétrole brut vivent le même phénomène que l'action de Nortel durant l'année 2000. Trop de spéculateurs par rapport à l'offre. C'est très sérieux et le gouvernement doit le réaliser.*

Le journaliste *: Croyez-vous que ça va se poursuivre ou redescendre ?*

F.Q. : *Il y a des limites à ce que l'économie d'un pays peut endurer. Le premier pays industrialisé qui ne pourra endurer davantage l'effet inflationniste des produits pétroliers, connaîtra probablement un ralentissement économique et ça fera baisser les prix. Mais il semble y avoir un tabou entre les chefs d'État des pays industrialisés à ne surtout pas dire l'expression choc pétrolier ou chao pétrolier. À moins que ce ne soit un groupe tactique de communication et de relation publique qui dirige maintenant les pays industrialisés et non les chefs d'État. Pourtant, en octobre 1973, l'expression choc pétrolier avait été utilisée à grande échelle pour une hausse de 6 $ le baril de pétrole brut. De plus, la technologie de l'époque évaluait les réserves mondiales de pétrole à une dizaine d'année tout au plus, alors qu'on les évalue à plus de 30 ans en 2005.*

Le journaliste : *Que faire pour intervenir ?*

F.Q. : *Tout se règlemente. En 1974, quelques jours seulement après le début de l'ascension des prix de 3,50 $ le baril à environ 13 $, le premier ministre Pierre Elliott Trudeau avait procédé en deux étapes. Il a fait*

---

[4] Site Internet Bloomberg.com, 6 juillet 2005, « *Oil surges to record as tropical threatens us supplies.* »

prolonger le pipeline de l'Ouest, de Sarnia en Ontario jusqu'à Montréal afin de diminuer notre dépendance au pétrole importé. Le 27 mars 1974, il a gelé le prix du baril de pétrole au Canada au prix de 6,50 $ pendant 12 à 15 mois. La situation de 2005 justifierait cette même solution, mais les politiciens d'aujourd'hui ne semblent pas vraiment orientés au bien-être de la population comme en 1974. La santé économique du pays semble passer après la santé économique d'un seul secteur.

Le journaliste : *Merci monsieur Quintal.*

Voici ce que le reportage en a retenu :

... la guerre en Irak, l'ouragan Dennis ou la loi de l'offre et de la demande... *Frédéric Quintal de L'essence à juste prix soutient que ce type d'information n'avait aucun impact auparavant.* Quel est le problème alors ? *« C'est qu'il y a trop de spéculateurs par rapport à l'offre. C'est très sérieux et le gouvernement doit le réaliser »* dit-il.

Ça n'a pas la même dimension, n'est-ce pas ! Ici il faut comprendre la contrainte que représente la gestion de l'espace dans un média. Mais c'est frustrant quelquefois. C'est un des facteurs qui m'ont incité à écrire ce livre. En espérant n'avoir pas trop débordé les limites de votre curiosité. À ceux et celles qui voudront monter aux barricades un jour pour défendre un dossier quelconque, je dis que le traitement de l'espace dans les médias ne correspondra peut-être pas toujours à vos attentes, mais que leur accessibilité pourra vous surprendre agréablement en d'autres occasions. Apprenez à vivre avec les deux aspects.

Des compagnies pas toujours sages

Le déversement de l'Exxon Valdez :

Le 24 mars 1989,[1] le pétrolier Exxon Valdez de la compagnie Exxon heurta un récif près des côtes d'Alaska, trois heures seulement après avoir quitté son quai de chargement à Valdez. Il transportait onze millions de gallons (environ 255 000 barils) de pétrole. Le déversement s'est étendu sur 1 300 milles de côte, détruisant toute vie sauvage ainsi que les zones de pêches. En compensation de cet accident, Exxon offrit volontairement 300 $ millions de dollars US aux victimes du désastre.

Quelque trente-deux mille pêcheurs et résidents affectés par l'hécatombe ainsi que des groupes de protection de l'environnement se regroupèrent dans un recours collectif organisé et exigèrent davantage. Un long procès s'ensuivit devant un jury fédéral qui ordonna à Exxon, en 1994, de verser une compensation de cinq milliards de dollars.

Dix ans après le désastre et après de longues procédures juridiques en cour d'appel, Exxon refusait toujours de verser cette compensation de 5 $ milliards. Un porte-parole déclarait, le 24 mars 1999, que la compensation offerte de 300 millions de dollars était juste et que le jugement de 5 $ milliards était excessif.

Le 29 janvier 2004, un juge fédéral, le juge Russel Holland, ordonnait à Exxon Mobil de payer 6,75 $ milliards au recours collectif (intérêts calculés). Mais une cour fédérale d'appel de San Francisco renversa la décision du juge Holland.

---

[1] 39, Associated Press, 24 mars 1999.

Exxon chargeait trop cher à des détaillants :

Le 20 février 2001,[2] une cour fédérale de la Floride ordonna à Exxon de rembourser 500 millions de dollars à quelques dix mille propriétaires de stations-service aux États-Unis qui se plaignaient d'avoir payé trop cher leur livraison d'essence au cours d'une période de douze ans. Le différend portait sur un rabais offert par Exxon à ses clients qui payaient comptant, mais s'inversait en une surcharge de quatre cents le gallon pour les ventes à crédit. Exxon avait promis de réduire le prix de gros, mais cette politique n'avait duré que six mois. Exxon a porté le jugement en appel.

Des royautés non payées :

Le 19 décembre 2000,[3] un jury d'Alabama condamnait Exxon pour n'avoir pas payé à l'État des redevances de 87,7 millions de dollars et lui imposait une amende de 3,4 milliards de dollars. L'argument invoqué pour justifier cette amende était que la compagnie savait, selon des documents internes mis en preuve, qu'elle devait payer ces redevances à l'État, mais qu'elle s'en était abstenue, croyant que ce dernier n'oserait pas l'amener en cour.

Des droits humains douteux :

Le 10 décembre 2003,[4] la pétrolière américaine Unocal était assignée à comparaître devant un tribunal californien pour violation des droits de l'homme en Birmanie lors de la construction d'un gazoduc durant les années 1990. C'était la première fois qu'une société américaine était accusée de complicité avec un gouvernement militaire condamné par la communauté internationale. Le procès s'est engagé à la suite de plaintes formulées par une quinzaine de villageois Birmans qui accusaient Unocal de violation des droits et de complicité avec le régime Birman, lequel n'aurait pas hésité à recourir au travaux forcés, aux viols et à la torture pour assurer la construction du gazoduc de Yadana.

---

[2] Financial Times.com, 20 février 2001.
[3] Business Week, 9 avril 2001.
[4] Agence France Presse, 9 décembre 2003.

Une loi non respectée sur des ventes à pertes interdites[5] :

Murphy Oil a toujours nié avoir effectué des ventes à perte aux postes d'essence opérant sous la bannière Wal-Mart. Elle a maintenu ces prétentions, même après leur rejet à plusieurs reprises par jugements de la cour fédérale américaine.

Mais le raffineur a fini par admettre qu'il avait probablement violé la loi du Minnesota qui interdit les ventes à perte. Il devra donc payer une amende de 70 000 $ au département d'État des poids et mesures, responsable de l'application de la loi. La loi de l'État fixe une marge de détaillant équivalente à huit cents par gallon. Murphy avait violé cette règle dans chacun de ses 10 postes d'essence installés sur le territoire de l'État. *Nous n'avions pas l'intention de violer la loi du Minnesota*, a déclaré Hank Heithaus, vice-président de Murphy. *Nous avons réétudié la plainte logée par l'État du Minnesota et découvert que, oui, nous avions probablement violé la loi. En conséquence, nous avons ajusté nos pratiques.*

Deux compagnies auraient freiné une certaine compétition[6] :

Le 2 juin 2004, une action représentant vingt-trois mille propriétaires de stations-service, a été inscrite à une cour d'appel fédérale à Pasadena, en Californie. L'action tenterait de prouver qu'une alliance entre Equilon Enterprises et Motiva, des raffineurs, a pu affaiblir le niveau de compétition de sorte que le gallon se serait vendu dix cents plus cher qu'il ne l'aurait été.

---

[5] Oil Express, juin 2004.
[6] Platts.com, 2 juin 2004.

Réflexions

La fiabilité de l'OPEP :

L'OPEP a adopté en mars 2000 une politique de maintien du prix du baril à 25 $, avec une possibilité d'écart de plus ou moins 3 $ (de 22 $ à 28 $). Elle s'autorise à intervenir soit en augmentant, soit en diminuant sa production de 500 000 b/j, en fonction des cours. À ce sujet, précisons que le cours du prix moyen est établi par référence à sept bruts mondiaux. Si le cours est inférieur à 22 $ le baril pendant dix jours ouvrables consécutifs, l'OPEP réduira alors sa production. Si les prix sont supérieurs à 28 $ US pendant vingt jours, elle haussera sa production.[1] Malheureusement ce mécanisme, fort intéressant, n'a jamais été mis en œuvre par le cartel. Il est demeuré un thème en or pour des concours de relation publique, que n'ont d'ailleurs pas manqué d'utiliser maintes gens du milieu pétrolier, sans plus.

Le 9 juin 2005,[2] le président de l'OPEP a fait savoir que le cartel étudiait une fourchette de prix du pétrole variant entre 30 $ et 50 $ US le baril, qui serait acceptable à la fois par les consommateurs et les producteurs. Mais voilà, le prix du baril plane au-dessus des 50 $ depuis le 26 mai 2005 et nous attendons toujours que l'OPEP passe de la parole aux actes.

Comment changer la situation ?

Il devient évident que l'OPEP ne contrôle pas le marché pétrolier. La hausse de 500 000 b/j de sa production, le 16 juin 2005, n'a pas eu d'impact. L'environnement économique de juin 2005 a plutôt retenu les échos d'une possibilité de grève dans l'industrie pétrolière en Norvège, d'hostilité au Nigeria, de la forte demande en Chine, etc.

---

[1] Agence France-Presse, 13 septembre 2004, « *L'OPEP produit presque à son maximum.* »

[2] Journal La Presse, 10 juin 2005, « *Le brut bondit à New York.* »

Pourtant, en février et mars 2003, l'environnement mondial avait accusé le coup d'un réel arrêt de la production de pétrole du Venezuela durant deux mois ainsi que de toute la tension qui a précédé l'invasion militaire de l'Irak par les Américains le 20 mars 2003. Sans oublier la période de temps froid de janvier 2003. En juin 2005, on peut convenir que l'environnement mondial était plutôt calme par rapport à février et mars 2003. Peut-être qu'il y a trop de spéculateurs financiers en produits pétroliers par rapport au nombre de producteurs et de raffineurs disponibles. Cela nous rappelle le cas de l'action de Nortel qui a connu une dégringolade en règle durant l'année 2000 passant de 125 $ en septembre 2000 à 0,73 $ à l'été 2001, amenant probablement quelques investisseurs à remettre en question leur plan de carrière. La situation d'excès d'un baril de brut à plus de 60 $, du prix de l'essence ordinaire à plus de 1 $ le litre au Canada, du gallon d'essence à plus de 2,50 $ chez les Américains et du litre à plus de 1,25 euros en Europe va normalement entraîner un ralentissement de l'économie dans l'un des principaux pays industrialisé, sinon dans tous en même temps. Et là, seule une bonne récession ferait descendre les prix des produits pétroliers à des niveaux... de récession.

Les consommateurs ont trois possibilités devant eux :

1- Espérer que le gouvernement fédéral pourra intervenir ?

Le contenu du présent livre devrait nous amener à comprendre qu'une telle éventualité ne cadre pas avec les plans de notre gouvernement. À ceux qui croient que oui, je vous invite à relire le chapitre 4 sur le parlement d'Ottawa. Et faites-le en brandissant une croix et en psalmodiant : *Parti Libéral ou Conservateur, sort de ce corps !* En d'autres termes, ce à quoi nous avons assisté au Canada depuis quelque part en 1984, c'est la mise en place de ce qu'on appelle la mondialisation. Les grands acteurs de cette opération la dissimulent sous la terminologie pudique de l'ouverture des marchés. Langage de relation publique ou l'art d'expliquer par n'importe quelle définition... sauf la bonne. Une définition plus juste serait la réduction de la présence et/ou de l'intervention de l'État dans les pratiques commerciales et industrielles.

En passant, si le ministre des Finances Ralph Goodale avait patienté jusqu'en août 2005 pour vendre le dernier bloc d'actions de Pétro-Canada, il en aurait retiré 1 500 000 000 $ de plus ! L'action est passée de 65 $ en septembre 2004 lors de la vente, à plus de 95 $ en août 2005.

2-   Attendre une éventuelle récession ?

Cela implique des conséquences sur les taux d'intérêt, des pertes d'emplois et des rendements négatifs sur les fonds de pension. Ça vous intéresse ?

3-   Changer nos habitudes de déplacement ?

Qui a échangé son véhicule SUV pour une voiture qui consomme moins ? Qui a réélu domicile plus près de son lieu de travail ? Qui pratique le covoiturage ou utilise le transport en commun ? Qui réduit sa vitesse de 120-130 km à 100 km sur la grande route ? Qui utilise un vélo au lieu d'un véhicule moteur ? Qui laisse encore tourner le moteur de sa voiture pendant qu'il entre au dépanneur dans le but de conserver la fraîcheur de son habitacle l'été ou sa chaleur l'hiver ? Qui ne gère pas encore adéquatement ses déplacements ? À chacun son seuil de tolérance. Moi, ce fut 85 cents le litre le 6 septembre 2000, lorsque, pour la première fois, le prix de Fermont s'est manifesté à Montréal, en français et en anglais. Il faut que les consommateurs sachent qu'ils ont une incidence réelle sur environ 25 % de la demande de produits pétroliers, uniquement par leurs habitudes de déplacement.

L'homo banlieusus donne peut-être trop de place à l'essence dans son environnement quotidien. Son arsenal inclut souvent un véhicule principal sous la forme d'un sport utilitaire, un deuxième véhicule de type intermédiaire, un scooter pour un des enfants, un véhicule tout terrain, une souffleuse à neige, une motoneige, une embarcation nautique, une tondeuse à gazon, un souffleur à feuille, un taille-haie, une tronçonneuse et un taille gazon (weed eater). Cet excès de biens matériels fonctionnant à l'aide de produits pétroliers s'explique peut-être par la confiance en une certaine stabilité à long terme des prix. Pourtant, durant toutes ces années, des raffineries fermaient et des compagnies pétrolières fusionnaient. La diminution de la concurrence a permis au système de prix de référence commun sur les produits raffinés de connaître des fluctuations sans cesse croissantes. Hélas, l'homo banlieusus semble incapable d'adapter son arsenal à cette nouvelle ère de fluctuations.

Simple rappel, la raffinerie de Pétro Canada à Oakville, en Ontario, a officiellement cessé sa production le 20 mai 2005. Dans la plus grande discrétion.

La dernière fois que les consommateurs ont pu faire dégringoler le prix des produits pétroliers, ce fut dans la foulée du 11 septembre 2001. L'impact de l'événement de ce jour-là a dissuadé pour un temps tout le monde d'utiliser le transport aérien, de sorte que le prix du baril est descendu aussi bas que 19 $ en décembre 2001. Un certain ralentissement économique a d'ailleurs accompagné le phénomène. Il faut remonter au début des années 1980 pour retrouver une situation analogue où les consommateurs ont pu influencer le prix du baril à la baisse. En premier lieu est survenu le premier choc pétrolier d'octobre 1973 où le prix du baril de pétrole brut est passé de 3 $ à 11 $, puis le second choc pétrolier où le prix du baril est passé de 14 $ à 34 $ avant d'atteindre ensuite les 40 $ en 1981. C'est seulement après le deuxième choc pétrolier de février 1979, et donc 6 ans après celui d'octobre 1973, que les consommateurs ont opté pour les voitures 4 cylindres asiatiques au détriment des voitures 8 cylindres américaines. Faudra-t-il attendre un facteur de multiplication de plus de 10 ? Est-ce que tant qu'aucun chef d'État n'utilise l'expression « choc pétrolier », on doit croire qu'il n'y a pas de choc ? Il faudra peut-être cesser d'aller là où nos chefs d'État veulent nous emmener, puisque qu'ils ne semblent pas représenter les intérêts de la population.

Le fabriquant des véhicules Hummer, en Indiana, a produit 24 000 unités en 2004.[3] Ce véhicule consomme 24 litres au 100 kilomètres. 24 000 personnes devraient acheter un Hummer en 2005. Par contre, selon l'analyste en vente automobile, Wards Automotive, les ventes globales des véhicules sport utilitaires et camions légers auraient diminué de 1,7 %, en date de juin 2005, alors que celles des voitures auraient augmenté de 3,1 %.[4]

---

[3] Journal La Presse, 26 août 2004, « *General Motors réduira sa production de Hummer.* »

[4] Journal La Presse, 20 juin 2005, « *La cote des VUS en baisse.* »

Le tableau suivant illustre la performance de certains véhicules.[5]

Consommation d'essence (en ville).

Modèle	Moteur (en litre)	Milles au gallon
Honda Insight	1,0	61
Toyota Prius	1,5	52
Honda Civic hybride	1,3	48
Honda Civic	1,7	36
Toyota Echo	1,5	35
Toyota Corolla	1,8	32
Pontiac Vibe	1,8	29
Hyundai Accent	1,6	29
Dodge Neon	2,0	29
Toyota Matrix	1,8	29
Lincoln Navigator	5,4	12
Land Rover	4,4	12
GMC Sierra Denali	6,0	12
Mercedes-Benz G-Class	5,0	12
Lexus LX 470	4,7	12

La première initiative à prendre, au niveau des juridictions provinciales, serait de mettre sur pied une commission parlementaire sur nos choix de déplacement en transport routier. Une telle commission pourrait définir un programme d'incitatifs tels que favoriser les véhicules à faibles consommation d'essence et pénaliser les autres véhicules, convaincre les employeurs d'encourager le covoiturage, comme le fait la compagnie Bombardier,[6] obliger les concessionnaires d'automobiles à afficher la consommation de carburant des véhicules neufs, etc.

---

[5] CNNmoney, 2 mars 2003, « *Best and worst gas mileage.* »
[6] Journal La Presse, 16 août 2004, « *Le covoiturage, un enjeu de ressources humaines.* »

Quels sont les impacts :

Depuis environ deux ans, des économistes et surtout les autorités responsables du taux directeur à la banque du Canada et à la Réserve fédérale américaine,[7] parlent du taux d'inflation et de l'indice des prix à la consommation en faisant abstraction du secteur énergétique ou du moins en l'isolant.

Dans certains secteurs de grande consommation de produits énergétiques, il existe un moyen pour se protéger contre l'incertitude liée à la variation des prix. Cette façon de faire se nomme « convention d'échange de prix » ou swap. La STM s'en est prévalue dans le passé. Voici un dossier sur le sujet[8] :

En août 1998, la STM a voulu se prémunir contre les fluctuations des prix du pétrole pour une durée de deux ans. Pour ce faire, elle a conclu une entente avec une institution financière qui avait pris le risque d'assumer des hausses du cours du diesel contre la possibilité, à l'inverse, de profiter d'une baisse de tarifs de ce carburant. L'entente a duré jusqu'en 2003. Elle n'a pas été renouvelée par la suite en raison de la hausse trop marquée des prix.

Autre exemple d'impact[9] : le Québec est un importateur net de pétrole, cela a eu un effet négatif sur sa balance commerciale de plus de 800 millions de dollars entre l'année 2003 et 2004.

De plus, à deux reprises en deux mois (juin et août 2005), Air Canada et Westjet[10] ont annoncé des hausses du prix de leurs billets afin de contrecarrer les effets de la hausse du prix du pétrole. Le 12 août 2005, Westjet annonçait une hausse du prix des billets oscillant entre 5 $ et 12 $, en fonction de la destination.

La messagerie avec service rapide est un autre secteur fortement affecté. Il s'agit d'entreprises qui offrent à leurs clients des délais de livraison allant du service direct au service 3 heures. La plupart des messagers sont des travailleurs autonomes qui doivent défrayer le coût de leurs dépenses. Ils sont rémunérés à pourcentage fixe sur le montant total facturé au client. Chez l'une de ces entreprises, Courrier Plus, la gestionnaire Karinne Vanasse a expliqué que depuis que le prix de l'essence enregistre des fluctuations sans précédent, ils ajoutent une surcharge sur la facturation finale à leur client, correspondant à un pourcentage établi à partir des données fournies par la

---

[7] Journal La Presse, 10 août 2005, « *La Fed y va d'une 10ᵉ hausse de taux.* »
[8] Journal Les Affaires, 19 février 2000, « *La hausse vertigineuse du prix du diesel donne raison à la STCUM !», Martin Jolicoeur et Francis Vailles.*
[9] Journal La Presse, 13 août 2005, « *La flambée du brut détériore la balance commerciale du Québec.* »
[10] Journal de Montréal, 13 août 2005, « *Prendre l'avion coûte plus cher.* »

Régie de l'énergie. Ce pourcentage est ajusté à chaque période de 2 semaines. De plus, comme le messager sous-traitant assume entièrement le coût du carburant, la surcharge de carburant lui revient à 100 %. Dans d'autres secteurs de transport, cette surcharge peut monter jusqu'à 17 %.

Un recours collectif :

Comme autre solution, il serait intéressant de vérifier auprès de spécialistes en droit de la concurrence si le système de prix à la rampe de chargement instauré par Esso, en juin 1985, et suivi par les autres compagnies, ne devrait pas faire l'objet d'une enquête en profondeur, voire d'une commission d'enquête, suivie d'un recours collectif pour tous les consommateurs de produits pétroliers depuis juin 1985.

Le 23 août 2005, le professeur Léo-Paul Lauzon a fait une sortie médiatique pour agir comme une sorte de réveille-matin. Il a décrit les conséquences financières d'avoir toléré la privatisation complète de l'industrie pétrolière. Parmi tous les pays producteurs et exportateurs nets de pétrole, le Canada est le seul à avoir entièrement privatisé son secteur pétrolier, avec des intérêts étrangers de surcroît ! 84 % des dividendes d'Imperial (Esso) et 78 % des dividendes de Shell quittent le pays. Il y a un terme qui définit cette situation, c'est la colonisation. Pourquoi la Norvège, l'Iran, l'Arabie Saoudite, la Russie, le Venezuela, le Mexique, la Chine, etc., possèdent-ils une compagnie pétrolière d'État, mais pas le Canada ? Pourquoi le Mexique a-t-il résisté à l'inclusion des produits pétroliers dans l'accord de libre-échange nord-américain (ALENA), mais pas le Canada ? Parce que la population du Mexique a fortement manifesté son inquiétude à son président.

Comment réagiriez-vous si le gouvernement du Québec annonçait demain matin que la société d'État Hydro-Québec sera privatisée ? Et à des intérêts étrangers ? Et que le tarif du kilowatt/heure n'est plus réglementé par une régie, mais sera plutôt soumis aux lois du marché et fixé en fonction du tarif américain qui, lui, est coté en bourse ? Rappelons que ce tarif fluctue quotidiennement de plus de dix à vingt fois le montant actuel. Et que diriez-vous d'adresser votre paiement mensuel à un siège social à New York ? Est-ce que ça vous donnerait le goût de réagir et de descendre dans la rue ? C'est pourtant ce qui est arrivé à Pétro-Canada. Comment nos gouvernements ont-ils pu réussir cette dilapidation de notre héritage public ? Une habile campagne de relation publique pour entamer la cote d'amour envers Pétro-Canada et des négociations de l'accord de libre-échange conduites dans un climat de discrétion auront été les éléments clés de cet exploit. D'ailleurs, nous vivons une manipulation analogue dans le dossier du système de santé public. Il suffit de faire mal paraître la capacité de l'État à gérer les services de santé pour développer l'idée que le privé ferait mieux. Quelques études à l'appui de cette thèse, une transition douce et discrète et on se retrouve dans un système privé dans moins de dix ans.

Il y a deux façons de déstabiliser des gouvernements. La première est plutôt radicale : c'est celle d'Al-Quaïda. La seconde est plus pacifique et également plus efficace. C'est d'informer la population. Une population bien informée est toujours plus difficile à berner. Puisse ce livre répondre à cette mission.

Votre dévoué auteur,

Frédéric Quintal

En attendant, roulez plus lentement !

Glossaires et références

Glossaires :

LCN :	Le Canal Nouvelle de TVA.
NYMEX :	New York Mercantile Exchange.
ICPP :	Institut canadien des produits pétroliers.
AQUIP :	Association québécoise des indépendants des produits pétro-liers.
MAZOUT :	Huile à chauffage.
B/J :	Baril par jour.
B/D :	Barrel per day.
SUV :	Véhicule sport utilitaire.
ALENA :	Accord de libre-échange nord américain.
NAFTA :	North american free trade agreement.
TVQ :	Taxe de vente provinciale.
TPS :	Taxe de vente fédérale sur les produits et services.
OCDE :	Organisation du commerce et du développement économique.

Sites Internets :

www.eia.doe.gov
www.bloomberg.com
www.regic-energie-qc.ca
www.platts.com
www.icpp.ca
www.ottawagasprice.com
www.gaspricewatch.com
www.essenceajusteprix.com
www.essencequebec.com
www.manicore.com/documentation/taxe.html
www.essencesaglac.qc.ca

Livres :

Les 7 soeurs, les grandes compagnies pétrolières et le monde qu'elles ont créé, Anthony Sampson (1976).

The canadian oil giant, l'histoire de l'industrie pétrolière au Canada durant les années 1970, Peter Foster (1981).

The history of the Standard Oil Company, par Ida M. Tarbell (1904).

Titan, The life of John D. Rockfeller, par Ron Chernow.

Table 9
END USER PRICES FOR PETROLEUM PRODUCTS
February 2002

	National Currency						US Dollars					
			% ch Prev. Month		% ch Year Ago				% ch Prev. Month		% ch Year Ago	
	Price	Tax	Price	Excl. Tax	Price	Excl. Tax	Price	Excl. Tax	Price	Excl. Tax	Price	Excl. Tax
GASOLINE[1] (Price per Litre)												
France	0.962	0.732	0.6	2.2	-7.1	-24.1	0.838	0.200	-0.7	0.9	12.2	-28.2
Germany	1.002	0.762	3.7	14.8	-4.6	-23.1	0.873	0.209	2.4	13.4	-9.8	-27.3
Italy	1.002	0.709	0.8	2.4	-4.8	-17.7	0.873	0.255	-0.5	1.1	-9.9	-22.2
Spain	0.771	0.502	1.0	2.7	-4.6	-17.2	0.672	0.234	-0.2	1.4	-9.8	-21.7
UK	0.703	0.563	0.9	3.7	-8.9	-17.2	0.881	0.175	-11.7	-9.3	-21.5	-28.6
Japan	102.9	58.7	-1.1	-2.2	-6.7	-13.7	0.772	0.332	-1.4	-2.6	-18.7	-24.8
Canada	0.593	0.291	1.7	3.1	-12.7	-20.1	0.372	0.189	-0.9	0.4	-16.6	-23.7
USA	0.294	0.101	0.7	1.0	-23.2	-31.6	0.294	0.193	0.7	1.0	-23.2	-31.6

1 Unleaded premium (95 RON) gasoline for France, Germany, Italy, Spain, UK; regular unleaded gasoline for Canada, Japan and USA

Please note that national currency prices for France, Germany, Italy and Spain are shown in Euros

Tableau des taxes sur les carburants ou taxe routière
provinciale dans le prix de l'essence au Québec :

Région du Québec	Prix en cents
Bas St-Laurent	10,55 à 15,20
Saguenay lac St-Jean	10,55
Capitale nationale	15,20
Mauricie	12,90 à 15,20
Estrie	15,20
Montréal *	15,20
Outaouais	10,55 à 14,20
Abitibi-Témiscamingue	10,55
Côte-Nord	10,55
Nord du Québec	10,55
Gaspésie	10,55
Chaudières-Appalaches	15,20
Laval *	15,20
Lanaudière *	15,20
Laurentides *	12,90 à 15,20
Montérégie *	15,20
Centre du Québec	15,20

* La région Montréal métropolitaine a à supporter une taxe de transport en commun de 1,5 cent sous l'appellation AMT.

MEMBRE DU GROUPE SCABRINI

Québec, Canada
2005